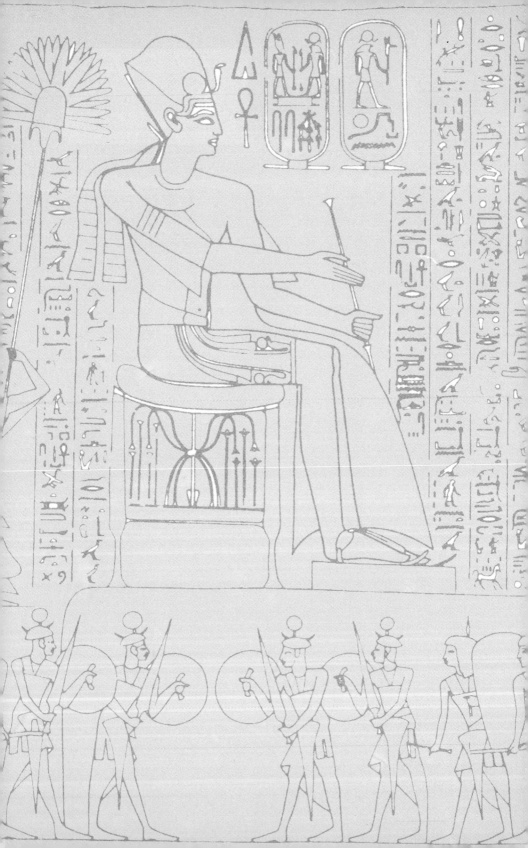

야전과 매복전, 정보전과 심리전 등 다양한 전략과 전술이 총동원된 카데슈 전투. 무적의 히타이트 군에 포위당한 람세스는 아몬 신을 부르며 황금빛 전차를 몰고 단기로 적진에 뛰어든다. (카데슈 전투를 그린 벽화의 한 장면. 막사에서 람세스가 휘하 장군들과 작전회의를 하고 있다. 그림 하단은 이집트 정찰조가 히타이트 첩자를 생포하고 있는 장면)

람세스 2세의 스핑크스

아부 심벨 대신전

RAMSÈS
람세스

RAMSÈS
La Bataille de Kadesh(volume 3)
by Christian Jacq

이 도서의 국립중앙도서관 출판예정도서목록(CIP)은
서지정보유통지원시스템 홈페이지(http://seoji.nl.go.kr)와
국가자료종합목록 구축시스템(http://kolis-net.nl.go.kr)에서 이용하실 수 있습니다.
(CIP제어번호: CIP2004000306)

RAMSÈS
람세스

③

카데슈 전투

크리스티앙 자크 장편소설
김정란 옮김

문학동네

고대 서아시아

N

카스피 해

페르시아 만

티그리스 강

유프라테스 강

바빌로니아

바빌론

아시리아

나하리나 (미타니)

메나

흑 해

하투샤

하티

트로이

에게 해

유비아

그리스

크레타

아나톨리아 고원

하타이트 제국

키프로스 섬 사마리아

오론테스 강

카데슈

알레포

지 중 해

시리아

다마스커스

비블로스

시돈

티루스

메기도

벳 샨

시켐

예루살렘

가자

실레

칸타라

아 라 비 아 사 막

에돔

모압

요단강

시나이 반도

시나이 산

홍 해

이집트

펠루시움

헬리오폴리스

멤피스

리 비 아 사 막

굼투스

테베

500 km

Carte : Edigraphie

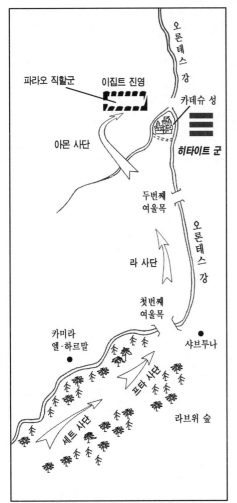

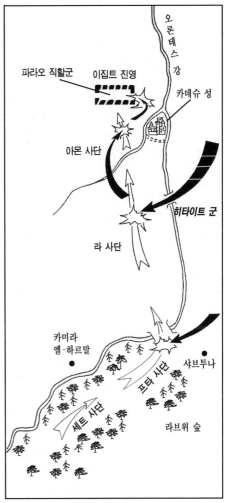

히타이트의 공격이 있기 전 이집트 4개 사단의 예상 이동 경로   히타이트가 공격할 당시의 4개 사단의 위치

1

다니오의 말은 더위로 뜨겁게 달구어진 길을 달려가고 있었다.

그는 파라오 세티에 의해 건설된 시리아 남부의 작은 촌락, '사자(獅子)마을'을 향하는 중이었다.

이집트인 아버지와 시리아인 어머니 사이에서 태어난 다니오는 긴급한 소식을 전달하는 파발꾼이라는 자신의 직업을 자랑스럽게 여겼다. 나라에서 말과 식량, 의복을 지급받을 뿐 아니라 이집트 북동쪽의 국경 마을 실레에 관사(官舍)를 할당받았고, 역참에서는 거저 묵을 수도 있었다.

괜찮은 삶이었다. 끊임없이 여행할 수 있고, 이집트의 관리와 결혼할 꿈에 젖은 나긋나긋한 시리아 처녀들이 줄을 서 있었다. 하지만 그는 처녀들과의 관계가 좀 심각해진다 싶으면 줄행랑을 놓았다.

그의 부모가 마을의 점성가에게서 들은 말마따나 다니오는 천성적으로 구속받기를 싫어했다. 도도한 애인조차 그를 붙잡지는 못했다. 그에게는 광활한 사막이나 먼지 이는 오솔길을 내달리는 것만큼 매력적인 일이 없었던 것이다.

일을 철저하고 조직적으로 처리하는 이 파발꾼은 상관들로부터 좋은 평가를 받았다. 이 일을 시작한 이후로 그는 편지 한 장 분실한 적이 없었고, 다급한 고객을 만족시키기 위해서라면 시간외 근무도 마다하지 않았다. 신속하고 정확하게 우편물을 배달한다, 이 것이 그의 좌우명이었다.

람세스가 파라오로 즉위했을 때, 많은 이집트인들이 그랬던 것처럼 다니오도 마음이 편치 않았다. 정력적이고 다혈질인 젊은 파라오가 그 옛날의 이집트와 같은 광활한 제국을 다시 건설할 야망에 불타서 아시아 정벌을 위해 군사를 일으키는 건 아닐까 두려웠던 것이다. 람세스가 집권 4년 동안 정력적으로 일을 벌인 것은 사실이었다. 룩소르 신전을 증축하고, 카르낙 대열주의 홀을 완공하고, 테베 서안에 영원의 신전을 짓기 시작하고, 델타에 새로운 수도 피-람세스를 세우는 등 그 업적은 실로 놀라운 것이었다. 하지만 그는 히타이트 족과의 상호불가침 조약을 준수해왔던 선왕의 외교 정책만큼은 바꾸지 않았다. 아나톨리아 반도의 악명 높은 전사들역시 이집트 침략을 포기한 것처럼 보였고, 시리아 남부에 대한 이 집트의 보호령을 문제삼지 않았다.

사실, 피-람세스와 '호루스의 길'의 요새를 오가는 군사 통신물의 양이 눈에 띄게 급증하지만 않았다면 아무 근심도 없었을 것이다.

다니오는 그 이유를 상급자에게 문의하고 장교들까지 붙잡고 물어봤지만 정확한 사정을 아는 사람은 아무도 없었다. 단지 이집트 보호령인 북시리아와 아무르* 지방이 좀 소란스럽다는 풍문이 떠돌 따름이었다.

다니오가 배달하는 군사 통신문들은 필경 북서지방의 방어선인 '호루스의 길' 요새의 지휘관들에게, 언제 떨어질지 모르는 비상사태 선포에 대비하라는 내용일 것이다.

세티는 자신의 치세 동안에 가나안**과 아무르, 그리고 남부 시리아를 보호령으로 복속시켰다. 이집트 국경에 인접한 그들 지역을 복속시킴으로써, 기습공격으로부터 이집트를 보호해주는 광대한 완충지대를 형성한 것이다. 물론 소란이 잦은 이들 지역의 군주들을 끊임없이 감시해야 했고, 이따금 그들을 제정신으로 돌리는 수고도 필요했다. 누비아의 황금은 철이 바뀔 때마다 되살아나곤 하는 반란의 기미를 속히 잠재우는 데 한몫하고 있었다. 이집트 군을 현지에 주둔시킨다거나, 추수제와 같은 큰 축제가 있을 때 군사 행진을 벌이는 것도 보호령 내의 평화를 유지시키는 효과적인 방법이었다.

'호루스의 길' 요새의 성문을 닫아걸고 이방인의 국경 통과를 금지시키는 것도 새삼스러운 일은 아니었다. 전에도 몇 차례 그런 일이 있었지만, 실제로 히타이트 족이 공격해온 적도 없었고 전쟁의 공포도 이내 수그러들곤 했었다.

다니오는 낙관적이었다. 히타이트 족은 이집트 군대의 위력을 알고 있었고, 이집트인들은 잔인하고 난폭한 아나톨리아인들을 두려워하고 있었다. 두 나라 모두에 심각한 출혈을 가져올 직접적인 분쟁보다는 신경전이나 벌이는 것이 모두에게 이익이었던 것이다.

람세스로서도 대역사(大役事)를 계획하고 있는 마당에 분쟁을 일으킬 생각은 갖고 있지 않을 터였다.

---

* 현재의 레바논 지역을 가리킨다.
** 당시엔 팔레스타인과 페니키아를 포함하는 지역이었다.

다니오는 '사자마을' 속령의 농지를 경계짓는 비석 앞을 전속력으로 통과했다. 순간, 그는 말을 멈췄다. 왔던 길을 되돌아갔다. 무엇인가 이상했다.

파발꾼은 비석 앞에 말을 세우고 땅에 내려섰다.

궁륭형의 비석 윗부분이 파손돼 있고, 비문의 어떤 글자들은 망치 같은 것에 두들겨맞아 깨져 있었다. 그는 분노를 금치 못했다. 알아보기조차 힘들게 훼손된 비문은 더이상 마을을 보호하는 주술적인 힘을 갖고 있지 못했다. 이런 죄를 저지른 자는 엄벌에 처해야 했다. 신성한 비석을 파손하다니, 사형을 받아 마땅한 범죄였다.

파발꾼이 이 비극적인 사건을 최초로 발견한 사람이라는 것은 의심의 여지가 없었다. 서둘러 이 일을 주둔 부대장에게 알려야 했다. 주둔 부대장은 파라오에게 이 끔찍한 재난에 대해 자세한 보고서를 올리게 될 것이다.

돌을 쌓아올린 울타리가 마을을 둘러싸고 마을 입구 양쪽에 두 개의 스핑크스가 버티고 있었다. 파발꾼은 너무 놀라 몸이 굳어버렸다. 울타리의 대부분이 부서지고, 두 개의 스핑크스는 배를 드러낸 채 옆으로 쓰러져 있었던 것이다.

'사자마을'이 공격당했다!

마을은 쥐죽은 듯 고요했다.

평상시 이 마을엔 활기가 넘쳤다. 보병들과 기병들은 훈련에 바빴고, 중앙 광장의 분수대 주변은 모여서 토론을 벌이는 사람들로 북적대고 끊임없이 울어대는 아이들 소리에 당나귀들 울음소리까지, 언제나 떠들썩하고 부산스러운 곳이었다.

심상치 않은 침묵이 파발꾼의 목을 졸라왔다. 입 속이 바짝 탄 그는 수통의 뚜껑을 열고 물을 벌컥 들이켰다.

두려움보다는 호기심이 더 컸다. 사실, 당장 말 머리를 돌려 가까운 부대를 찾아가 신고해야 했지만, 그는 궁금증을 참을 수 없었다. 다니오는 '사자마을'의 주둔 부대장에서부터 여인숙 주인에 이르기까지 거의 모든 주민들을 알고 있었다. 친한 친구들도 있었다.

말이 울어대며 요동을 쳤다. 파발꾼은 말의 목을 쓰다듬으며 진정시켰다. 짐승은 한 발짝도 움직이려 하지 않았다. 다니오는 말을 그 자리에 세워두고 적막에 싸인 마을 안으로 들어섰다.

밀 곳간들은 온통 뒤헤쳐져 있고, 항아리들은 산산조각나 있었다. 저장해둔 양식이며 물은 하나도 남아 있지 않았다. 이층으로 쌓아올린 작은 집들은 이제는 폐허일 뿐이었다. 단 한 채의 집도 무사하지 못했다. 광기에 사로잡힌 침략자들의 파괴행위가 눈에 선했다. 주둔 부대장의 처소 역시 마찬가지였다.

작은 신전의 벽은 모두 무너져내렸다. 망치에 맞아 부서진 신상(神像)은 목이 달아나고 없었다.

사위는 온통 숨막힐 듯한 침묵만 흐르고 있었다.

우물은 당나귀들의 시체로 메워지고 중앙 광장에는 가구나 파피루스를 태운 장작불의 흔적이 남아 있었다.

냄새.

역하고 매운 냄새가 그의 콧구멍 속을 달라붙듯 파고들었다. 그는 냄새를 좇아 마을의 북쪽 끝으로 향했다. 그곳에는 햇빛을 막아주는 거대한 주랑(柱廊) 안쪽에 푸줏간이 있었다. 사람들이 도살한 소를 토막내기도 하고, 고기 덩어리를 커다란 솥에 넣어 익히기도 하고, 닭 따위를 꼬치에 꽂아 굽기도 하던 시끌벅적한 장소였다. 그자신도 우편물 배달이 끝나면 즐겨 식사하던 곳이 아닌가.

그들을 발견했을 때 다니오는 숨을 쉴 수 없었다.

모두 거기에 있었다. 병사들과 상인들, 장인들은 물론 노인과 아녀자들, 심지어 젖먹이들까지 모두 목이 잘려 그 시체가 겹으로 쌓여 있었다. 주둔 부대장은 말뚝에 박혀 있었고, 주둔부대의 장교 세명은 푸줏간의 지붕을 떠받치는 대들보에 목매달려 있었다.

나무 기둥에 히타이트 글자로 이런 문구가 씌어 있었다.

'히타이트의 대왕 무와탈리스 폐하의 군대가 승리를 거두었도다. 우리의 적은 모두 이처럼 멸망하리로다!'

히타이트 족! 적을 기습하여 극도로 잔인한 방법으로 공격하고 단 한 사람도 살려두지 않는 것이 그들의 관례였다. 그런 그들이 자신들의 영향권을 벗어나 이집트의 북동쪽 국경에서 그리 멀지 않은 이곳까지 쳐들어온 것이다.

급박한 공포가 그를 덮쳤다. 히타이트 특공대가 아직 근처에 있다면?

다니오는 그 끔찍한 광경에서 눈을 떼지 못한 채 뒷걸음질쳤다. 도대체 얼마나 잔인한 족속이길래 사람들을 저렇게 학살하고 묻어줄 생각조차 안 했단 말인가?

다니오는 울분을 삼키며 스핑크스들이 쓰러져 있는 마을 입구로 향했다.

그의 말이 보이지 않았다.

불안에 휩싸인 파발꾼은 지평선을 살폈다. 히타이트 병사들이 나타나기라도 하면 어쩌나…… 저 멀리, 언덕 아래로부터 한 줄기 먼지구름이 일고 있었다.

전차다…… 전차들이 그를 향해 다가오고 있었다.

공포에 질린 다니오는 숨이 끊어져라 내달렸다.

2

람세스가 델타의 심장부에 건설한 이집트의 새로운 수도 피-람세스는 이제 10만이 넘는 인구를 헤아리게 되었다. 나일 강의 지류인 '라'와 '아바리스'의 두 물줄기에 둘러싸인 수도는 여름철에도 쾌적했다. 무수한 운하들이 그곳을 가로지르고 있었고, 배를 띄워 놀 수 있는 호수가 있었으며, 연못엔 물고기가 넘쳐나 낚시꾼들은 심심찮게 재미를 보았다.

피-람세스는 특이한 도시였다. 비옥한 평야로부터 다양한 산물을 공급받고 있는 평화롭고 화목한 세계가 네 개의 거대한 병영과 한 개의 무기제조공장을 갖춘 군사도시와 공존하고 있었다. 궁전 가까이에 있는 무기공장에서는 벌써 몇 달 전부터 직공들이 밤낮을 가리지 않고 일에 매달려 전차와 갑옷, 칼, 창, 방패, 화살촉 등의 군수품을 제조해냈다. 공장 한가운데의 거대한 용광로에는 특별 작업반이 배치돼 청동을 녹이고 있었다.

단단하면서도 가벼운 전차 한 대가 막 공장에서 출고되었다. 전차가 놓인 언덕 아래로는 비탈길이 나 있어, 그 아래 이미 완성된 제품들이 진열돼 있는 넓은 터에까지 이어져 있었다.

전차의 마감 작업을 검사하던 목수의 어깨를 두드리며 작업반장이 말했다.

—저 아래…… 폐하가 아니신가?

—폐하요?

목수는 작업반장의 눈길을 좇았다.

그렇다. 상하 이집트의 왕이요, 빛의 아들이신 람세스가 틀림없었다.

세티의 계승자가 권좌에 오른 지도 어언 4년, 이제 스물여섯 살이 된 그는 백성들의 존경과 사랑을 한 몸에 받고 있었다. 수려한 용모에 건장한 체격의 람세스는 사람들이 주저 없이 초자연적이라 부를 만한 힘을 지니고 있었다.

예복을 입고 있지 않을 때일지라도 그의 모습은 사람들의 찬탄과 존경심을 불러일으켰다.

왕은 비탈길을 올라와서 전차를 살폈다. 작업반장과 목수는 돌처럼 얼어붙은 채 그의 입에서 무슨 말이 떨어질지 몰라 안절부절못했다. 파라오가 몸소 불시에 공장을 시찰한다는 사실은 그가 공장에서 생산되는 무기의 질에 얼마나 큰 관심을 쏟고 있는가를 입증하는 것이었다.

람세스는 겉모양을 살피는 것으로 만족하지 않았다. 그는 나무 부품들 하나하나를 면밀히 검사하고, 굴대를 만져보기도 하고, 바퀴의 견고함을 확인했다. 마침내 그의 굳게 다문 입이 열렸다.

—일을 잘했군. 하지만 전차가 얼마나 튼튼한지는 시험주행을 통

해 확인해봐야 할 것이다.

작업반장이 대답했다.

―그렇게 하고 있습니다, 폐하. 사고가 생기면 마부가 결함이 있는 부분을 지적해주고, 저희는 즉각 수리에 들어갑니다.

―사고가 잦은 편인가?

―아닙니다, 폐하. 그리고 사고가 나더라도 저희 작업반이 잘못을 시정하고 제품을 개선할 기회로 삼고 있으니, 전화위복이라 할 수 있습죠.

―수고를 아끼지 말고 열심히 일해주기 바라네.

―폐하…… 한 가지 여쭈어도 괜찮을는지요?

―말하라.

―전쟁이…… 곧 닥칩니까?

―두려운가?

―저희는 무기를 만들곤 있습니다만, 실제로 전쟁이 벌어지는 것은 겁이 납니다. 얼마나 많은 이집트 남자들이 죽게 될 것이며, 얼마나 많은 여인들이 남편을 여의고 아이들이 아비를 잃게 될 것입니까. 신들이 도우사 전쟁만은 피할 수 있게 되기를 기원합니다.

―내 바람도 그대와 같다. 하지만 이집트가 위협당한다면 어떻게 해야 하겠는가?

작업반장은 고개를 떨구었다. 람세스가 말했다.

―이집트는 우리의 어머니다. 우리의 과거이며 미래다. 그 한없는 베품과 혜택을 매순간 누리고 있지 않느냐…… 그 은혜를 이기심과 비겁함으로 갚아서야 되겠는가?

―저희는 그저 목숨을 부지하고자 할 따름입니다, 폐하!

―만약 필요하다면 내 목숨을 바쳐서라도 이집트를 구하리라. 동요하지 말고 일에만 전념토록 하라.

얼마나 아름다운 도시인가! 피-람세스는 꿈의 실현이었고, 하루 하루가 쌓여 이룩된 행복의 절정이었다. 아바리스, 소아시아의 침략자들이 세웠던 저주받은 도시가 매혹적이고 우아한 도시, 부자든 가난뱅이든 차별 없이 아카시아와 무화과 그늘 아래 몸을 쉴 수 있는 그러한 곳으로 변모한 것이다.

왕은 목초가 풍성히 자란 들판을 산책하는 것을 좋아했다. 꽃이 만발한 오솔길들과 멱을 감기에 알맞은 수로들이 사방을 가로지르고 있었다. 그는 즐겨 꿀처럼 단 사과나 양파를 맛보았고, 해변의 모래만큼이나 풍부한 기름을 제공해주는 광대한 올리브 밭을 돌아보며 그 향기에 취하기도 했다. 그의 산책은 활발한 경제활동으로 북적대는 내항(內港)에서 끝나곤 했다. 그곳엔 값진 광석이나 희귀한 목재, 비축용 밀 등 이 도시의 부가 축적되어 있는 창고들이 늘어서 있었다.

하지만 최근 몇 주일 동안 람세스는 들판에도, 그리고 '터키석의 도시' 피-람세스의 거리에도 산책 나가지 않았다. 그는 대부분의 시간을 고급장교들이나 전차 및 보병 부대의 병사들과 함께 병영에서 보냈다. 그들은 새로운 숙소의 환경에 만족해하고 있었다.

용병이 상당수 포함되어 있는 직업군대의 병사들은 봉급이나 식사의 질에 대해 흡족해했다. 반면에 훈련 강도에 대해서는 평화시치고는 지나친 것 아니냐고 불평을 털어놨으며, 개중에는 자신들의 입대가 너무 빨랐던 것이 아닌가 후회하는 자들도 있었다. 하지만 가혹한 훈련 대신 히타이트 족과 싸우라 한다면 달가워할 사람은 아무도 없었다. 그 누구도, 심지어 산전수전 다 겪은 고참 병사들조차도 이제까지 단 한번도 패배한 적이 없다는 아나톨리아 전사들의 잔인성에 겁을 먹고 있었다.

람세스는 사람들의 마음속에 두려움이 자리잡아가고 있음을 느꼈다. 그는 병영을 순시하거나 각 부대의 훈련상황을 참관하면서 그들의 공포심을 없애주려 애썼다. 비록 또다른 고통이 그의 영혼에 서걱이고 있다 할지라도, 한 나라의 왕으로서 병사들에게 의연한 모습을 보여줘야 했으며, 그들에게 자신감을 북돋워주어야 했다.

모세, 그의 오랜 친구인 모세가 저버린 이 도시에서 어떻게 행복을 바랄 수 있을까? 이 도시의 모든 궁전과 별장과 집들은 바로 모세가 히브리인 벽돌공들을 지휘해 건설한 것이 아닌가. 어디 한 곳 그의 땀과 호흡과 열정이 배어 있지 않은 곳이 없었다. 모세는 살인죄로 기소되었다. 하지만 람세스는 믿을 수가 없었다. 뭔가 있다. 모세가 어떤 함정에 걸려들었던 것은 아닐까?

람세스는 사라져버린 친구 생각에 골몰하거나, 외무대신 셰나르와 정보부장 아샤와 함께 많은 시간을 보냈다. 매일같이 세 사람은 시리아로부터 날아오는 메시지를 토대로 정확한 상황 판단을 내려보려 애썼다.

이집트는 과연 어디까지 히타이트의 진군을 용납할 수 있을 것인가?

람세스는 집무실에 걸려 있는 서아시아의 대지도를 탁자에 펼쳐놓고 골똘히 생각에 잠겼다. 북쪽은 히타이트 제국, 아나톨리아 고원의 심부에 그 수도인 하투사가 있다. 더 남쪽으로 내려오면 지중해를 따라 오론테스 강을 끼고 광활한 시리아가 펼쳐진다. 이 지역의 가장 중요한 요새는 히타이트 통제 하에 있는 카데슈. 그 남쪽엔 이집트에 예속된 아무르 지방과 비블로스, 티루스, 시돈 등의 항구들, 그리고 가나안이 있다. 이곳 군주들은 파라오에게 충성하고 있다.

이집트의 수도 피-람세스로부터 히타이트 왕 무와탈리스의 본거지인 하투사까지는 8백 킬로미터. 그 사이에 이집트 북동 국경에서 시리아 중부에 이르는 광활한 보호령이 완충지역으로 있어, '두 개의 땅'은 그들의 침략 기도로부터 안전한 것처럼 보였다.

하지만 세티에 의해 강제된 이러한 '현상 유지'에 히타이트 족은 만족하지 않았다. 아나톨리아의 전사들은 저들의 영토를 벗어나 시리아의 주요 도시인 다마스커스 방면으로의 돌파를 개시했다.

적어도 아샤는 자신의 정보원들이 보내온 보고서를 근거로 이렇게 확신하고 있었다. 람세스는 보다 확실한 사실을 요구했다. 그가 적을 북쪽으로 몰아내기 위해 군대를 출동시키자면, 파라오 자신의 뚜렷한 확신이 서야 했다. 셰나르도 아샤도 최종적인 결정을 내릴 권한은 없었다. 결단을 내리고, 그것을 행동에 옮기는 것은 파라오, 오직 파라오만이 할 수 있는 일이다.

람세스는 히타이트의 음모를 알게 된 순간, 즉시 반격에 나서고픈 충동에 사로잡혔다. 하지만 멤피스에서 이동해온 피-람세스의 이집트 군이 전열을 갖추려면 적어도 몇 주일 혹은 몇 개월이 더 필요했다. 왕으로서는 조바심 속에 기다릴 수밖에 없었던 이 기간이 어쩌면 불필요한 충돌을 피하게 해주는 결과를 낳았는지도 모른다. 지난 보름 동안에는 중부 시리아로부터 별다른 소식이 들려오지 않았던 것이다.

람세스는 궁전의 커다란 새장으로 향했다. 그곳에는 빌새, 어치, 박새, 오디새, 도요새 등 온갖 새들이 푸른 연꽃으로 뒤덮인 수반의 물과 무화과나무의 그늘을 맘껏 누리며 살고 있었다.

그곳에 그녀가 있으리라고, 그는 확신했다. 류트로 옛 가락을 뜯고 있겠지.

네페르타리. 윤기 나는 검은 머리에 푸른 눈의 네페르타리, 침묵과 명상을 즐기는 그녀가 있으리라.

그녀가 왕에게 낳아준 딸 메리타몬은 그녀를 쏙 빼닮았다. 네페르타리는 더이상 아기를 가질 수 없으리라. 하지만 그러한 슬픔도 그녀에겐 스쳐 지나가는 한 가닥 봄바람 같은 것인지도 모른다. 그녀에겐 10여 년 동안 람세스와 함께 쌓아올린 사랑이 있었고, 그 사랑으로 온 이집트 백성의 행복을 가꿔가야 할 의무가 있었다.

람세스는 몸을 숨긴 채 그녀를 가만히 바라보았다. 네페르타리는 그녀 주위를 파닥거리며 날고 있는 한 마리 오디새와 말을 나누고 있었다. 새는 재재거리며 울다가 왕비의 팔에 내려앉았다.

—가까이에 계시는군요, 그렇죠?

그는 앞으로 나갔다. 여느 때처럼 그녀는 그가 오리라는 것을 알고 있었다. 그가 무슨 생각을 하고 있는지도 이미 알고 있으리라.

—오늘은 새들이 좀 예민해요. 한 차례 비바람이 몰아치겠어요.

—궁전에선 무슨 얘기들이 오갔소?

—정신들이 없는 것 같아요. 적에 대해 얘기할 땐 우스꽝스럽고, 우리 무기가 얼마나 강력한 것인지 말할 땐 허풍스럽고…… 이 다음엔 누구 결혼식이 있다, 다음번엔 누구누구가 대신에 임명될 거다…… 뭐 그런 수다들이지요.

—나에 대해선 뭐라고들 합디까?

—점점 아버님을 닮아가신다고요. 그리고 나라를 불행으로부터 보호하실 거라구요.

—아첨꾼들 말이 맞았으면 좋겠소…….

람세스는 부드럽게 네페르타리를 안았다. 그녀는 그의 어깨에 고개를 기댔다.

—나쁜 소식이 있나요?

—전혀. 이상하리만큼 잠잠하다오.

—히타이트의 침공은 이제 그친 건가요?

—아샤가 받은 보고 중엔 걱정할 만한 게 별로 없는 모양이오.

—싸울 준비는 되어 있나요?

—우리 병사들 가운데 아나톨리아의 전사들과 맞서 싸우겠다고

나서는 자는 하나도 없소. 고참 병사들 말로는 우리가 이길 가능성이 전혀 없다는군.

　─당신 생각도 그런가요?

　─이런 대규모의 전쟁을 이끌기 위해서는 상당한 경험이 필요하오. 나한테는 그런 경험이 없지. 아버님께서도 이런 위험한 모험은 피하셨을 거요.

　─만약 히타이트 사람들이 선왕과의 협약을 깼다면, 그것은 승리가 자신들 것이라고 믿기 때문이겠죠. 예로부터 이집트의 왕비들은 나라를 지키기 위해서라면 온 힘을 다해 싸워왔어요. 비록 폭력이 제게는 끔찍한 것이지만, 전쟁이 유일한 해결책이라면 저도 당신 곁에 있겠어요.

　갑자기 커다란 새장에 소란스런 동요가 일었다.

　오디새는 무화과나무 가지 끝으로 날아가 앉고, 다른 새들은 사방으로 흩어졌다.

　람세스와 네페르타리는 하늘을 바라보았다. 긴 여행에 지친 전령 비둘기 한 마리가 힘겹게 날아오고 있었다. 왕은 어디 내려앉아야 할지 몰라 헤매는 비둘기를 향해 팔을 뻗었다. 비둘기는 왕의 팔에 천천히 내려앉았다.

　비둘기의 오른쪽 다리에 길이가 몇 센티미터 돼 보이는 둘둘 말린 파피루스가 묶여 있었다. 작지만 알아볼 수는 있을 정도의 글자들로 빽빽한 그 문서에는 군 서기관의 서명이 들어 있었다.

　람세스는 파피루스를 읽었다. 날카로운 검이 심장을 파고드는 듯했다. 그가 침통한 얼굴로 네페르타리를 바라보았다.

　─당신 말이 맞았소. 비바람이 몰아칠 것 같다고 했지…… 지금 그게 왔소.

3

피-람세스 궁전의 대접견실은 이집트 건축의 경이 가운데 하나
였다. 그곳에 이르려면 우선 적들의 일그러진 형상으로 장식된 웅
장한 계단을 올라야 했다. 그 형상들은 끊임없이 되살아나는 악의
세력을 상징하고 있는데, 오로지 파라오만이 그것들을 마아트에 복
종시킬 수 있다.

　접견실로 들어가는 문 주위엔 왕이 즉위할 때 받은 이름들이 흰
바탕의 타원형 틀 안에 푸른색의 글씨로 새겨져 있었다. 타원은 창
조주의 아들이자 그의 화신인 파라오의 왕국과 우주를 상징하는 것
이었다.

　누구든 그 문지방을 넘어서는 사람은 그 내부의 아름다움에 감탄
하지 않을 수 없었다. 바닥에는 유약을 발라 구운 오색찬란한 타일

이 깔려 있고, 그 위엔 꽃이 만발한 정원과 연못의 풍경이 펼쳐져 있다. 녹푸른 연못에 한 마리 오리가 앉아 있고, '불티'라 불리는 물고기는 흰 연꽃들 사이를 헤엄치고 있다. 벽에는 온갖 색깔로 휘황찬란한 선경(仙境)이 펼쳐져 있었는데, 늪지대에서 노닐고 있는 새들은 살아 움직이는 듯했다. 그러고 나면 시선은 자연히 연꽃, 양귀비, 수레국화 따위의 온갖 꽃무늬로 장식된 프리즈(방의 벽, 벽난로 따위의 장식띠 — 역주)로 이끌리게 마련이었다.

하지만 수많은 꽃무늬 속에서도 단연 눈길을 끄는 최고의 걸작은 한 무리의 장미꽃 앞에 앉아 명상에 잠겨 있는 젊은 여인의 얼굴이다. 그것은 자연과의 완벽한 조화를 노래하고 있었다. 네페르타리와 너무나 닮아 있는 여인의 얼굴, 그것이 왕비에게 헌정된 작품이라는 사실엔 의심의 여지가 없었다.

람세스는 황금 옥좌에 이르는 계단을 올라갔다. 계단의 마지막 단을 장식하고 있는 사자는 암흑의 세계로부터 나타난 적을 한 입에 물어뜯고 있었다. 문득 람세스는 장미꽃에 시선을 던졌다. 장미는 본래 이집트의 보호령인 시리아 남부에서 수입된 것이었다. 불현듯 장미 가시가 그의 가슴을 찌르는 듯했다.

홀을 가득 메운 조신(朝臣)들은 침묵을 지키고 있었다.

대신들과 그 보좌관들, 제관들, 왕궁의 서기관들, 마법사들과 그들을 보좌하는 마법 각 분야의 전문가들, 하루하루의 봉헌을 책임진 자들, 국가기밀을 지키는 자들, 공직을 맡고 있는 귀부인들, 그리고 그 외 궁전 집사장 로메가 입장을 허가해준 남녀들이었다.

람세스가 이렇듯 많은 사람을 불러모은 것은 드문 일이었다. 그들은 곧 왕의 담화를 사방에 퍼뜨리게 될 테고, 담화의 취지는 이내 온 나라에 알려지게 될 것이다.

무슨 재난이라도 일어난 걸까? 사람들은 숨을 죽이고 기다렸다.

왕은 상 이집트와 하 이집트의 견고한 결합을 상징하는 흰색과 붉은색의 이중관을 쓰고 있었다. 가슴에는 자연과 생명에 대한 파라오의 지배를 상징하는 왕홀, '세켐'을 들고 있었다.

—히타이트의 특공대가 사자마을을 파괴해버렸소. 선왕께서 건설한 마을이오. 야만인들은 모든 주민을 학살했소. 아녀자들, 심지어 젖먹이들까지.

사람들이 술렁거리기 시작했다. 어떤 군대도 감히 그 같은 만행을 저지를 수는 없었다. 왕은 말을 이었다.

—이 치욕스러운 사건을 처음 발견한 파발꾼은 공포에 질려 있었소. 우리 정찰대가 그를 발견하였소. 히타이트 족은 이런 학살행위로도 모자라 마을의 신전을 부수고, 선왕 세티의 비석마저도 더럽혔소.

'비문(秘文) 담당관'으로서, 왕궁의 고문서를 관리하는 노인이 조신들의 무리에서 나와 파라오 앞에 허리를 굽혔다.

—폐하, 히타이트 족이 범인이라는 증거는 있는지요?

—여기 그들이 남긴 글이 있소. '히타이트의 대왕 무와탈리스 폐하의 군대가 승리를 거두었도다. 우리의 적은 모두 이처럼 멸망하리로다!' 또한 아무르와 팔레스타인의 군주들이 히타이트 편으로 돌아섰다는 사실도 알리는 바이오. 이집트 주민들은 살해되었고, 생존자들은 아군 요새에 대피해 있는 형편이오.

—그렇다면 폐하, 이것은…….

—전쟁이오!

람세스의 집무실은 넓고 빛이 잘 드는 곳이었다. 푸른색과 흰색의 타일로 틀이 짜인 창문을 통해 왕은 계절이 바뀌어가는 것을 음미할 수 있었고, 수천 가지 꽃들의 향에 취할 수 있었다. 조그만 황금빛 원탁에는 한 다발의 흰나리꽃이 놓여 있었다. 아카시아 나무로 된 긴 탁자는 파피루스 두루마리들을 올려놓는 장소로 쓰였다.

방의 한켠에, 시선은 저 세상을 향한 채 옥좌에 앉아 있는 세티의 모습을 표현한, 섬록암(閃綠巖)으로 된 조상이 있었다.

람세스는 아메니, 형 셰나르, 그리고 아샤를 따로 소집해 축소회의를 열었다.

창백한 안색에 기다랗고 섬세한 손, 작은 키에 마른 몸, 그리고 스물네 살의 나이에 벌써 머리가 다 벗겨진 아메니는 보기와는 달리, 유능한 서기관들이 일 주일은 걸려야 처리할 만한 서류들을 단 한 시간 만에 해치우는 괴력의 소유자였다. 그가 말했다.

─마법사들이 필요한 조치를 다 취했습니다. 아시아인들과 히타이트인들의 형상을 본뜬 밀랍인형들을 만들어 불에 태웠고, 흙을 구워 만든 그릇에 그들의 이름을 적어넣은 뒤에 부숴버렸습니다. 우리 군대가 출발하기 전까지 매일 똑같은 의식을 치러달라고 당부했습니다.

셰나르는 어깨를 으쓱했다. 국상기간 동안 자라게 놔두었던 수염을 깨끗이 면도한 모습이었다. 그가 말했다.

─마술 따위를 믿어서 되겠는가. 나는 외무대신으로서 이렇게 제안합니다. 시리아, 아무르, 그리고 팔레스타인에 있는 우리 대사들을 소환하십시오. 그 쥐며느리들은 히타이트 족이 우리 보호령 안에 거미줄을 치고 있는 것도 전혀 몰랐단 말입니다.

아메니가 말했다.

─이미 조치가 끝났습니다.

무안해진 셰나르가 성난 목소리로 말했다.

─나한테는 얘기가 있었어야 되잖아?

─조치가 이미 끝났다, 그게 중요한 겁니다.

람세스는 그들의 말다툼에 무심한 채 아카시아 탁자 위에 펼쳐져 있는 커다란 지도의 한 지점을 검지손가락으로 짚었다.

─북서쪽 국경의 수비대들은 비상사태에 들어갔나?

아샤가 대답했다.

—예, 폐하. 리비아인은 한 사람도 국경을 넘을 수 없을 겁니다.

아샤는 우아하고 세련된 태도로 지도를 가리키며 말을 이었다.

—우리 정찰대들이 여기 리비아 해안지대와 델타 서쪽의 사막지역을 통제하고 있습니다. 우리 요새들은 비상사태에 들어갔으며, 어떤 공격이 있더라도 능히 저지할 것입니다. 하지만 북서 국경에서 그런 일이 일어날 가능성은 희박합니다. 현재로서는 리비아의 부족들이 서로 동맹을 맺을 가능성이 전혀 없으니까 말입니다.

—가정인가, 아니면 확신인가?

—확신입니다.

—이제야 마음 든든한 소식을 하나 듣게 되는군.

—그 하나가…… 전부입니다, 폐하. 우리 요원들이 방금 전해온 바에 따르면, 대상(隊商)들의 도착지인 메기도와 수많은 상선들의 목적지인 페니키아 항구들, 그리고 다마스커스의 총독들이 구원을 요청하고 있답니다. 히타이트 족의 기습공격과 지역 민심의 동요로 인해 상거래는 이미 마비상태입니다. 만일 우리가 서둘러 개입하지 않는다면, 히타이트 족은 우리 동맹국들을 이집트로부터 격리시켜서 마침내는 전멸시키게 될 겁니다. 선왕 세티와 그의 조상들이 건설한 세계가 무너져내리게 되는 것이요.

—자네 생각엔 내가 그런 사실을 의식하지 못하는 것처럼 보이나, 아샤?

—위기를 의식하는 데 지나침이 있겠습니까, 폐하?

아메니가 물었다.

—우리가 정말 모든 외교적 수단을 다 강구해본 겁니까?

람세스가 되물었다.

—한 마을의 주민 전체가 학살당했네. 그런 만행을 저지른 자들을 상대로 어떤 외교적 수단이 남아 있을 수 있단 말인가?

아메니가 흔들리는 시선으로 람세스를 바라보았다.

—전쟁은 수천 명의 희생자를 내게 될 겁니다.

셰나르가 비꼬는 듯한 말투로 물었다.

—그럼, 아메니 자네는 항복을 제안하는 건가?

왕의 개인비서는 두 주먹을 부르쥐었다.

—그 말 취소하시오, 셰나르 공.

—못 하겠다면! 한번 붙어보자는 건가, 아메니?

람세스가 그들을 중단시켰다.

—그만하면 됐소. 힘이 남아 있으면 아껴두었다 이집트를 위해 쓰시오. 셰나르 형님은 즉각적이고 직접적인 군사개입을 주장하는 쪽인가요?

—글쎄…… 기다리면서 우리의 수비를 강화하는 게 더 낫지 않겠습니까?

셰나르의 말에 아메니가 동의하고 나섰다.

—군의 재정이 아직 확보되지 않았습니다. 이렇게 아무런 준비 없이 원정을 나갔다가는 필경 엄청난 재난을 당하게 될 겁니다.

아샤가 말했다.

—우리가 시간을 끌면 끌수록 가나안에는 점점 더 폭동이 번지게 될 겁니다. 우리와 히타이트 사이의 완충지대를 회복하기 위해서는 서둘러 폭동을 진압해야 합니다. 그러지 못하면, 히타이트인들은 침공을 위한 전진기지를 얻게 될 겁니다.

아샤의 말에 아메니가 흥분한 어조로 말했다.

—파라오께선 그렇게 경솔하게 목숨을 걸 수 없네.

아샤가 차갑게 물었다.

—나한테 경솔하다고 비난하는 건가?

—자네는 우리 군대가 어떤 상황에 있는지 모르고 있어! 비록 무기공장이 최대한으로 돌아가고는 있지만 군의 장비가 아직은 부족

하단 말이야.

　─우리의 난점이 무엇이든 간에, 지체 없이 우리 보호령 내의 질서를 회복시켜야 해. 이집트의 사활이 거기에 달려 있단 말일세.

　세나르는 두 친구의 논쟁에 끼어들기를 삼갔다. 아메니와 아샤를 똑같이 신뢰하고 있는 람세스는 그들의 얘기를 주의 깊게 듣고 있었다. 잠시 생각에 잠겨 창밖을 바라보던 그가 명령했다.

　─이제 그만 물러들 가시오.

　혼자가 된 왕은 태양을 바라보았다. 바로 자신을 세상에 낳아준 빛의 창조주.

　빛의 아들인 그는 눈을 다치지 않고 태양을 정면으로 바라볼 수 있었다.

　세티는 말했었다. "어떤 존재에게서건 그가 지닌 빛과 그 자질을 높이 사주어라. 어떤 사람에게서건 그만이 가진 것이 무엇인가 찾으려 애써라. 하지만 결정을 내리는 것은 언제나 너 혼자여야 한다. 너 자신보다도 더 이집트를 사랑하여라. 그러면 길이 보이리라."

　람세스는 세 사람과 가졌던 회의를 생각했다. 우유부단한 세나르는 무엇보다도 자기에게 밉보이지만 않으려는 것 같았다. 아메니는 모든 외부 현실을 무시한 채 나라를 마치 하나의 성역처럼 보존하기를 원했다. 아샤는 상황에 대한 총체적인 인식을 갖고 있었고, 사태의 심각성을 회피하려 하지 않았다.

　또다른 걱정이 왕의 마음에 파고들어 생각을 흩뜨리고 있었다. 모세, 그도 폭동에 휘말렸을까? 모세를 찾는 일을 맡았던 아샤는 아무런 종적도 발견해내지 못했다. 그의 정보원들로부터는 아무 소식이 없었다. 만일 모세가 이집트에서 벗어날 수 있었다면, 그는 리비아로 향했거나 혹은 에돔과 모압의 공국들로 갔거나, 가나안이나 시리아로 향했을 것이다. 평화시라면 그곳의 이집트 정보원들이 그의 소재를 알아냈을 것이다. 하지만 지금 상황에선, 모세가 아직 살

아 있다 해도, 그가 어디에 숨었는지 알아내는 일은 오로지 운에
달려 있었다.

람세스는 궁전을 떠나 그의 장군들이 머무는 관저로 향했다. 군
의 전투 준비에 박차를 가하는 것만이 그가 지금 걱정해야 할 일이
었다.

4

　외무대신 셰나르는 자신의 집무실 문에 두 겹의 나무빗장을 질렀
다. 그리고 창 밖을 엿보며 안뜰에 아무도 없는지 확인하였다. 매사
에 조심스러운 그는 대기실을 지키고 있던 호위병에게도 명령을 내
려 복도 맨 끝에 떨어져 있게 했다. 그가 아샤에게 말했다.
　—아무도 엿듣는 사람이 없네.
　—다른 곳에서 만나는 게 더 신중하지 않았을까요?
　—지금 같은 비상시국에는 밤낮을 가리지 않고 나라의 안전을 위
해 일한다는 인상을 줘야 하네. 람세스가 명령을 내리지 않았는가,
정당한 사유 없이 자리를 비우는 공직자는 그 즉시 해임시키라고.
우리는 전쟁중이야.
　—아직은 아닙니다.

―왕의 결정이 떨어졌네, 틀림없는 일이야. 자네가 해낸 걸세.

―그랬다면 좋겠습니다만, 신중해야 합니다. 람세스는 좀체로 감을 잡을 수 없는 인물입니다.

―연기가 괜찮았네. 동생녀석은 내가 자기한테 잘못 보일까 겁이 나서 감히 나서지도 못하고 우물쭈물한다고 믿어버렸지. 반대로 날카롭고 단호한 자네의 태도는 내 무력한 모습과 좋은 대조가 됐을 테고. 우리가 동맹을 맺은 걸 어떻게 눈치챌 수 있겠나?

만족한 셰나르는 포도 산지로 유명한 이마우 마을의 백포도주를 두 개의 잔에 가득 채웠다.

외무대신의 집무실은 왕의 그것과는 달리 소박함과는 거리가 멀었다. 연꽃이 그려진 나무의자에 화려한 색깔의 방석, 청동으로 다리를 받친 원탁, 벽에는 늪지대에서 새를 사냥하는 장면을 그려넣은 그림들이 걸려 있었고, 리비아, 시리아, 바빌로니아, 크레타, 로도스, 그리스, 아시아 등지에서 가져온 외국산 화병들이 즐비하게 늘어서 있었다. 그의 수집열은 식을 줄을 몰랐다. 테베와 멤피스, 피-람세스의 별장들은 그의 보물들로 가득 찼다.

셰나르로서는 받아들이기 힘든, 람세스의 승리라고 느꼈던 새로운 수도의 건립은 뜻밖의 횡재를 그에게 가져다주었다. 그는 자신을 권좌에 앉히기로 결정한 사람들, 바로 히타이트인들과 가까워지게 되었고, 게다가 이 비길 데 없이 아름다운 화병들의 생산지와도 가까운 거리에 자리잡게 된 것이다. 그것들을 바라보고 어루만지고 정확한 산지를 기억해내는 일은 그에게 말로 형용할 수 없는 즐거움을 가져다주었다.

아샤가 말했다.

―아메니가 마음에 걸립니다. 눈치가 빠른 데다가…….

―그 녀석은 바보야. 람세스의 그늘에 붙어 사는 약해빠진 놈이지. 그 노예근성 때문에 제대로 보지도 듣지도 못하는 놈 아닌가.

─하지만 제 태도를 비난하고 나섰습니다.

─그 서기관 녀석은 세상에 이집트 하나만 있는 줄 알고 있어. 국경을 막고 성안에 틀어박혀 있으면 적이 그냥 물러가버린다고 생각하는 놈이지. 광신적인 반전주의자야. 몸을 움츠리고 있으면 저절로 평화가 찾아온다고 믿는 놈일세. 따라서 자네와 충돌하는 것은 피할 수 없는 일이겠지. 하지만 그놈도 어딘가 써먹을 데가 있을 거야.

아샤가 반박했다.

─아메니는 람세스의 가장 가까운 측근입니다.

─평화시에는 물론 그렇지. 하지만 히타이트인들이 선전포고를 해오지 않았는가. 게다가 자네의 보고는 아주 설득력이 있었어. 아, 그리고…… 대비 투야와 왕비 네페르타리가 있다는 것을 잊지 말게나!

─그분들이 전쟁을 원한다고 생각하십니까?

─물론 증오하겠지. 하지만 이집트의 왕비들은 대대로 '두 개의 땅'을 보호하기 위해선 온 힘을 다해 싸워왔네. 때로는 엄청난 결단을 내리기도 했지. 힉소스놈들이 쳐들어왔을 때, 군대를 재정비해서 그들을 델타에서 몰아낸 것도 테베의 왕녀들 아니었나. 존경하옵는 우리 어머니 투야도, 그리고 왕궁을 휘어잡고 있는 네페르타리도 이 전통에서 벗어나진 못할 걸세. 그녀들은 람세스를 부추겨서 공격에 나서게 할 것이네.

─그 낙관론이 맞아떨어지면 좋겠군요.

아샤는 짙은 향을 풍기는 포도주에 입술을 적셨다. 셰나르는 게걸스럽게 잔을 비웠다. 아무리 화려하고 값진 옷을 걸쳐 입었다 하더라도, 그로서는 아샤만큼 우아하게 처신하는 것은 아무래도 어려웠다.

─맞을 거야. 맞는단 말일세! 자네는 우리 정보망의 총책임자가 아닌가? 람세스의 오랜 친구이자, 외교문제에 관한 한 그가 유일하게 귀를 기울이는 사람이 아닌가?

아샤는 긍정하는 듯 고개를 끄덕였다. 흥분한 셰나르가 말을 이었다.

─우리의 목표는 거의 달성된 것이나 마찬가질세. 람세스가 전쟁터에서 죽거나, 혹은 그게 아니더라도 크게 패전한다, 그러면 어디 낯을 들고 다닐 수 있겠나? 그는 권좌를 내놓을 수밖에 없을 걸세. 어느 경우건 히타이트인들과 협상을 벌여 이집트를 재난으로부터 구해낼 수 있는 유일한 인물로 내가 등장하게 되는 거야.

아샤가 지적했다.

─공짜로는 안 될 겁니다.

─내가 우리의 계획을 잊은 줄 아는가. 나는 가나안과 아무르의 군주들에게 황금을 듬뿍 안기겠네. 히타이트의 왕에게도 어마어마한 선물을 갖다바쳐야겠지. 그리고 더 어마어마한 약속을 잔뜩 늘어놔야 할 테고. 이집트는 한동안 가난에 시달리겠지. 하지만 어쩌겠나? 중요한 것은 내가 왕위에 오른다는 사실일세. 사람들은 곧 람세스를 잊게 될 거야. 백성들이란 양떼처럼 줏대 없고 미련하기 마련, 어제까지 숭배하던 것을 오늘 와선 증오하는 게 보통이지. 바로 그 점을 나는 이용할 줄 안단 말일세.

─그렇다면 아프리카의 심장에서 아나톨리아 고원에 이르는 광대한 제국의 꿈은 사라진 겁니까?

셰나르는 꿈꾸는 듯했다.

─그렇게 말했었지, 사실이네. 하지만 그건 무역의 차원이었지…… 평화가 찾아오면 우리는 새로운 무역항을 건설하게 될 거야. 대상들의 길을 넓히고, 히타이트인들과도 교역을 하게 될 걸세. 그때 가면, 지금의 이집트는 내 거대한 제국의 한 점에 지나지 않을 것이네.

─그 제국이 또한…… 정치적인 것일 수는 없을까요?

─무슨 소린가?

―무와탈리스는 철권으로 히타이트를 지배하고 있지만, 하투사 왕궁에는 음모가 끊일 날이 없습니다. 주인공은 두 사람이죠. 하나는 앞에 나서기 좋아하는 자로 우리테슈프란 사람이고, 다른 하나는 보다 신중한 자로 이슈타르 여신의 사제인 하투실란 사람인데, 이들이 유력한 후계자로 거론되고 있습니다. 만일 무와탈리스가 전사라도 한다면 둘 중 하나가 권력을 잡게 될 겁니다. 그런데, 이 두 사람은 서로 앙숙인지라, 그들의 추종자들은 언제라도 서로 물어뜯을 준비가 되어 있는 형편입니다.

셰나르는 턱을 어루만졌다.

―자네 생각엔 궁전에서 흔히 있는 다툼 이상이란 말이지?

―훨씬 심각합니다. 히타이트 제국은 붕괴 직전에까지 와 있습니다.

―히타이트가 몇 조각의 땅으로 나뉜다? 그렇다면 구세주가 나서서 그 땅을 한 깃발 아래 통합해서…… 이집트 영토에 편입시켜야겠지. 얼마나 엄청난 제국인가, 아샤! 바빌로니아, 아시리아, 키프로스, 로도스, 그리스, 그 너머 북쪽의 땅까지 내 보호령이 되는 걸세!

젊은 외교관은 미소지었다.

―역대의 파라오들은 통이 작았다고 할 수 있습니다. 백성의 행복과 이집트의 번영만을 염두에 두었기 때문입니다. 셰나르 공, 공은 다른 부류입니다. 바로 그런 이유 때문에 람세스는 어떤 방법으로든 제거되어야 하는 겁니다.

셰나르는 자신이 배신자라는 느낌을 갖지 않았다. 만약 세티가 병 때문에 정신이 오락가락하지만 않았더라면 선왕이 왕위를 물려주었을 사람은 장남인 바로 자신이었다. 불의의 희생자인 셰나르는 마땅히 자신에게 속한 것을 되찾기 위해 싸울 각오였다.

그는 꼬치꼬치 캐는 듯한 눈빛으로 아샤를 훑어보았다.

―물론 람세스에게 모든 정보를 전달한 건 아니겠지?

—물론입니다. 하지만 제가 정보원들로부터 전달받는 모든 보고서는 왕이 언제라도 살펴볼 수 있습니다. 그 보고서들은 제 부서 내에서 기록되고 분류되는데, 어떤 것도 훼손하거나 파기할 수 없습니다. 공연히 주의를 끌어 의심을 사지 않으려면 말입니다.

—람세스가 검열한 적이 있는가?

—아직까지는 전혀. 하지만 지금은 전쟁이 코앞에 와 있지 않습니까. 언제 불시의 검열이 있을지 모르니, 저로서는 매사에 신중을 기해야만 합니다.

—어떻게 대처하려는가?

—말씀드렸지 않습니까. 보고서 가운데 빠진 것도 훼손된 것도 없다고.

—그렇다면 람세스가 다 알 수 있단 말이잖나!

아샤는 백대리석 술잔의 가장자리를 가볍게 어루만졌다.

—첩보란 생각보다 까다로운 겁니다, 셰나르 공. 있는 그대로의 사실들이 일단은 중요합니다. 그보다 더 중요한 것은 그 사실들에 대한 분석이지요. 제 역할은 사실들을 종합한 뒤 그것을 분석해서 왕에게 전달하는 겁니다. 그럼으로써 왕은 자신이 취할 행동을 결정할 수 있지요. 현재와 같은 상황이라면 왕은 제가 나약하다거나 우유부단하다고 비난할 수 없을 겁니다. 저는 가능한 한 서둘러 반격을 준비해야만 한다고 강하게 주장했으니까.

—자네는 지금 누굴 편드는 건가? 람세스인가, 아니면 히타이트족인가?

아샤가 반박했다.

—있는 그대로의 사실만을 보려고 하니까, 그런 겁니다. 람세스 역시 마찬가지지요. 누군들 다르겠습니까?

—좀 자세히 말해보게.

—멤피스에서 피-람세스로 군대를 이동시키는 일은 이미 엄청난

재정문제를 야기시켰습니다. 그 문제가 해결되려면 아직 멀었습니다. 람세스로 하여금 일을 서두르게끔 부추긴다면 우리가 얻게 되는 이점들이 있습니다. 그 하나는 질적으로나 양적으로 충분치 않은 장비로 인해 우리 병사들이 치명적인 약점을 안고 출동하게 된다는 점입니다.

—다른 이점은 뭔가?

—지리적 조건 그 자체가 문제가 되지요. 게다가 적의 편으로 돌아선 우리의 동맹국들이 의외로 많다는 점도 그렇습니다. 전 람세스에게 불이 났다는 사실은 숨기지 않았지만, 그것이 얼마나 큰 불인지는 강조하지 않았습니다. 히타이트 족의 야만적인 기습과 '사자마을'의 학살사건은 가나안과 아무르의 군주들, 그리고 연안의 항구도시들의 총독들을 공포에 떨게 했지요. 과거에 세티는 능히 히타이트 전사들을 위압했었지만 람세스는 경우가 다릅니다. 지역 군주들은 전멸당하는 것이 두려워 모두들 무와탈리스의 보호를 받는 편을 택할 겁니다.

—그들은 람세스가 구원하러 오지 않을 것이라고 확신하고, 그들의 새로운 주인, 히타이트 왕의 환심을 사기 위해 아예 저희들이 선봉에 서서 이집트를 치기로 결정했다, 그런 얘긴가?

—그것은 사실에 대한 하나의 해석이 될 수 있지요.

—그러면 그게 바로…… 자네의 해석인가?

—거기에다 서너 가지 덧붙여야겠지요. 몇 군데의 우리 요새들에서 아무 소식도 들려오고 있지 않은데, 이것은 이미 적의 수중에 떨어졌다는 것을 의미하는 것인지도 모릅니다. 만약 그것이 사실이라면 람세스는 예상했던 것보다 훨씬 매서운 저항에 부딪치게 될 겁니다. 게다가 히타이트 족이 다량의 무기를 반도들에게 넘겨줬을 가능성도 다분합니다.

셰나르의 입술이 탐욕스레 벌어졌다.

—이집트 군을 위해 깜짝 놀랄 일이 준비되어 있군. 람세스는 히타이트 족을 구경도 하기 전에 첫번째 전투에서 박살이 날 수도 있겠는걸.

　—그럴 가능성도 배제할 수는 없겠지요.

　아샤의 말이었다.

5

하루가 저물어갈 무렵, 투야는 왕궁의 정원에서 쉬고 있었다. 고된 하루였다. 그녀는 태양의 여신인 하토르 신전에서 새벽 의식을 집전한 후 의전상의 문제들을 조정했으며, 조신들의 불평을 들어줘야 했다. 오후에는 람세스의 청에 따라 농무대신과 면담을 가졌고, 왕비 네페르타리와 만나 이야기를 나누었다.

머리털을 땋아 만든 그녀의 가발은 귀와 목덜미를 가리고 있었고, 섬세하게 주름이 간 긴 옷은 우아함 그 자체였다. 여섯 줄의 자수정 목걸이를 걸고 있었고, 팔에는 황금 팔찌를 차고 있었다. 어느 때 보더라도 그녀의 옷차림은 완벽했다.

하루하루 세티를 그리워하는 마음은 커져만 갔다. 시간이 흐를수록 파라오 세티가 죽고 이제는 없다는 사실이 점점 견디기 힘들었다. 투야는 어서 최후의 순간이 다가와 남편과 다시 만날 수 있게 되기를 바랐다.

국왕 부처를 보는 것만이 그녀에겐 즐거움이었다. 람세스는 대왕의 자질을 갖추고 있었고, 네페르타리도 훌륭한 왕비로서 손색이 없었다. 세티와 그녀가 그랬던 것처럼 그들은 조국을 열렬히 사랑했으며, 만일 운명이 그러하다면 조국을 위해 목숨을 바치길 주저하지 않을 것이었다.

람세스가 다가오는 걸 바라보며 투야는 아들이 중대한 결정을 내렸다는 것을 이내 알아차릴 수 있었다. 왕은 어머니와 팔짱을 끼고 타마리스 꽃이 만발한 모랫길을 한동안 걸었다. 뜨겁고도 향기로운 바람이 불어왔다. 그녀가 말했다.

─올 여름은 혹독할 거요. 다행히 파라오께선 농무대신을 제대로 골랐더군요. 제방은 단단히 다져질 거고 관개수를 저장할 저수지도 확장될 거요. 곡식들도 잘 자라 많은 수확을 거둘 수 있을 겁니다.

─저는 오래도록 행복하게 나라를 다스릴 수 있기를 바랐습니다.

─그러지 못할 이유라도 있나요? 신들이 파라오 편이고 자연은 파라오께 혜택을 베풀었지 않습니까.

─전쟁이 불가피합니다.

─알고 있어요. 그리고 파라오는 옳은 결정을 내렸소.

─어머님의 승인이 필요합니다.

─아니오, 람세스. 네페르타리가 파라오와 생각을 같이하니, 그대들의 결정만으로도 충분하오.

─아버님께서는 히타이트 족의 정복을 단념하셨지요.

─히타이트 족이 이집트 침공을 단념한 것처럼 보였기 때문이었소. 만약 그들이 협약을 깼다면, 세티께서는 지체 없이 공격에 나섰을 것이오.

─병사들이 아직 준비가 되어 있지 않아요.

―겁들을 내고 있겠지, 그렇지 않나요?

―누가 탓할 수 있겠습니까?

―파라오가 탓할 수 있지요.

―고참병들은 히타이트 족에 관해 끔찍한 얘기를 퍼뜨리고 다닙니다.

―그것이 파라오를 두렵게 할 만한 것이던가요?

―그들의 두려움을 쫓아버릴 시간이…….

―그것은 전쟁터에서나 사라지게 될 거요. 병사들의 용맹스러움이 드디어 '두 개의 땅'을 구하게 되었을 때에나…….

전임 외무대신 메바는 다른 몇몇 조신들처럼 젊은 파라오가 패전하게 되리라는 데 내기를 걸고 있었다. 운이 좋아 4년 동안 성공을 거두었지만, 이번 시련만은 이겨내지 못하리라.

넓적한 얼굴에 호인의 풍모를 한 메바는 십여 명의 귀족들과 어울려 피-람세스의 상류사회에 대해 몇 가지 쓸데없는 이야기를 나누고 있었다. 음식은 훌륭했고 여자들도 괜찮았다. 세월은 잘 간다. 세나르가 즉위하기만 기다리면 되었다.

시종 하나가 조심스레 다가와 메바의 귀에 무슨 말인가를 속삭였다. 외교관은 즉시 자리에서 일어섰다.

―여러분, 영광스럽게도 폐하께서 이리로 납시십니다.

메바의 손이 떨리고 있었다. 람세스가 이런 식으로 사적인 자리에 모습을 나타내는 일은 이례적이었다. 조신들의 상체가 깊숙이 꺾였다.

―영광이옵니다, 폐하. 이리로 앉으시지요.

―괜찮소. 나는 전쟁 소식을 알리러 왔소.

―전쟁이요……?

―이렇게 다들 즐기시는 가운데, 혹시 이집트의 문 앞에 적이 출

현했다는 얘기를 들으신 바 있소?

메바가 대답했다.

—바로 저희들의 가장 큰 근심사이옵니다.

한 늙은 서기관이 말했다.

—우리 병사들은 전쟁이 불가피하다는 사실에 다들 두려워하고 있습니다. 그들은 잘 알고 있습니다. 중무장한 채 뜨거운 태양 아래 행군해야 하며, 험난한 길을 헤쳐나가야 한다는 것을 말입니다. 배급이 제한될 것이니 갈증이 나도 물을 한껏 마실 수 없을 것이고, 다리가 말을 듣지 않아도 걸음을 멈출 수 없을 것이며, 고통스러운 등과 허기진 배를 견뎌야 할 것입니다. 야영지에선 쉰다구요? 거적 위에라도 드러누울라치면 그 전에 끝내놓아야 할 사역이 있으니, 그것도 희망사항일 뿐이지요. 취침시간에 비상이라도 걸리면 졸음에 겨운 눈을 비벼가며 황급히 일어나야 합니다. 먹는 것은 형편없고, 몸이라도 어디 제대로 씻을 수 있나요. 하물며 적군의 화살이나 투창은 말해 무엇 하며, 언제 닥칠지 모르는 위험과 사방을 배회하는 죽음은 말해 무엇 하겠습니까?

람세스가 말했다.

—훌륭한 문장이오. 나 역시 그 옛 글을 기억하고 있소. 하지만 오늘 문제가 되는 것은 문학이 아니오.

메바가 말했다.

—저희들은 이집트 군대의 능력을 신뢰하고 있습니다. 그리고 어떤 고통을 감수하더라도 결국 우리 군대가 승리하리라는 걸 알고 있습니다.

—감동적인 말이오. 하지만 그것만으로는 충분치가 않소. 나는 그대와 여기 와 계신 여러 귀족들의 용기를 잘 알고 있고, 그래서 이 순간 여러분의 자발적인 지원을 받게 된 것을 무척 자랑스럽게 생각하오.

─폐하…… 우리의 직업군대만으로도 충분하지 않겠습니까?

─군대는 어린 신병들을 훈련시킬 자질 있는 사람들을 필요로 하고 있소. 여러분과 같은 귀족들과 부자들이 모범을 보여야 할 것이오. 여러분 모두 내일 아침 중앙 병영으로 모여주기 바라오.

터키석의 도시는 온통 들끓고 있었다. 도시는 군사기지로 변모했다. 전차부대의 사령부가 자리잡았고, 보병연대들이 집결했으며, 전함들이 닻을 내렸다. 새벽부터 해가 떨어지는 저녁까지, 피-람세스에서는 훈련이 계속됐다. 네페르타리와 투야, 그리고 아메니에게 국내 제반 업무를 일임한 람세스는 낮시간을 무기공장이나 병영에서 보냈다.

국왕의 존재는 사람들을 안심시켰고 또한 고무시켰다. 그는 창과 검, 방패 따위의 품질을 살폈다. 신병들을 사열했으며, 고급장교들은 물론 일반 병사들과도 대화를 나누며, 그들 모두에게 그들의 용기에 따른 포상금을 지급하겠다고 약속했다. 용병들은, 이집트를 승리로 이끈다면 상당한 포상금을 받게 될 것을 보장받았다.

왕은 말들의 상태에 큰 관심을 쏟았다. 말들의 신체적인 컨디션이 얼마나 좋으냐에 전투의 승패가 달려 있었다. 자갈을 깔아 포장한 마구간의 중앙에는 물을 담은 통이 놓여 있어서, 말에게 물을 먹이는 데는 물론 말들의 청결을 유지하는 데에도 쓰였다. 매일같이 람세스는 마구간의 구석구석을 돌아보며 말들을 살폈으며, 근무 태만의 경우가 발견되면 엄한 처벌을 내렸다.

피-람세스에 집결한 군대는 하나의 머리에 의해 조절되는 거대한 신체와도 같이 기능하기 시작했다. 무슨 일이 있을 때마다 신체의 각 부위는 머리에 도움을 청했다. 항시 제 자리를 지키고 있다가 일이 생기면 신속하게 개입하는 왕은 그 무엇도 흐릿한 것을 용납하지 못했고, 분쟁이 있을 시는 즉각 해결해주었다. 확고한 신뢰가 자리잡아갔다. 병사들은 자신들에게 떨어진 명령이 나름의 이유가 있는 정당한 것이라는 걸 느꼈고, 군대는 진정한 하나의 병기(兵器)를 형성하게 되었다.

파라오를 그처럼 가까이에서 대하고 때때로 이야기를 나눌 수 있다는 사실이 하사관과 병사들에겐 실감나지 않을 만큼 대단한 특권이었다. 궁정의 아첨꾼들이라면 그러한 기회를 놓치고 싶지 않았을 것이다. 왕의 존재는 사람들에게 기이한 활력을, 새로운 힘을 주었다. 하지만 람세스는 사람들 곁에, 사람들 속에 섞여 있어도, 여전히 사람들의 손이 미치지 않는 먼 곳에 있었다. 그는 여전히 파라오였다. 또다른 생명을 갖고 있는 유일무이한 존재.

아메니가 병영으로 들어서는 것을 본 왕은 놀라지 않을 수 없었다. 그 옛날 왕자 람세스가 그를 폭한들의 손에서 구해준 이후로, 그는 이런 장소에 대해 반감을 가지고 있었다.

─검을 다뤄보겠다고 왔는가? 아니면 창인가?

─우리의 시인께서 피-람세스에 도착하셨습니다. 파라오를 뵙고 싶어하십니다.

─잘 모셨는가?

─멤피스의 집과 똑같이 생긴 저택에 모셨지요.

호메로스는 자신이 가장 좋아하는 레몬나무 발치에 앉아 아니스와 고수 향이 진하게 풍기는 포도주를 마시며 두꺼운 달팽이 껍질 속에 다져 넣은 샐비어 잎을 피우고 있었다. 온몸에 올리브 기름을 바른 그가 몸을 일으키며 무덤덤한 목소리로 왕에게 인사했다.

─그냥 앉아 계십시오, 호메로스.

─'두 개의 땅'의 주인님께 허리를 굽히지 못할 정도로 늙어버린 것은 아닙니다.

람세스는 그리스 시인 곁의 의자에 앉았다. 시인의 고양이 헥토르가 왕의 무릎 위로 뛰어올랐다. 람세스가 어루만져주자 고양이는 이내 그르렁거렸다.

―제 포도주가 취향에 맞으십니까, 폐하?

―좀 텁텁하군요. 하지만 향은 참 좋습니다. 그래, 건강은 좀 어떠십니까?

―뼈마디가 쑤시지요. 시력은 자꾸 나빠져가고. 하지만 이곳의 기후 덕분에 좀 나아졌습니다.

―이 집은 마음에 드시는지요?

―더할 나위 없습니다. 요리사와 하녀, 그리고 정원사가 저를 따라왔지요. 저를 성가시게 하지 않으면서도 돌볼 것은 다 돌봐주는 재주꾼들이지요. 그들도 저와 마찬가지로 폐하의 새로운 수도를 보고 싶었던 모양입니다.

―멤피스에 계시는 것이 더 평온하지 않을까요?

―멤피스는 이제 별볼일이 없습니다. 세계의 운명이 결정되는 것은 이제 이곳입니다. 그것을 인지하는 데 시인만큼 적격인 사람이 누구겠습니까? 이걸 들어보세요. "아폴론이 분노에 가득 차 하늘에서 내려오리라. 마치 밤과도 같이 그는 전진하여 활을 쏘리라. 그의 활은 몸서리나는 소리를 낼 것이요, 그의 화살은 전사들을 꿰뚫으리라. 셀 수 없는 장작더미가 죽은 자들을 불태우기 위해 지펴지리라. 죽음을 피할 자가 그 누구뇨?"

―선생의 『일리아드』의 한 구절인가요?

―그렇습니다. 하지만 과연 이것이 과거의 애기일 뿐일까요? 정원과 수로가 가득한 이 터키석의 도시가 팽팽한 긴장으로 가득한 병영으로 바뀌어버렸습니다!

―다른 선택의 여지가 없습니다.

―전쟁이야말로 인류의 수치입니다. 인류가 눈에 보이지 않는 힘에 의해 부려지는 퇴화한 종(種)이란 증거이지요. 『일리아드』의

시구 하나하나는 인간의 마음에서 폭력을 근절시키기 위한 주문(呪文)이지요. 하지만 내 주술이라는 게 이따금은 가소로워 보이기도 합니다.

　—하지만 선생은 계속해서 시를 쓰셔야 합니다. 그리고 나는, 나는 나라를 다스려야 합니다. 비록 내 왕국이 전쟁터로 바뀐다 할지라도 말입니다.

　—이번이 폐하가 첫번째로 겪는 큰 전쟁이 되겠군요. 그리고 어쩌면 이것은 상상을 뛰어넘는 대규모 전면전이 될 수도 있겠지요?

　—나도 선생만큼이나 두렵습니다. 하지만 나에게는 두려움을 가질 시간도 권리도 없습니다.

　—전쟁이 정녕 불가피한 것입니까?

　—그렇습니다.

　—아폴론이 그대의 팔에 힘을 불어넣어주시기를…… 그리고 죽음의 신이 그대와 연합하기를…….

6

라이아는 이집트에서 가장 부유한 시리아 상인이 되었다. 그는 고급 고객들을 끌어들이기 위해 만찬이나 연회를 열어 화병들을 전시하곤 했다.

예의 바르고 신중한 라이아는 썩 좋은 평판을 얻고 있었다. 장사가 빠른 속도로 번창한 덕분에 그는 열 척가량의 선박과 3백 마리의 당나귀를 사들였고, 그것들을 이용해서 한 도시에서 다른 도시로 신속히 물건을 운반할 수 있었다. 그는 관청과 군대, 그리고 경찰에 많은 친구들이 있었으며, 궁정과 귀족층에 물건을 대는 몇 안되는 상인들 가운데 하나였다.

라이아가 세나르의 호화로운 저택에 나타났을 때, 집사는 난처한 태도를 보였다.

―주인님은 매우 바쁘십니다. 방해할 수가 없어요.

라이아가 말했다.

―약속이 되어 있습니다.

―곤란하군요.

―어쨌든 제가 왔다고 말씀드려주세요. 그리고 아주 특별한 화병을 하나 가지고 왔다구요. 얼마 전에 세상을 떠난 어느 장인의 솜씨가 빚은 진귀한 물건이지요.

집사는 주저했다. 이국적인 물건들에 대한 셰나르의 수집열을 잘 알고 있는 그는 방해를 무릅쓰고 주인에게 알려야겠다고 결정했다.

십여 분가량 지나, 머리를 풀어헤치고 벌거벗은 왼쪽 어깨에 문신 자국이 있는, 화장을 짙게 한 아가씨가 나오는 것이 보였다. 필경 피-람세스의 제일 화려한 맥주집에서 일하는 매혹적인 외국 처녀들 가운데 하나일 터였다. 집사가 말했다.

―주인님이 기다리십니다.

라이아는 깊숙한 종려나무 그늘 아래 연못이 자리잡고 있는 화려한 정원을 가로질렀다.

셰나르는 피곤해 보이는 얼굴로 기다란 의자에 누워 바람을 쐬고 있었다.

―참한 아이긴 한데…… 좀 피곤하군…… 맥주 좀 들겠나, 라이아?

―고맙습니다.

―궁에는 나하고 결혼하고 싶어하는 처녀애들이 한둘이 아니지. 하지만 내가 어디 그런 바보짓을 할 사람인가. 왕이 되면 그때 가서 적당한 왕비감을 물색해봐야겠지. 지금 당장은 다양하게 즐기는 편이 더 좋아. 그래 라이아…… 자넨 아직도 홀몸인가?

―어이구, 말씀도 마십쇼, 나리! 장사일 때문에라도 그럴 틈이 없습니다.

—내 집사 말로는 굉장한 물건을 하나 찾아냈다고 하던데.

천조각들로 가득한 삼베 자루 속에서 라이아는 암사슴 모양의 손잡이가 달린 얼룩무늬의 작은 화병 하나를 조심스레 꺼냈다. 화병의 옆구리엔 사냥하는 장면이 묘사돼 있었다.

셰나르는 물건을 어루만지면서 세세한 부분까지 찬찬히 살폈다. 그는 자리에서 일어나 화병 주위를 빙빙 돌았다. 홀린 듯 그가 말했다.

—보물이로다…… 세상에 둘도 없는 보물이야!

—게다가 값도 저렴한 편이지요.

—내 집사가 돈을 지불할 걸세.

주위를 살피며 셰나르가 목소리를 낮추고 말했다.

—그런데 히타이트 친구들은 뭐라 하던가?

—아, 나리! 그들은 나리를 람세스의 뒤를 이을 분으로 생각하고 있습죠.

아샤는 라이아를 알지 못했고, 라이아 역시 아샤의 정체를 알지 못했다. 셰나르만이 이 장기판의 주인이었다. 그는 자기 뜻대로 졸(卒)을 움직였고, 자기의 동지들 사이에 방수막을 쳐놓아 서로 스며드는 것을 막았다.

셰나르에게 남은 유일한 미지수요, 따라서 그만큼 중대한 미지수는 바로 히타이트 족이었다. 셰나르는 아샤가 얻은 정보들과 라이아가 가져다주는 정보들을 종합해서 나름의 정확한 판단을 내려볼 수 있었다.

—공격의 규모는 어느 정도인가, 라이아?

—히타이트의 특공대가 시리아 중부와 남부, 페니키아 해안과 아무르 지방 등에 치명적인 기습을 가했습죠. 주민들에게 겁을 좀 주자는 것이었죠. 가장 큰 전과는 '사자마을'을 초토화하고 세티의 비석을 때려부순 거죠. 너무 상상을 초월한 일이었기 때문인지, 뜻

밖에 기존의 동맹관계를 뒤집어놓게 됐습니다.

―페니키아와 팔레스타인이 히타이트의 깃발 아래 들어갔단 말인가?

―그 이상이죠. 그들은 람세스에 대해 반란을 일으켰습니다. 군주들이 무기를 들고 요새를 점령했고, 이집트 병사들을 쫓아냈지요. 파라오는 그가 몇 겹의 방어막에 부닥쳐 모든 힘을 소진하게 되리라는 걸 모르고 있습니다. 람세스의 손실이 어느 정도 커지게 되면, 곧바로 히타이트 군이 덤벼들어 끝장을 내게 될 겁니다. 그때가 바로 기회입니다! 나리께선 이집트의 권좌에 오르시고 승전국과 항구적인 동맹관계를 맺으시는 겁니다.

라이아의 정보와 전망은 아샤의 것과는 달랐다. 어느 경우에든 세나르는 전사하거나 패전한 람세스를 대신해서 파라오가 될 것이다. 하지만 라이아의 전망에 따르면 그는 히타이트 족의 신하가 되는 셈이고, 아샤의 전망에 따르면 그가 그들의 제국에까지 손을 뻗치게 되는 것이다. 모든 것은 람세스의 패배와 그가 히타이트 군에 입히게 될 피해가 어느 정도인가에 달려 있었다. 자신이 뭔가 해볼 만한 여지는 물론 그리 크지 않았다. 하지만 일의 성사가 가능해 보이고 게다가 우선적인 목표가 있지 않은가. 이집트의 권력을 잡는다는 것. 거기서부터 시작해서 또다른 정복도 생각해봄직했다.

―상업도시들의 반응은 어떤가?

―늘 하던 대로입죠. 더 강한 쪽으로 돌아섭니다. 알레포, 다마스커스, 팔미르와 페니키아 항구도시들은 이미 이집트를 버리고, 히타이트의 왕 무와탈리스 아래 허리를 굽힌 지 오랩니다.

―그것은 이집트의 경제적 번영을 위해선 좀 불안한 일이 아닌가?

―천만에요! 히타이트인들은 아시아에서 제일가는 전사들이지만, 장사치로는 영 젬병입니다. 그들은 국제교역을 재조직하는 일에 대

해선 나리만을 믿고 있습죠. 물론 이익의 일부분은 나리 몫입니다. 저도 장사하는 놈이라는 걸 잊지 마십쇼. 저는 이집트에 남아서 한 밑천 잡을 생각입니다. 히타이트인들은 우리 장사치들이 필요로 하는 안정을 가져다줄 겁니다.

─내 재정대신을 시켜줌세, 라이아.

─신들이 우리를 저버리지만 않는다면, 우리는 큰 재산을 벌게 될 겁니다. 전쟁은 그리 오래 가지 않을 겁니다. 중요한 것은 거리를 두고 바라보다가 나무에서 떨어지는 과실을 긁어모으는 일이죠.

맥주는 맛이 기막혔고, 나무 그늘은 시원하기 그지없었다. 셰나르가 말했다.

─하지만…… 람세스의 거동이 마음에 걸리네.

시리아 상인의 안색이 좀 어두워졌다.

─파라오가 뭘 어쨌는데요?

─병영 곳곳을 돌아다니면서 병사들에게 그들이 평생 한번도 가져보지 못했을 기운을 불어넣고 있네. 이렇게 나가다간 병사들은 자신들이 무적이라고 믿게 될 거야.

─그것말고 또 있습니까?

─무기공장이 밤낮을 가리지 않고 가동중이지.

라이아는 짧은 턱수염을 긁적였다.

─별일 아닙니다. 히타이트인들에 비하면 너무 많이 뒤처져 있어서 도저히 따라잡을 수 없을 겁니다. 람세스가 병사들한테 어떤 영향을 미쳤건 간에, 그것은 첫번째 전투를 치르기도 전에 사라져버릴 겁니다. 히타이트인들을 보는 순간 이집트 군은 뿔뿔이 흩어져 도망가기에 바쁠 테니까요.

─우리 군대를 너무 과소평가하는 건 아닌가?

─만약 히타이트 군이 공격하는 모습을 보셨더라면, 사람이 두려움으로 죽는다 해서 비웃지 못하실 겁니다.

—적어도 한 사람은 전혀 두려워하지 않을 것이네.

—람세스를 말씀하시는 겁니까?

—그의 친위대장을 말하는 걸세. 세라마나라는 사르디니아인인데 거인이지. 예전엔 해적이었는데 람세스의 신뢰를 받고 있네.

—그 명성은 저도 들은 바 있죠. 그가 왜 마음에 걸리시는 겁니까?

—왜냐하면 람세스가 그자를 정예부대의 지휘관으로 임명했기 때문이네. 대부분 용병들로 구성된 부대지. 그 세라마나란 놈은 괜히 앞에 나서서 영웅심을 부추길 만한 놈이야. 그럼 곤란하지.

—해적 출신에다 용병이라…… 매수하기 쉽지요.

—천만에! 그는 람세스에게 우정을 품고 있어. 충성스런 개처럼 그를 지키고 있네. 개의 충성심은 돈을 준다고 살 수 있는 게 아니지.

—아예 제거해버리죠.

—그 생각도 해봤네, 라이아. 하지만 눈에 보이는 거친 개입은 피하는 게 좋아. 세라마나는 난폭하고 의심 많은 놈이야. 자객 몇 사람쯤은 능히 당해낼 거야. 게다가 만일 죽인다 해도 람세스의 의심을 사게 될 테고.

—그럼 어떻게 하면 좋겠습니까?

—어떤 다른 방법으로 세라마나를 제껴놓는 것이지. 자네나 내가 연루되지 않는 방법으로 말일세.

—동감입니다, 나리. 뭔가 해결책이 있을 것도 같은데…….

—다시 강조하지만, 그 사르디니아놈은 짐승과 같은 본능을 갖고 있네.

—제가 그자를 처리해드리겠습니다.

—그렇게만 된다면 람세스에게 한 방 크게 먹이는 셈이 되겠지. 자네한테는 후한 상을 내리겠네.

시리아 상인은 양손을 비볐다.

―희소식이 하나 있습니다, 셰나르 나리. 외국에 주둔하는 이집트 군대가 어떻게 피-람세스와 통신하는지 아십니까?

―파발마나 봉화, 비둘기를 이용하겠지.

―폭동이 번진 지역에선 오로지 전령 비둘기만을 이용할 수 있지요. 그런데, 그 귀한 새들을 기르는 자가 세라마나 같은 종류의 사람은 결코 아니더란 얘깁니다. 군대를 위해서 일하고는 있지만, 돈에는 맥을 못 추더군요. 제가 메시지를 파기시키거나 중간에 가로채서 다른 것으로 바꿔치는 것은 누워서 떡 먹기랍니다. 이집트 정보부는 이제 저들도 모르는 사이에 끝장난 겁니다.

셰나르의 눈에 광채가 일었다. 그가 라이아의 손을 잡고 말했다.

―굉장한 계획일세, 라이아. 그건 그렇고…… 잊지 말게나. 이것과 같은 화병을 또 구해다주게.

7

세라마나는 이번 전쟁을 곱지 않은 눈으로 보고 있었다. 이 사르디니아 거인은 이집트에 정이 들기 시작했다. 자신의 관사도 마음에 들었지만, 무엇보다도 숱한 시간을 함께 즐겼던 이집트 여인들이 있잖은가. 특히 요즘 만나는 여인 네노파르는 그 전까지의 애인들과는 비교가 안 되었다. 지난번에 그녀는 침대에서 자기를 녹다운시켰다. 다른 놈도 아닌 이 사르디니아 남자를 말이다!

빌어먹을 전쟁! 정말이다. 그 때문에 모든 기쁨이 사라져버릴 판이었다. 물론 람세스의 안전을 지키는 것도 한가로운 일만은 아니었다. 얼마나 여러 번 이 왕이란 자는 돌다리도 두들겨보자는 자기의 조언을 무시해버렸던가? 하지만 람세스는 위대한 왕이었다. 세라마나는 그를 존경하고 있었다. 바로 그런 이유 때문에, 람세스의 왕좌를 지키기 위해서 히타이트놈들을 죽여야 한다면, 그는 기꺼이 죽일 것이었다. 심지어 그의 졸개들이 '큰 두목'이라고 부르는 무와탈리스의 목을 자신의 칼로 베어버릴 작정까지 했다. 한 무리의 야만인들과 살인자들의 '큰 두목'이라…… 웃기는 얘기다. 놈을 처치하고 나선 둥글게 말린 콧수염에 향수를 뿌리고 또다른 네노파르들을 덮칠 작정이었다.

람세스가 그를 위험한 임무만을 주로 맡는 이집트 군 정예부대의 지휘관으로 임명했을 때, 세라마나는 젊은 시절의 정열이 되살아나는 듯한 뿌듯함을 느꼈다. '두 개의 땅'의 주인이 그를 그토록 신임하고 있으니, 사르디니아인은 손에 무기를 들고 왕이 틀리지 않았다는 것을 입증하게 될 것이다. 그가 자기 휘하의 병사들에게 실시한 강도 높은 훈련은 너무 잘 먹어 살만 찐 허풍쟁이놈들을 이미 여러 명 제거해버렸다. 그는 일당백으로 싸울 수 있는 진짜 전사들, 신음소리 하나 내지 않고 숱한 부상을 견뎌낼 수 있는 전사들만을 거두어들일 생각이었다.

이집트 군의 출정 날짜를 아는 사람은 아무도 없었다. 하지만 세라마나는 본능적으로 그것이 멀지 않았다는 것을 느끼고 있었다. 병영에서는 병사들의 신경이 곤두서 있었고, 궁전에서는 참모회의가 일정한 간격으로 연달아 열리고 있었다. 람세스가 정보부의 책임자인 아샤를 만나는 횟수도 잦아졌다.

좋지 않은 소식들이 입에서 귀로 전달되었다. 폭동이 점점 더 번져가고 있으며 페니키아와 팔레스타인에선 이집트에 충성적인 귀족들이 처형당했다는 것이다. 하지만 전령 비둘기들이 가져오는 메시지에 따르면 이집트의 요새들이 잘 버티고 있고, 적의 공격을 막아내고 있다지 않는가?

따라서 가나안을 평정하는 것은 그다지 어려운 일이 아닐 것이다. 람세스는 필경 북쪽으로 계속 전진해 아무르 지방과 시리아까지 진격하기로 결정할 것이다. 그리고는, 정보원들의 보고에 따르면 시리아 남부에서 특공대를 철수시켰다는 히타이트 군과 피할 수 없는 일전을 벌여야 할 것이다.

세라마나는 히타이트 족을 겁내지 않았다. 그들의 잔인한 명성에도 불구하고 그는 오히려 그 야만인들과 한번 붙어보고 싶은 열망에 불탔다. 그놈들을 닥치는 대로 때려잡으며, 살아남은 놈들이 울부짖으며 도망치는 것을 보고 싶었다.

이집트인들의 기억에 영원히 아로새겨질 전설적인 전투를 꿈꾸기 전에 사르디니아인에겐 완수해야 할 임무가 하나 있었다.

궁전에서 창고들 근처에 있는 공방 거리까지는 조금만 걸으면 되었다. 목수와 석공, 그리고 신발 제조공들의 점포가 들어서 있는 미로처럼 얽힌 골목길에는 온통 활기가 넘쳐흘렀다. 거기에서 항구 쪽으로 좀더 들어가면 히브리인 벽돌공들이 거주하는 허름한 집들이 있었다.

험상궂은 거인의 출현은 인부들과 그 가족들을 불안에 빠뜨렸다. 모세가 도망간 이후로 히브리인들은 자기들을 모든 형태의 권위주의로부터 보호해주고, 그들이 잊고 살았던 자부심을 되찾게 해준 훌륭한 지도자 한 사람을 잃게 되었다. 명성이 자자한 이 사르디니아인이 불쑥 나타난 것은 결코 좋은 징조가 아니었다.

세라마나는 도망치려는 소년의 옷자락을 움켜잡았다.

—가만 있어, 요 녀석아. 벽돌공 아브네가 사는 곳이 어디냐?

겁에 질린 소년은 묻지 않는 말까지 주절주절 늘어놓았다. 심지어 그는 아브네의 집으로 안내해주기까지 했다. 아브네는 얼굴에 천을 덮어쓰고 응접실의 한구석에 숨어 있었다.

—뭐가 겁나서 그래?

—나는 잘못한 것이 없소.

—그러면 겁낼 게 없잖아?

―날 좀 가만히 놔두쇼, 제발…….

―왕께서 널 보고 싶어하신다.

아브네가 점점 더 움츠러들었기 때문에 사르디니아인은 그를 한 손으로 들어올려 당나귀의 등 위에 올려놓지 않을 수 없었다. 당나귀는 차분하고 자신에 찬 걸음으로 피-람세스 궁전으로 향했다.

아브네는 공포에 질려 있었다. 람세스 앞에 엎드린 그는 감히 눈을 들지도 못했다.

왕이 말했다.

―내가 보기엔 사건에 대한 조사가 불충분하다. 나는 실제로 어떤 일이 벌어졌는지 알고 싶다. 아브네, 자네는 그걸 알고 있겠지.

―폐하, 저는 한낱 벽돌공에 지나지 않습니다.

―모세는 내 누이의 남편인 사리의 살인범으로 기소되었다. 그가 진정 범죄를 저지른 것으로 밝혀진다면, 엄벌에 처해 마땅할 것이다. 하지만 그가 왜 그런 짓을 했을까?

아브네는 이번 사건에서 자신의 정확한 역할이 무엇이었는지 아무도 관심 갖지 않을 것이라고 생각했었다. 그것은 파라오와 모세의 우정을 모를 때 가능한 얘기였다.

―모세가 정신이 나갔던 것이지요, 폐하.

―닥쳐라, 아브네. 감히 파라오를 우롱할 셈이냐?

―폐하!

―사리는 너를 별로 좋아하지 않았지?

―말뿐이었죠. 예, 말만 그랬습니다.

―사실을 말하지 않겠느냐! 일어서라.

히브리인은 몸을 떨며 주저했다. 그는 람세스의 눈빛을 감당할 수 없어 고개를 떨구고 있었다.

―너는 비겁한 자인가, 아브네?

―평화롭게 살기를 원하는 벽돌공일 따름입니다, 폐하.

―현자들은 우연을 믿지 않는다. 왜 너는 그 비극적인 사건에 연루되었는가?

아브네는 계속 거짓말을 했어야만 했다. 하지만 파라오의 추상 같은 음성이 그의 방어막을 깨뜨리고 있었다.

―모세는…… 모세는 공사장의 총감독이었습죠. 저는 다른 동료들과 마찬가지로 그의 명령에 따라야 했습니다. 하지만 그의 권위가 사리의 시기심을 사게 됐습죠.

―사리가 너를 학대했는가?

아브네는 알아듣기 힘들게 몇 마디를 중얼거렸다. 왕이 말했다.

―똑똑히 말하라.

―사리…… 사리는 좋은 사람은 아니었죠, 폐하.

―물론, 교활하고 잔인한 사람이지. 나도 알고 있다.

람세스의 말이 아브네를 안심시켰다. 히브리인은 사실대로 털어놓기 시작했다.

―사리는 저를 협박했습니다. 그는 제가 버는 돈의 일부를 갖다 바치라고 강요했습죠.

―협박이라…… 왜 너는 그런 공갈에 굴복했느냐?

―겁이 났습니다, 폐하. 굉장히 겁났습니다. 사리가 저를 때려눕히고 모든 걸 다 빼앗아갈까봐…….

―왜 고발하지 않았지?

―사리는 경찰들과 선이 닿아 있었습죠. 감히 그에게 저항할 수 있는 사람은 한 사람도 없었습니다.

―단 한 사람, 모세만 빼고 말이지.

―그게 불행이었죠, 폐하. 그게 불행이었어요.

―너와 무관하지 않은 불행이었겠지, 아브네.

히브리인은 차라리 땅속으로 꺼지기를 바랐다. 화병을 파내는 송곳처럼 자기의 마음속을 꿰뚫고 있는 왕의 시선으로부터 벗어나고 만 싶었다.

―너는 모세에게 다 털어놨던 거야, 그렇지?

―모세는 좋은 사람이었고, 용기가 있었죠…….

―진실을 말하라, 아브네!

―예, 폐하. 그에게 모두 얘기했습니다.

―그가 어떻게 반응했느냐?

―저를 보호해주겠다고 했습니다.

―어떻게?

―사리한테 더이상 저를 귀찮게 하지 말라고 했겠죠. 제 추측이 지만요. 모세는 워낙 과묵한 편이라서.

―사실을, 아브네, 사실만을 말하라!

―제가 집에서 쉬고 있는데 갑자기 사리가 나타났습니다. 엄청나게 화가 난 상태였죠. 그가 소리 질렀습니다. "이 히브리새끼야, 감히 함부로 입을 놀렸지!" 그리고 저를 때렸습니다. 저는 두 손으로 얼굴을 가리면서 도망치려고 했습죠. 그때 모세가 들어왔습니다. 그는 사리와 싸웠고, 사리가 죽었죠…… 만약 모세가 개입하지 않았더라면, 죽은 것은 바로 저였을 겁니다.

람세스는 길게 숨을 내쉬었다. 역시 그랬다. 그가 짐작한 바와 크게 다르지 않았다.

―이 경우는 정당방위에 속하는 것이다! 아브네, 자네의 증언 덕분에 모세는 법정에서 무죄를 선고받을 수 있게 됐다. 이집트의 자기 자리로 돌아올 수 있게 되었어.

―저는…… 저는 몰랐습니다.

―왜 진작에 얘기하지 않았느냐?

―겁이 났었습니다요.

―누가? 사리는 이미 죽었다. 너를 학대할 만한 사람이 십장들

가운데 또 있더냐?

—아닙니다. 아녜요.

—그럼 무엇이 겁나느냐?

—재판, 경찰…….

—거짓말은 중대한 잘못이다. 하지만 너는 아마도 이승에서 우리가 한 행동의 옳고 그름을 가리게 될 저승의 저울이 존재한다는 것을 믿지 않는 사람이겠구나.

히브리인은 입술을 깨물었다. 람세스가 말을 이었다.

—너는 조사가 너한테까지 미칠까봐 침묵을 지켰겠지. 모세, 바로 네 생명의 은인을 돕는 일에는 전혀 관심이 없었어, 애당초!

—폐하…….

—진실은 바로 이러하다, 아브네. 너는 그늘 속에 몸을 감추려 했다. 왜냐하면, 너 역시 협박에는 일가견이 있었기 때문이지. 세라마나는 네가 아무런 양심의 가책도 없이 착취해왔던 벽돌공들의 입을 여는 데 성공했어.

히브리인은 왕 앞에 무릎을 꿇었다.

—저는 그들이 일을 얻게끔 도왔습니다, 폐하……. 저는 정당한 대가를 받았을 뿐입니다.

—사리는 달리 말하더냐? 너는 비열하고 천박한 놈이다. 하지만 너무나 소중한 놈이지. 네가 모세의 무죄를 입증해줄 테고, 그의 행동을 정당화시켜줄 테니까.

—저…… 저를 용서해주시는 겁니까?

—세라마나가 너를 재판관 앞에 데려갈 것이다. 그가 네게 진술서를 받으리라. 먼저 선서를 하고, 사실을 단 한 가지도 빠뜨리지 말고 있는 그대로 진술해야 한다. 그리고 아브네, 너에 관한 얘기가 더이상 내 귀에 들리지 않게 하라.

8

헬리오폴리스 생명의 집의 고관인 대머리는 농부들과 어부들로부터 사들이는 식품의 질을 확인하는 일을 맡고 있었다. 그는 꼼꼼하다 못해 까다롭기까지 한 성격이어서 과일, 채소, 생선 따위를 하나하나씩 살피곤 했다. 물건을 넘기는 사람들은 그를 두려워했지만 한편으로는 그가 값을 제대로 치렀기 때문에 존경하기도 했다. 하지만 아무도 공식적인 납품권을 따내지는 못했다. 그는 관례에 빠지는 일이 없는 데다가 누구에게도 특혜를 주지 않았기 때문이다. 그에게 중요한 오직 한 가지는 제식을 통해 신성화된 후 신들에게 바쳐질 음식, 물론 그 뒤엔 사람들이 나눠 먹게 될 그 음식이 얼마나 온전한 상태인가 하는 점이었다.

시장에서 물건을 다 고르고 나면 대머리는 구입한 것들을 '깨끗한 곳'이란 이름이 보여주듯 철저한 위생관념이 가장 중시되는 생명의 집의 주방으로 가져갔다. 사제는 불시의 검열에 결코 게으르지 않았는데, 이따금 엄중한 처벌이 뒤따르곤 했다.

그날 아침 그는 소금에 절여 말린 생선 저장고로 향했다.

자신과 창고지기만이 여닫는 법을 알고 있는 저장고의 나무빗장이 톱으로 썰려 있었다. 깜짝 놀란 그는 문을 밀고 들어섰다.

저장고 안은 여느 때와 같이 희끄무레하고 조용했다.

그는 불안한 마음으로 앞으로 걸어갔다. 하지만 이상한 점은 발견하지 못했다. 어느 정도 안심이 된 그는 항아리들 앞에 멈춰 섰다. 저장된 생선의 이름과 개수, 그리고 소금에 절인 시기를 적은 딱지들이 붙어 있었다.

문 가까이에 빈 자리가 하나 있었다.

항아리 하나를 도난당한 것이다.

'왕비의 집'에 소속된다는 것은 궁정의 모든 부인네들이 꿈꾸는 영광스러운 일이었다. 네페르타리는 재산이나 지위보다는 개인의 능력과 성실함을 더 높이 샀다. 람세스가 내각을 구성할 때 그랬던 것처럼 그녀는 미용사, 직조공, 시녀로 평민 출신 처녀들을 선발함으로써 주위를 놀라게 했다.

왕비의 의복 담당이라는, 모두들 부러워하는 직책을 맡게 된 사람은 멤피스 변두리의 서민가에서 출생한 갈색 머리의 예쁘장한 처녀아이였다. 그녀가 특히 신경써야 할 일은 네페르타리가 즐겨 입는 옷들을 손질하고 관리하는 것이었다. 네페르타리는 그 많은 옷들 가운데서도 오래 된 옷들, 특히 해가 질 무렵 즐겨 걸치는 오래 된 숄에 각별한 애정을 품고 있었다. 해질 무렵의 한기 때문만은 아니었다. 람세스 왕자를 처음 만난 날 밤에 그 숄을 걸쳤던 것을 기억하고 있기 때문이었다. 오랫동안 피하려 했지만 아무 소용 없

었고, 결국엔 그녀 자신도 사랑을 고백하게 되었던 그 씩씩하면서
도 따뜻했던 청년…….

'왕비의 집'의 다른 고용인들도 그랬지만, 의복 담당 시녀는 왕
비에 대해 진실로 존경을 품고 있었다. 네페르타리는 친절로써 다
스릴 줄 알았고, 미소로써 명령할 줄 알았다. 사실 네페르타리는 자
그마한 얼룩도 소홀히 넘어가지 않았고, 정당한 이유 없이 늦어지
거나 거짓말하는 것은 용납하지 않았다. 하지만 문제가 생기면 그
녀는 문제를 일으킨 시녀와 직접 얘기하고 설명을 듣는 것을 좋아
했다. 투야 대비에게 며느리이자 친구이듯이 왕비는 모든 사람의
마음을 사로잡을 줄 알았다.

의복 담당 시녀는 궁전 실험실에서 가져온 향유로 옷감에 향을
입혔다. 그리고 옷들을 나무함이나 옷장 속에 정리해 넣을 때는 자
그마한 주름이라도 잘못 잡히지 않도록 조심했다. 어둠이 조금씩
내려앉기 시작하자 그녀는 왕비가 하루의 마지막 제의를 집전하면
서 즐겨 어깨에 걸치는 오래 된 숄을 찾으러 갔다.

옷장을 살피던 그녀의 얼굴에서 핏기가 사라졌다.

숄이 놓여 있어야 할 자리에 그것이 없었다.

—그럴 리가, 이 함이 아니었던 걸 거야.

그녀는 떨리는 손으로 다른 함을 뒤지고, 또 다른 함을 뒤지고,
결국은 옷장을 샅샅이 뒤져보았다.

아무 데도 없었다.

시녀는 하녀들과 왕비의 미용사, 그리고 세탁부들을 붙잡고 물었
으나 아무런 단서도 찾을 수 없었다.

네페르타리의 숄이 도난당한 것이다.

피-람세스 궁전의 대접견실에서 작전회의가 열렸다. 군을 통솔
하고 있는 장군들이 군의 총사령관인 왕의 부름에 득달같이 달려왔

다. 아메니는 서기관으로서 회의 내용을 기록했다. 그는 이 기록을 토대로 보고서를 작성하게 될 것이다.

장군들은 나이 먹은 서기관들로서, 군인이라기보다는 문관에 가까웠으며 많은 영지를 소유하고 있었고 경영에 밝았다. 그들 중 두 사람은 세티의 지휘 아래 히타이트 족과 싸워본 적이 있었지만, 참전기간이 매우 짧았고 맡았던 역할도 그다지 대단한 것이 아니었다. 사실 장군들 가운데 이번과 같은 예측불허의 대규모 전투를 경험해본 사람은 아무도 없었다. 전면전이 다가올수록 그들의 심기는 더욱 불편해져갔다.

─우리 군의 무장상태는?

─양호합니다, 폐하.

─무기 제조 상황은?

─여전합니다. 폐하의 지시대로 대장장이와 화살 제조공의 상여금을 두 배로 올렸습니다. 하지만 접근전을 위해선 검과 단도가 더 많이 필요합니다.

─전차는?

─수주일 안에 충분한 대수를 확보하게 됩니다.

─말은?

─잘 보살펴지고 있습니다. 말들은 최상의 컨디션으로 출정할 수 있을 겁니다.

─병사들의 사기는?

그들 가운데 나이가 가장 젊은 장군이 대답했다.

─그 점이 문제입니다, 폐하. 폐하께서 함께 계시는 것은 물론 고무적입니다. 하지만 병사들 사이엔 히타이트 족의 잔인성과 용맹성에 대한 유언비어들이 마구 퍼져가고 있습니다. 저희가 아무리 막으려 해도 소용 없습니다. 그 어리석은 얘기들은 병사들의 마음에 강한 인상을 남기고 있습니다.

—장군들의 마음에도 그렇단 말이오?

—아닙니다, 폐하. 물론 아닙니다. 하지만 몇 가지 석연치 않은 점이 있습니다.

—어떤 점이오?

—예, 그러니까…… 적군이 수적으로 우리보다 훨씬 월등한 겁니까?

—우리는 우선 가나안의 질서를 바로잡는 일부터 시작할 것이오.

—히타이트 군이 벌써 그곳까지 와 있습니까?

—아니오. 그들의 군대는 자기네들 진영으로부터 그렇게 멀리 떨어진 곳까지 진출하는 위험을 무릅쓰지 않았소. 단지 그들의 특공대가 폭동을 조장한 뒤 아나톨리아로 되돌아갔지. 그들은 지역 군주들을 꼬드겨 우리를 배반하게 했소. 분쟁을 일으켜 우리의 전력을 소모시키자는 생각이겠지. 안 될 말이오. 우리는 우리의 속령을 신속하게 탈환할 것이고, 병사들을 독려해 북으로 계속 전진해서 최후의 승리를 거두고야 말 것이오.

—우리 요새들에 대해 걱정하는 사람들이 있습니다만.

—그들이 틀렸소. 어제와 그제, 십여 마리의 전령 비둘기들이 궁에 도착했소. 마음 든든한 메시지를 가져왔지. 적의 수중에 떨어진 우리 요새는 단 한 군데도 없소. 요새들은 우리가 도착할 때까지 돌발적인 공격에 저항할 수 있는 충분한 식량과 장비를 갖추고 있소. 하지만 우리는 서둘러야 하오. 이미 많이 늦었소.

람세스의 입에서 떨어진 바람은 곧 명령과도 같은 것이었다. 장군들은 절을 한 뒤 출정 준비에 박차를 가해야겠다는 생각으로 각자의 병영으로 돌아갔다.

아메니가, 글쓰는 데 사용하는 정교하게 다듬어진 갈대를 내려놓으며 중얼거렸다.

—무능력한 자들.

람세스가 말했다.

—너무 심한 말이군.

—저들을 보시게나. 저들은 가진 게 너무 많을 뿐만 아니라, 겁도 너무 많아. 그저 편하게만 살고 싶은 거지요. 이제까지 저들은 전쟁터에서 싸우는 것보다는 자기들의 별장 정원에서 거드름을 피우는 데 보낸 시간이 더욱 많을 겁니다. 저런 자들이 전쟁만이 유일한 삶의 목적인 히타이트 족과 맞닥뜨리게 되면 도대체 어떤 꼴을 보일 것 같습니까? 폐하의 장군들은 벌써 죽은 몸이거나, 혹은 도망가는 중일 겁니다.

—저들을 교체시키자는 제안인가?

—너무 늦었어요. 그리고 무슨 소용이 있겠습니까? 고급장교들이란 자들은 모두 그놈이 그놈일 텐데.

—그럼, 자네는 이집트가 어떤 군사적 개입도 하지 않기를 바라는 건가?

—그건 치명적인 실수겠지요. 대항해야 한다, 폐하의 말씀이 물론 옳아요. 하지만 내가 보기엔 상황이 너무나 분명합니다. 우리가 승리할 수 있느냐 없느냐는 파라오, 오로지 폐하 한 사람에게 달려 있어요.

밤늦은 시각, 람세스는 친구 아샤를 접견했다. 그들은 쉴 사이가 없었다. 수도에는 점점 더 긴장이 고조되어갔다.

파라오의 집무실에 나란히 앉은 두 사람은 창문을 통해 밤하늘을 바라보았다. 영혼들은 밤하늘을 수놓는 수천 개의 별이 되어 빛나고 있었다.

—새로운 소식은, 아샤?

—상황은 부동입니다. 한편엔 반도들이, 다른 한편에 우리 요새들이 대치하고 있지요. 우리 요새들은 폐하의 지원을 기다리고 있

습니다.

—나도 좀이 쑤셔 못 견디겠네. 하지만 내 병사들의 생명을 위태
롭게 할 권리가 나한테는 없어. 훈련 부족에다 장비도 모자라……
너무 오랫동안 우리는 평화의 단꿈에 빠져 있었네. 꿈에서 깨는 것
은 늘 너무 급작스럽지. 하지만 그것도 나쁘진 않아.

—신들이 폐하를 도울 겁니다.

—그건 한번도 의심해본 적이 없네.

—우리가 과연 이 일을 해낼 수 있겠습니까?

—내 지휘 하에 싸우게 될 자들은 목숨을 바쳐 이집트를 방어할
걸세. 만일 히타이트 족이 그들의 목적을 달성하게 된다면 그땐 암
흑의 지배가 시작될 거야.

—폐하의 목숨이 위태로울 수도 있다는 걸 생각해보셨습니까?

—네페르타리가 섭정을 맡을 걸세. 그리고 만약 필요하다면, 그
녀가 왕위에 오를 거야.

—참 아름다운 밤이군요. 왜 인간들은 서로 죽이는 일만 생각하
는 걸까요?

—나는 평화로운 통치를 꿈꾸었네. 하지만 운명이 다른 결정을
내리는군. 운명을 회피할 생각은 없네.

—폐하에게서 등을 돌릴 수도 있지요, 그 운명이…….

—더이상 나를 신뢰하지 않는 건가?

—저도 두려운 모양입니다. 다른 사람들처럼 말이지요.

—모세의 종적은 발견했는가?

—아닙니다. 그는 사라져버린 것 같습니다.

—아냐, 아샤.

—왜 그렇게 확신하십니까?

—자네가 아직 수사에 착수하지 않았기 때문이지.

젊은 외교관은 침묵을 지켰다. 람세스가 말을 이었다.

─자네는 요원들을 보내서 모세를 추적하게 하지 않았네. 그가 체포되어 사형선고를 받게 되는 것을 원치 않았기 때문이지.

─모세는 우리 친구가 아닙니까? 만약 제가 그를 이집트로 데려오면 그는 꼼짝없이 사형선고를 받게 될 겁니다.

─아냐, 아샤.

─폐하께서는 파라오이십니다. 파라오는 법을 어길 수 없습니다!

─그럴 생각도 없네. 모세는 이집트에서 자유롭게 살게 될 거야. 법정이 그의 무죄를 선고하게 될 테니까.

─하지만…… 사리를 죽이지 않았습니까?

─정당방위였네. 공식적으로 기록된 증언이 있어.

─굉장한 소식이군요!

─모세를 찾게. 그를 데려와.

─쉽지 않을 겁니다…… 혼란스런 현재의 상황 때문에, 그는 아마도 우리 손이 미칠 수 없는 곳에 숨어 있을 겁니다.

─그를 찾아내게, 아샤.

9

세라마나는 험상궂은 얼굴로 벽돌공들이 사는 거리로 들어서고 있었다. 중부 이집트 출신의 젊은 히브리인 네 명이 과감하게 아브네의 공갈과 갈취 행위를 고발한 바 있었다. 그자 덕분에 일자리가 생기긴 했지만 얼마나 큰 대가를 지불했던 것인가!

모세 사건에 관한 경찰 조사는 한심하기 그지없었다. 사리는 추천할 만한 인물은 못 되었지만 그래도 여기에서 세도를 부리고 있었던 모양이고, 파라오의 친구 모세는 경찰들에게 성가신 존재였던 모양이었다. 그런 하나가 죽고, 다른 하나가 실종됐다면 금상첨화가 아니었겠는가?

아마도 중대한 증거들을 소홀히 지나쳤을 것이다. 사르디니아인은 사방에 질문을 하고 다녔으며, 마침내는 다시금 아브네의 집에

들이닥친 것이다.

벽돌공은 마늘을 바른 빵을 먹으면서 숫자들이 적힌 서판을 들여다보고 있었다. 그는 세라마나를 보는 순간 서판을 엉덩이 아래에 감췄다.

―어이, 아브네. 하던 계산은 끝내야지?

―난 잘못한 게 없어요!

―만일 네가 다시 수작을 부리면, 나한테 볼일이 생길 거야.

―왕이 나를 건드리지 말랬잖아요!

―꿈에서 깨라.

사르디니아인은 양파 한 개를 집어들고는 한 입 깨물었다.

―뭐 마실 거 없나?

―있어요. 함 속에…….

세라마나는 뚜껑을 쳐들었다.

―맙소사, 술잔치를 벌여도 되겠구만. 포도주에 맥주까지…… 자네 벌이가 괜찮은 모양이지?

―그건…… 선물로 받은 거예요.

―선물 주는 사람도 다 있고, 좋구만.

―뭘 원하는 거죠? 증언을 했잖아요.

―나도 어쩔 수 없어. 같이 좀 가주어야겠다.

―내가 아는 것은 모두 다 말했어요.

―헛소리 그만해. 왕년에 내가 해적이었을 때 포로들을 심문한 적이 있었지. 하나같이 어디에다 노획품을 숨겨놨는지 기억이 안 난다는 거야. 잘 구슬리면 결국 기억해낼 걸 가지고.

―난 가진 게 없어요!

―네 구린 돈엔 아무 관심 없어.

아브네는 안심한 눈치였다. 사르디니아인이 맥주 단지의 뚜껑을 여는 동안 히브리인은 거적 아래로 서판을 밀어넣었다.

─그 나무조각에 뭘 적어놓았나, 아브네?

─별거 아녜요, 별거…….

─자네가 히브리 동료들한테 갈취한 돈의 액수지? 내기할까? 재판관들이 좋아할 만한 증거 아닌가.

아브네는 너무 놀라서 아무 말도 하지 못했다.

─이봐, 친구. 우리 잘 얘기를 해보자구. 나는 경찰도 판사도 아니잖아?

─뭘…… 뭘 어떻게 하자는 겁니까?

─내가 관심 있는 것은 네가 아니라 모세야. 그를 잘 알았었지. 그렇지 않나?

─특별할 건 없었어요…….

─거짓말하지 말아, 아브네. 너는 그의 보호를 받고자 했었어. 따라서 그가 어떤 사람인가, 그가 어떻게 처신하는가, 그의 친구관계가 어떤가 알아보려고 몰래 살폈을 거 아냐?

─그는 거의 일만 했어요.

─그가 누구를 주로 만났나?

─작업장 책임자들, 인부들…….

─일이 끝난 다음엔?

─곧잘 히브리 각 지파의 지도자들과 얘기하곤 했죠.

─무슨 얘기를 하던가?

─우리가 자부심이 강하면서도 소심한 민족이라나……. 이따금 우리도 독립하고픈 생각을 하죠. 그래서 소수의 광신자들 눈에는 모세가 지도자처럼 비쳤어요. 피-람세스의 건설이 끝났을 때 그런 광기는 곧 사라졌어야 했는데.

─자네 '보호'하에 있던 인부들 가운데 하나가 내게 말한 바에 따르면, 어떤 정체불명의 사람이 모세를 찾아와 그의 사무실에서 오랫동안 단둘이 얘기를 나눴다고 하던데.

―사실이에요…… 아무도 그 사람의 정체를 몰랐죠. 모세한테 기술적인 조언을 해주려고 남쪽에서 온 건축가라고들 했는데, 작업장에는 코빼기도 보이지 않았어요.

　―어떻게 생긴 자인데?

　―약 60세 가량, 키 크고 마른 체구에 얼굴은 맹금처럼 생겼는데, 코가 두드러졌고, 광대뼈가 튀어나왔고, 입술이 아주 얇고, 턱선이 뚜렷하고…….

　―옷차림은?

　―평범했어요…… 건축가라면 좀더 잘 입었을 텐데. 그 사람은 원래 아무도 모르게 다녀갈 작정이었던 게 틀림없어요. 그는 모세하고만 얘기했죠.

　―히브리 사람이었나?

　―아닌 게 확실해요.

　―그가 피-람세스에는 몇 차례나 왔었나?

　―적어도 두 번.

　―모세가 도망간 이후로 그자를 다시 본 사람이 있나?

　―없어요.

　갈증이 난 세라마나는 맥주 단지를 비웠다.

　―자네가 숨김없이 다 얘기했기를 기대한다, 아브네. 그 반대일 경우엔 내 신경이 날카로워질 거고, 그러면 나도 내 자신을 통제할 수가 없게 된단 말야.

　―그 사람에 대해선 다 얘기했어요!

　―나는 자네 자신에게 정직해지라고 요구하는 것이 아니야. 그건 자네한텐 너무 힘든 일일 테니까. 하지만 적어도 내 신경이 쓰이지는 않도록 하라구.

　―이제…… 맥주 더 드시겠어요?

　사르디니아인은 엄지와 검지손가락으로 히브리인의 코를 꽉 쥐었다.

−벌주는 셈치고 요걸 확 뽑아버려?

아브네는 너무 고통스러운 나머지 기절해버렸다.

세라마나는 어깨를 한 번 추켜올리고는 벽돌공의 집에서 나왔다. 그는 생각에 잠긴 채 궁전 쪽으로 향했다.

그는 이번 조사를 통해 많은 것을 알아낼 수 있었다.

모세는 음모를 꾸미고 있었다. 그는 히브리의 우두머리가 될 생각이었다. 아마도 자기네 백성을 위해 새로운 특권을 요구할 작정이었거나, 어쩌면 델타에 자치도시를 세우겠다고 했을지도 모른다. 그리고 만약 그 정체불명의 사내가 히브리인들에게 원조를 제안하러 온 외국인이라면? 그렇다면 필경 모세는 국가반역죄에 해당될 것이다.

람세스는 이런 식의 추측은 결코 들으려 하지 않았다. 이 사실들을 보고하고 왕으로 하여금 자신이 친구라고 믿었던 자를 경계하게 만들기 위해서는 증거를 확보해야만 했다.

관사로 돌아온 사르디니아인은 곰곰 생각에 잠긴 채 화로 위에 손을 얹었다.

이제트는 피−람세스의 궁궐 내에 화려한 저택을 갖고 있었다. 그녀와 네페르타리는 먹구름 한 점도 끼지 않은 좋은 사이였지만, 그녀는 피−람세스를 떠나 멤피스에서 살고 싶었다. 그곳에서라면 연회가 있을 때마다 그녀의 아름다움을 예찬하는 사람들에 둘러싸여 기분이 좀 나아질 수 있을 텐데.

이제트, 그녀는 겉은 화려하지만 속은 텅 비어 있는 삶을 살아갈 수밖에 없는 운명이었다. 아직 젊은 나이에 그녀는 추억만을 되새기며 살아갔다. 언제였던가, 그녀는 신들로부터 모든 재능을 부여받은 왕을 증오한 적도 있었다. 그렇다. 그는 마음은 이미 네페르타리에게 가 있으면서도 자신을 유혹할 수 있는 그런 재능까지 갖고 있지 않았던가?

왕비가 추하거나 바보 같거나 혹은 밉살스러운 여자이기만 했더라도…… 하지만 이제트는 네페르타리를 보는 순간 그 찬란한 빛과 아름다움에 승복하였다. 그녀를 아주 비범한 존재로, 람세스에게 걸맞는 왕비로 인정하지 않을 수 없었다.

'사랑하는 사람이 다른 여인의 품에 안겨 있는 모습을 바라보면서, 그 잔인한 상황이 합당한 것이라고 인정할 수밖에 없다니, 이 무슨 기이한 운명인가.'

이제트는 그런 생각에 잠겨 있는 스스로가 싫었다.

만일 람세스가 그녀에게 돌아온다면, 이제트는 아무것도 탓하지 않을 것이었다. 그녀는 한적한 들판의 갈대 오두막에서 그들이 밀회하던 때와 똑같은 황홀감으로 그에게 자신을 내주리라. 목동이거나 어부였더라면…… 처음 만나는 그 순간에 그가 목동이거나 어부였더라도, 그에게로 이끌리는 그녀의 열정은 변함없었으리라.

이제트는 권력에 대해서는 아무런 흥미도 느낄 수 없었다. 그녀는 이집트의 왕비라는 자리를 감당해낼 수 없었을 것이고, 네페르타리를 짓누르고 있는 그런 의무들을 버텨내지 못했을 것이다. 부러움이나 시샘 따위의 감정은 그녀에겐 낯선 것이었다. 하늘은 그녀에게 람세스란 존재를 사랑하는 기쁨을 주었다. 그녀는 하늘에 감사하였다. 그러나 하늘은 그녀가 사랑하는 존재에게 왕이라는 운명을 예정해두었다. 그게 그녀의 불행이었다.

그 여름날은 행복한 하루였다.

이제트는 아홉 살 먹은 카와, 그리고 곧 네번째 생일잔치를 맞게 될 네페르타리의 딸 메리타몬과 함께 놀아주고 있었다. 두 아이는 신기할 정도로 잘 어울렸다. 읽기와 쓰기에 대한 카의 열정은 여전해서, 녀석은 제 누이에게 신성문자를 가르쳐주고 있었다. 누이가 좀 망설이면 이내 소녀의 손을 붙잡아 이끌어주기도 했다. 오늘은 손가락을 정확히 잘 놀려야 하는, 새를 뜻하는 신성문자에까지 진도가 나가 있었다.

─이리 와서 물놀이 좀 하렴. 물이 시원해.

카가 대답했다.

─난 그냥 공부할래.

─수영하는 법도 배워야잖니.

─관심 없어.

─네 누이동생은 좀 쉬고 싶을 텐데.

네페르타리의 딸은 제 엄마만큼이나 예뻤다. 계집아이는 어느 쪽도 실망시킬 수 없어 망설이고 있었다. 그녀는 수영을 좋아했다. 하지만 카를 화나게 하고 싶지 않았다. 오빠는 엄청난 비밀들을 알고 있지 않은가! 그녀는 불안한 목소리로 카에게 물었다.

─물에 들어가도 괜찮아?

카는 잠시 생각했다.

─좋아. 하지만 너무 오래 있진 마. 메추라기를 다시 그려야 돼. 봐, 머리가 완전히 둥글지 않잖아.

메리타몬은 이제트를 향해 달려갔다. 이제트는 행복했다. 네페르타리가 딸아이의 교육을 맡길 만큼 자신을 신뢰하고 있다는 사실이…….

젊은 여인과 아이는 무화과나무 그늘이 드리워진 연못의 맑고 시원한 물 속으로 미끄러져갔다. 참으로 행복한 하루였다.

10

멤피스엔 숨막힐 듯한 더위가 짓누르고 있었다. 북풍이 잦아들자 뜨거운 열기가 사람들과 짐승들의 목을 바짝 태웠다. 사람들은 지붕과 지붕 사이에 두터운 천을 매달아 거리에 그늘이 지게 했다. 물지게꾼들은 더이상 물을 퍼올 만한 데를 찾을 수 없었다.

마법사 오피르는 안락한 별장에서 더위를 잊고 살았다. 벽에 설치된 환기구멍으로 통풍이 잘 되는 별장은 조용하고 편안했으며, 흑마술을 성사시키는 데 있어 반드시 갖춰야 할 마음의 평정을 위해서도 적합한 장소였다.

오피르는 자신이 어떤 흥분감에 휩싸인 것을 느끼고 있었다. 평소 그는 냉정하게, 거의 무관심 속에 자신의 마법을 시행했다. 하지만 이번처럼 어려운 대사(大事)를 시도한 적은 한번도 없었다. 그것이 그를 흥겹게 했다.

세나르가 오피르의 초대를 받고 그의 집에 도착한 것은 도시의 크고 작은 거리에 사람 하나 지나다니지 않는, 땡볕 내리쬐는 한낮이었다. 조심성 많은 세나르는 그의 동지인 메바의 마차를 이용했고, 마부도 벙어리 하인을 골랐다.

마법사는 공손한 태도로 세나르를 맞이했다. 매번 느끼는 것이지만 그를 만날 때마다 세나르는 심기가 편치 않았다. 옆모습이 꼭 맹금처럼 생긴 이 리비아인의 시선은 얼음처럼 차가웠다.

짙푸른 눈에 매부리코, 그리고 입술이 아주 얇은 그의 얼굴은 사람이라기보다는 마귀에 더 가까워 보였다. 하지만 그의 어조와 태도는 상냥하기 그지없어서, 이따금은 신실한 늙은 사제와 한담을 나누는 듯한 인상을 받기도 했다.

―왜 나를 부른 건가, 오피르? 난 이런 방식은 맘에 안 드네.

―일에 진척이 좀 있었습니다. 실망하지 않으실 겁니다.

―그래야지. 자네를 위해서도 그게 좋겠지.

―저리로 좀 가실까요…… 부인들이 기다리고 있습니다.

마법사에게 이 집을 제공한 것은 세나르였다. 물론 신중하기 이를 데 없는 세나르는 집의 명의를 누이동생인 돌렌테의 이름으로 해놓는 것도 잊지 않았다. 얼마나 귀중한 동지들인가…… 마음껏 써먹을 수 있는 놈들이지……. 람세스와 어렸을 때부터 친구인 천재적인 모사가 아샤가 있고, 약삭빠른 히타이트 첩자 라이아가 있고, 그리고 이젠 이 마법사까지…… 오피르는 기괴하고도 위험스런 세계의 화신이었다. 세나르는 그런 세계가 믿어지지 않았지만, 그것이 남을 해치는 데 발휘하는 효력만은 무시할 수 없는 것처럼 보였다.

때가 되면 이 불길하고 거추장스러운 동맹자들을 모조리 제거해버릴 작정이었다. 무릇 권력을 가진 자는 과거를 가져선 안 되는 것이다.

희끄무레한 어둠 속에서 서로 손을 맞잡고 있는 두 여인에게 오피르가 알렸다.

—손님께서 도착하셨습니다.

하나는 언제나 권태로워 보이는 그의 누이동생, 갈색 머리의 돌렌테였다. 다른 하나는 포동포동한 금발의 리타였다. 오피르는 그녀를 아케나톤의 증손녀라고 소개했지만, 셰나르의 눈엔 흑마술사가 시키면 무슨 짓이라도 할 저능아처럼 보일 따름이었다.

—우리 누이동생께선 안녕하신가?

—만나서 기뻐요, 셰나르. 오라버니가 이렇게 와주신 것은 바로 우리가 옳은 길을 가고 있다는 증거지 뭐겠어요.

람세스 때문에 공사장 십장이라는 신분으로 전락한 남편 사리가 결국 모세에게 살해당한 뒤로, 돌렌테는 오피르와 리타에게 완전히 빠져들었다. 그녀는 이제 유일신 아톤만을 섬겼으며, 아톤에 대한 숭배를 부흥시키고 다신교의 파라오 람세스를 몰락시키는 데 자신의 생을 걸었다.

돌렌테의 증오심은 셰나르의 흥미를 끌었다. 이러한 광신적인 반대세력은 람세스를 제거하는 데 어떤 식으로든 써먹을 수 있을 것이다. 돌렌테의 미친 짓거리가 너무 지나치다 싶으면 그때 가서 쫓아버리면 그만이었다.

돌렌테가 싸늘한 어조로 셰나르에게 물었다.

—모세 소식을 들은 게 있어요?

셰나르가 대답했다.

—사라졌다. 아마도 그의 히브리 형제들이 살해해서 사막에 묻었겠지.

오피르가 말했다.

—우리는 소중한 동지 하나를 잃었습니다. 그러나 유일신의 뜻은

성취되고야 말 것입니다. 우리의 수효는 점점 더 불어나고 있지 않습니까?

셰나르가 말했다.

―신중해야 하네.

흥분한 돌렌테가 말했다.

―아톤 신이 우리를 도울 거예요.

마법사가 지적했다.

―저는 제 원래의 계획을 잊은 적이 없습니다. 우리는 우리의 길을 가로막는 유일한 진짜 장애물, 람세스의 주술적인 방어력을 약화시켜야 합니다.

그러자 셰나르가 상기시켰다.

―자네의 첫번째 공격은 별로 성공한 것 같지 않던데.

―하지만 어느 정도의 효과가 있었다는 것은 인정하셔야 합니다.

―그런 정도의 결과는 만족스럽지 않네.

―인정합니다, 셰나르 공. 바로 그 때문에 저는 다른 방법을 사용하기로 결정했습니다.

―어떤?

리비아인 마법사는 딱지가 붙어 있는 단지 하나를 오른손으로 가리켰다.

―읽어보시겠습니까?

―'헬리오폴리스, 생명의 집, 숭어, 4 마리' 뭐야, 생선 단지인가?

―흔히 있는 생선 단지는 아니지요. 제의에 봉헌될 음식물입니다. 정성스럽게 고른 것이고, 이미 그 자체로 주술이 들어 있지요. 저한테는 또 이런 천조각도 있습니다.

오피르는 숄 하나를 흔들었다.

―그건 분명히······.

—그렇습니다, 셰나르 공. 물론 왕비 네페르타리가 가장 아끼는 숄입니다.

—그걸…… 훔쳤나?

—이미 말씀드렸다시피, 저를 따르는 사람들은 적지 않습니다.

셰나르는 놀랐다. 궁전 내에서 누가 마법사를 돕고 있는 것일까?

—이 두 가지 물건, 즉 신성한 음식과 왕비의 몸에 닿았던 숄이 제 일을 진행시키는 데 반드시 필요했었죠. 이 물건들 덕분에, 그리고 여러분의 결의에 힘입어 우리는 아톤 신의 숭배를 부흥시킬 수 있게 될 것입니다. 리타는 권좌에 오를 것입니다. 그녀는 여왕이 될 것이고, 공은 파라오가 될 것입니다.

리타는 황홀감과 신뢰에 가득한 눈빛으로 셰나르를 바라보았다. 그런 대로 예쁘장한 계집애였다. 후궁으로 삼기에는 안성맞춤이겠다고 생각하며, 셰나르가 말했다.

—람세스는 어쩌고…….

오피르가 대답했다.

—그도 한 인간에 지나지 않습니다. 계속적인 맹공에는 견뎌내지 못할 겁니다. 이번 일을 성사시키기 위해서는 여러분의 도움이 필요합니다.

돌렌테가 소리쳤다.

—내 도움은 더 물을 필요도 없어요!

그녀는 리타의 손을 더욱 세게 잡았다. 리타의 툭 불거진 두 눈은 더이상 리비아인에게서 떠나지 않고 있었다. 셰나르가 물었다.

—계획이 뭔가?

오피르는 팔짱을 꼈다.

—공의 도움도 제게는 불가피합니다.

—나? 하지만…….

—우리 네 사람 모두는 왕과 왕비의 죽음을 바라고 있습니다. 넷

이란 숫자는 공간의 네 방향과 시간의 끝, 우주 전체를 상징합니다. 그 넷에서 하나의 힘이라도 모자라면 마법은 효력을 발휘하지 못합니다.

─나는 마법사가 아냐!

─성의만 보이시면 됩니다.

돌렌테가 애원했다.

─그러겠다고 하세요, 오라버니.

─내가 무슨 일을 해야 하나?

오피르가 진지한 눈빛으로 말했다.

─간단한 동작 하나면 됩니다. 그것이 람세스를 쓰러뜨리는 데 기여할 겁니다.

─시작하게.

마법사는 단지를 열고 거기서 소금에 절여 말린 네 마리의 생선을 끄집어냈다. 리타는 무엇에 홀린 듯 돌렌테를 밀어젖히고는 옷을 벗고 반듯하게 바닥에 누웠다. 오피르는 그녀의 하얀 가슴에 네페르타리의 솔을 얹었다. 그는 돌렌테에게 명령했다.

─생선 한 마리의 꼬리를 잡아서 내게 주시오.

돌렌테는 시키는 대로 했다. 오피르는 옷주머니에서 람세스의 모습을 한 작은 상(像)을 하나 꺼냈다. 그는 그것을 숭어의 아가리에 처넣었다.

─그 다음 놈을 줘요, 돌렌테.

마법사는 같은 행동을 반복했다.

네 마리의 숭어가 네 개의 람세스 상을 삼켰다.

오피르는 깊은 동굴에서 울려나오는 듯한 목소리로 예언했다.

─왕은 전쟁에서 죽거나 혹은 돌아오는 길에 우리가 파놓은 함정에 걸릴 것이다. 그는 다시는 왕비를 보지 못할 것이다.

오피르는 작은 방으로 건너갔다. 네 마리의 물고기를 손에 든 돌렌테가 팔을 늘어뜨린 채 그를 뒤따랐다. 람세스를 해칠 수 있다는 기대감이 마법에 대한 두려움보다 컸던 셰나르 역시 그 뒤를 따랐다.

방의 한가운데에 화로가 있었다.

—물고기들을 불 속에 던져버리십시오, 셰나르 공. 그러면 원하시는 게 성취될 겁니다.

셰나르는 주저하지 않았다.

네번째의 물고기가 지글거리며 불에 타고 있을 때, 갑작스런 비명소리가 공기를 찢었다. 세 사람은 거실로 뛰어갔다.

저절로 불이 붙은 네페르타리의 숄이 리타의 몸을 태우고 있었다. 그녀는 기절해버렸다.

오피르는 불붙은 천조각을 그녀의 몸에서 떼어냈다. 불길은 이내 사그라들었다. 오피르가 타다 만 숄을 들고 설명했다.

—숄이 완전히 불에 타 없어져야, 람세스와 네페르타리가 마귀들의 먹이가 될 겁니다.

돌렌테가 걱정스런 표정으로 물었다.

—그럼 리타가 또 고통받아야 하나요?

—리타는 자신의 희생을 받아들였소. 그녀는 뚜렷한 의식으로 이 일을 감당해내야 하오. 돌렌테, 부인이 리타를 돌봐주시오. 그녀의 화상이 치유되는 대로 우리 다시 시작합시다. 숄이 완전히 불타 없어질 때까지 말이오. 셰나르 공, 우리에겐 시간이 필요합니다. 하지만 결국엔 성공하고야 말 겁니다.

11

궁전의 수석 전의 파리아마쿠는 길고 섬세한 손을 항상 잘 다듬고 다니는 50대 가량의 빈틈없어 보이는 남자였다. 원래 부자인 데다가 멤피스 귀족가문의 아내와 결혼해서 아이들을 셋이나 둔 그는 모든 사람의 존경을 받을 만한 훌륭한 경력을 쌓아왔다고 자부하고 있었다.

하지만 이 여름날 아침, 궁전에서 대기중인 파리아마쿠는 불쾌감을 가라앉힐 수 없었다. 람세스가 몸이 지나치게 튼튼하다는 것도 전의인 자기로서는 그리 달가운 일이 아닌데, 이렇게 두 시간 이상이나 이 고명한 의사를 기다리게 하지 않는가?

마침내 시종 하나가 그를 부르러 와서 람세스의 집무실로 들어가게 해주었다.

―폐하, 저는 폐하의 비천한 시종에 지나지 않습니다만…….

―어떻게 지내시오, 의사선생?

―폐하, 저는 무척 불안합니다. 조신들 사이에 떠도는 말에 의하면, 폐하께선 북쪽으로 출정할 군대의 군의관으로 저를 생각하고 계시다는데…….

―영광스러운 일이 아니오?

―물론입니다, 폐하. 물론 그렇죠. 하지만 저 같은 사람은 궁전에 두시는 것이 더 쓸모가 많지 않겠습니까?

―물론 그 말도 참작하기로 하지.

파리아마쿠는 불안을 숨기지 않았다.

―폐하…… 어떤 결정을 내리고 계신지, 제가 알 수 없겠습니까?

―지금 다시 생각해보니, 그대 말이 옳소. 그대는 궁전에 없어서는 안 될 인물이오.

의사는 절로 나오는 안도의 한숨을 참기 위해 꽤 애써야 했다.

―제 보좌관들은 전적으로 신뢰할 만합니다, 폐하. 누구를 고르시더라도 만족하실 것입니다.

―나는 이미 정했소. 내 친구 세타우요. 선생도 아시지, 아마?

주머니가 잔뜩 달린 영양가죽 옷을 입은 사내 하나가 고명한 의사를 향해 걸어왔다. 딱 바라진 체격에 네모난 얼굴, 가발도 안 쓰고 면도도 안 한 데다 바라보는 시선이 공격적이었다. 의사는 자기도 모르게 한 발짝 뒤로 물러섰다.

―만나서 반갑습니다, 의사선생. 내 경력이란 것이 별로 화려할 것은 없지요. 그건 나도 인정하는 바입니다. 하지만 나한테는 뱀 친구들이 있지요. 어제 저녁 내가 잡은 놈인데, 요 살모사 한번 보시겠소?

의사는 다시 한 발짝 물러섰다. 당황한 그는 왕을 바라보았다.

―폐하, 의료행위를 하는 데는 적합한 자질이…….

—내가 없는 동안 각별한 주의를 기울여주시오, 선생. 왕가의 건강에 대해서는 선생이 전적으로 책임져야 하오.

세타우는 제 옷주머니들 가운데 하나에 손을 집어넣었다. 거기서 뱀이라도 튀어나오는 것이 아닌가 걱정된 파리아마쿠는 서둘러 왕에게 절을 하고 사라져버렸다. 땅꾼이 물었다.

—언제까지 저런 날벌레 같은 자들에게 둘러싸여 살 텐가?

—너무 험한 말은 말게나. 저 사람도 가끔은 환자들을 고칠 줄 아네. 그건 그렇고…… 군 의무대를 책임져주겠나?

—자리를 맡는 건 흥미가 없네. 하지만 그렇다고 폐하를 혼자 떠나보낼 수는 없는 노릇이겠지.

생명의 집에서 말린 생선 단지 하나…… 그리고 왕비 네페르타리의 숄…… 도난사건은 둘이지만, 범인은 하나다! 세라마나는 그게 누구의 짓인지 확신하고 있었다. 궁전 집사장 로메가 아니면 누구겠는가? 사르디니아인은 그를 오래 전부터 의심하고 있었다. 지나치게 쾌활한 그놈은 왕을 속이고 있었고, 심지어 암살하려고까지 시도했었지.

람세스는 집사장을 잘못 골랐어.

사르디니아인은 그러나 모세에 관해서도, 또한 로메에 관해서도 왕에게 말을 꺼낼 수가 없었다. 왕이 보일 반응이 너무 뻔했다. 불같이 화를 낼 것이고, 그리 되면 저 고약한 집사놈을 체포하는 것은 물건너가고, 히브리놈에 대한 왕의 우정도 깨지기는커녕 더욱더 굳어질 게 분명했다. 그럼 누구한테 말한다? 람세스의 개인비서인 아메니가 있었다. 명석하고 경계심 강한 그자라면 자신의 얘기를 들어줄 것이다.

사르디니아인은 복도의 입구를 지키고 있는 두 명의 병사들 사이를 지나 아메니의 사무실로 향했다. 지칠 줄 모르고 일만 해대는 이 서기관은 스무 명의 고급관리들로 구성된 기관을 이끌고 있었다. 나라의 모든 주요 서류들은 바로 이 관리들이 다루고 있었고, 아메니는 그 중에서 중요한 것을 발췌하여 람세스에게 보고하곤 했다.

사르디니아인의 뒤편에서 황급한 발자국소리가 들려왔다.

그는 놀라서 뒤를 돌아보았다. 십여 명의 보병들이 뛰어와 그를 향해 창을 겨누었다.

─무슨 짓이냐?

─명령을 받았습니다.

─명령이라니? 너희들한테 명령을 내리는 건 바로 나야, 나!

─체포하겠습니다.

─무슨 미친 수작이냐?

─우리는 명령에 복종할 뿐입니다.

─꺼져버려! 아니면 다 죽여버릴 테다!

아메니의 사무실 문이 열렸다. 왕의 개인비서가 입구에 나타났다.

─이 바보들한테 꺼지라고 해, 아메니!

─자네를 체포하라고 명령한 것은 바로 나일세.

바다 한가운데서 난파당한들 왕년의 해적이 이렇게 놀라지는 않았을 것이다. 그는 순간 아무런 반응도 보일 수 없었다. 병사들은 그 틈을 타서 그의 무기를 빼앗고, 등뒤로 두 손을 결박해버렸다.

─설명 좀 해봐…….

아메니의 신호에 따라 병사들은 세라마나를 사무실 안으로 밀어넣었다. 아메니는 한 장의 파피루스를 들여다보았다.

─네노파르란 여자를 아는가?

─물론. 내 애인들 가운데 하나야. 정확히 말하면, 가장 최근에 만난 여자지.

─서로 언쟁이 있었나?

　─별거 아냐.

　─그녀를 강간했나?

　사르디니아인은 미소를 지었다.

　─몇 차례 좀 심한 몸싸움이 있긴 했지. 하지만 애인 사이라는 게 다 그런 거 아닌가.

　─따라서 자네는 그녀를 비난할 게 아무것도 없단 말이지?

　─있지! 그 여자는 날 녹초로 만들었어.

　아메니의 태도는 얼음처럼 차가울 따름이었다.

　─그 네노파르란 여자가 자네를 고발해왔네.

　─하지만…… 그 여자도 원했었어, 맹세할 수 있어!

　─나는 자네의 방탕한 성생활을 말하는 게 아니야. 자네의 반역에 대해 말하는 걸세.

　─반역…… 지금 반역이라고 그랬나?

　─네노파르는 자네가 히타이트 족에 매수된 첩자라고 고발했네.

　─지금 장난하는 거야, 뭐야?

　─그 처녀는 애국자야. 자네 침실의 속옷함에 숨겨져 있던 괴이한 서판을 발견한 그녀는 그것을 나한테 가져오는 게 좋겠다고 생각한 걸세. 이걸 알아보겠나?

　아메니는 물건을 사르디니아인에게 보여줬다.

　─이게 뭐야? 내 것이 아냐!

　─이것이 자네가 저지른 범죄의 증거물일세. 여기 조잡한 글씨체로 씌어진 것을 보면, 자네는 휘하의 정예부대를 무용지물로 만들겠다고 히타이트 연락원에게 알리고 있군.

　─말도 안 돼!

　─자네 애인의 진술이 재판관에 의해 기록되었네. 재판관은 그것을 증인들 앞에서 큰 목소리로 읽었고, 그녀는 그것이 사실과 다름

없음을 확인했어.

—이건 나를 제거해서 람세스를 약화시키려는 모략이야.

—서판의 날짜를 보면 자네는 8개월 전부터 적과 내통하고 있더군. 히타이트의 왕은 자네한테 상당한 재산을 약속했고, 자네는 그것을 이집트가 패배한 이후에 받게 되어 있어.

—나는 람세스에게 충성을 다하고 있어. 그는 나를 죽일 수 있었는데도 살려줬지. 이미 내 목숨은 그의 것이나 다름없어.

—말은 번드르르하지만, 그게 거짓이라는 증거가 여기 있네.

—나를 알잖아, 아메니! 내가 해적이었던 건 사실이야. 하지만 난 친구를 배반한 적이 없어.

—자네를 안다고 믿었었지. 하지만 자네는 물욕밖엔 남지 않은 저 조신들과 다를 바 없는 사람이야. 돈에 팔린 용병은 결국 더 많이 주겠다는 쪽에 달라붙지 않겠나?

화가 난 세라마나는 몸을 바로 세웠다.

—파라오께서 나를 친위대장으로 임명하고, 또한 군 정예부대의 지휘관으로 임명한 것은 그분이 나를 신임하기 때문이야.

—사람을 잘못 본 게지.

—나는 자네가 말하는 그런 죄를 짓지 않았어.

—이 자의 손을 풀어주라.

세라마나는 순간 마음이 놓였다. 아메니는 평상시와 같은 엄격함으로 자신을 심문했다. 하지만 결국 자신의 무죄를 입증해주기 위해서였구나!

아메니는 세라마나에게 끝에 검은 잉크를 묻힌 갈대 하나와 표면이 반반한 석회판 하나를 내밀었다.

—자네 이름과 직함을 적게.

세라마나는 시키는 대로 했다.

—이것은 서판에 있는 것과 똑같은 필체일세. 이 새로운 증거도

서류에 추가시키겠어. 자네는 유죄일세, 세라마나.

미친 듯이 화가 난 왕년의 해적은 아메니에게 달려들려 했다. 하지만 네 개의 창이 그의 늑골을 찔러 피가 흘러나왔다.

—드디어 정체를 드러내는군, 그렇지 않나?

—그 계집년을 만나게 해주게. 진실을 토해내게 만들 거야.

—재판정에서 보게 될 걸세.

—이건 모함이야, 아메니!

—변호할 준비나 해둬, 세라마나. 자네 같은 반역자들한테는 한 가지 처벌밖에 없네. 사형이지. 그리고 람세스의 관용 따위는 바라지도 말게.

—파라오께 말씀드릴 기회를 줘. 폐하께 알려드려야 할 중대한 일이 있어.

—우리 군대는 내일 출정하네. 자네가 눈에 안 띄면 자네의 히타이트 친구들이 꽤 놀라겠는걸.

—폐하에게 말하게 해줘, 제발!

아메니가 명령했다.

—이 자를 감옥에 가두고 잘 지켜라!

12

셰나르는 매우 흡족한 기분이었다. 식욕도 왕성했다. 보리죽, 구운 메추라기 두 마리, 염소 치즈, 둥근 꿀과자 등 그의 입맛에 맞춰 특별하게 준비된 아침식사였다. 거기에다 그는, 람세스와 그의 군대가 북쪽으로 떠나게 될 이 아름다운 아침을 위해, 특별히 로즈메리와 커민, 파슬리 등으로 향을 돋우어 불에 그을린 거위 넓적다리 하나를 추가시켰다.

세라마나는 체포되어 옥에 갇혔으니, 그로 인해 이집트 군의 전력은 심각한 정도로 줄어들게 될 것이다.

셰나르가 잔 속에 든 신선한 우유에 입술을 적시고 있을 때, 람세스가 들어왔다. 셰나르는 자리에서 일어나면서 아침인사에만 사용되는 고전적인 어투로 말했다.

—그대의 얼굴이 보호되기를.(뜨거운 햇빛으로부터 보호되기를 바란다는 아침인사 —역주)

왕은 흰색 로인클로스에 소매가 짧은 윗옷을 입고, 손목에는 은 팔찌를 차고 있었다.

—형님께서는 길 떠날 채비가 전혀 안 되어 있는 것 같군요.

—뭐…… 나도 데려갈 생각이신가, 람세스?

—형님은…… 뭐랄까…… 군인정신이 부족해서…….

—나는 폐하처럼 힘이 세지도 못하고, 용기가 있는 것도 아니지요.

—몇 가지 지시사항이 있습니다. 내가 없는 동안 형님께서는 국외에서 들어오는 정보들을 수집해서 어머님과 네페르타리, 그리고 아메니에게 보고해주십시오. 그들이 섭정회를 구성할 겁니다. 모든 결정권은 그들에게 있습니다. 아샤는 나와 함께 일선에 있을 겁니다.

—그도 데려가십니까?

—현지 상황에 대한 그의 해박한 지식이 절대적으로 필요합니다.

—불행하게도 우리 외교는 실패하고 말았지요…….

—나도 안타깝습니다. 하지만 지금은 돌아보고 아쉬워할 때가 아닙니다.

—어떤 전략을 펼칠 작정이신가?

—우선 우리에게 예속되어 있던 지역의 질서를 회복하고, 잠시 휴식을 취한 다음, 카데슈로 진군하여 히타이트 족과 정면대결을 벌일 겁니다. 이번 원정의 주요 목표인 히타이트 족과의 전투가 시작되면 형님을 전선으로 부르게 될지도 모릅니다.

—최후의 승리에 한몫 낄 수 있다면, 내게도 영광이겠지요.

—이번 전쟁에서도 이집트는 다시 한번 살아남을 겁니다.

—조심하시게, 람세스. 이집트는 그대가 필요하네.

람세스는 공방과 창고들이 있는 거리와 피-람세스에서 가장 오래 된 지역을 가르고 있는 운하를 배로 건넜다. 그 지역은 아바리스의 옛 터로서 이집트인들의 마음에 흉흉한 기억으로 남아 있는 힉소스 족 침략자들의 수도였다. 그곳에는 뇌우를 관장하는 무서운 신이요, 우주에서 가장 큰 힘을 보유한 신이며, 람세스의 아버지인 세티의 수호신이기도 한 세트의 신전이 세워져 있었다. 세티는 감히 세트 신에게서 자신의 이름을 딴 유일한 왕이었다.

람세스는 세트 신의 성소를 확장하고 잘 치장하라고 명령을 내렸었다. 바로 그곳에서 람세스는 그의 아버지 세티의 가르침을 따라 왕이 되기 위한 의식을 비밀스럽게 치렀고, 그 과정에서 세트와 무시무시한 대결을 벌여야 했다.

그때 젊은 왕자의 마음에는 공포심과 그것을 이겨낼 수 있다는 자신감이 한데 뒤섞여 있었다. 싸움이 끝났을 때 세트 신의 속성에 속하는 하나의 불이 탄생했고, 세티는 그것을 다음과 같은 계명으로 옮겨주었다. "무턱대고 사람들의 선량함을 믿는 것은 왕으로서는 저질러서는 안 되는 잘못이다."

밀폐된 신전의 앞마당에는 장밋빛 화강암으로 된 비석*이 하나 세워져 있었다. 비석의 정상에는 세트를 구현하고 있는 기괴한 동물이 있었다. 붉은 눈의 개과 동물로 커다란 두 귀는 위로 솟아 있고 기다란 코는 아래로 굽어 있었다. 어떤 사람도 그와 같은 피조물을 본 적이 없었고, 앞으로도 보지 못할 것이다. 비석의 궁륭 부분에는 인간의 형상으로 표현된 세트가 있다. 그의 머리 위에는 원뿔형의 왕관과 둥근 태양, 그리고 두 개의 뿔이 있었다. 그의 오른손에는 생명의 열쇠가, 그의 왼손에는 '권능'의 왕홀이 들려 있었다.

---

* 높이 220㎝, 넓이 130㎠

90

비석에 조각된 글에는 400년* 여름 네번째 달 네번째 날이라는 날짜가 기록돼 있었다. 우주를 구성하는 숫자인 4의 힘을 강조한 것이다. 석비에 조각된 신성문자들은 하나의 기도문으로 시작된다.

경배 드리오니 세트 신이시여, 하늘의 여신의 아들이시여,
그대의 힘은 영원의 배[船] 속에서 위대하도다.
그대는 빛의 배 뱃머리에 있어 적을 무찌르고
그대의 목소리는 우뢰와 같도다!
파라오에게 그대의 '카'를 뒤따르게 하소서.

람세스는 밀폐된 신전 안으로 들어갔다. 그는 세트의 신상 앞에서 명상에 잠겼다. 세트 신의 힘은 앞으로 그가 벌이게 될 전투에서 없어서는 안 될 것이었다.

세트 신, 만일 그가 람세스 4년의 치세를 비석에 씌어진 4백 년의 세월로 변화시킬 수 있다면, 이보다 더 훌륭한 동지가 또 어디 있겠는가?

아메니의 사무실은 가죽집에 들었거나 항아리 속에 처박았거나 혹은 나무함 속에 쌓아놓은 파피루스 두루마리들로 가득 차 있었다. 문서들의 내용과 그것들이 작성된 날짜를 적어넣은 쪽지들도 사방에 널려 있었다. 함부로 하인이 들어와서 청소하는 것을 금지시킨 이 방안엔 그럼에도 불구하고 엄격한 질서가 지배하고 있었다. 아메니 자신이 꼼꼼하게 모든 정리를 도맡아 하고 있었던 것이다. 그가 람세스에게 말했다.

─나도 폐하를 수행하게 해주시게.

---

* 그로부터 이집트학자들은 이 기이한 자료를 '400년 석비'라는 이름으로 부르게 되었다.

―자네가 있어야 할 자리는 이곳이야. 하루에 한 번씩 우리 어머님하고 왕비와 회동을 갖게나. 셰나르와도 회동은 갖되, 그가 뭐라고 하든 간에 그에게는 어떤 결정권도 주지 말게.

―너무 오래 자리를 비우시면 안 됩니다.

―단숨에 결판낼 작정이야.

―세라마나는 잊어주셔야겠습니다.

―무슨 소리야?

아메니는 사르디니아인을 체포하게 된 상황을 설명해주었다. 람세스의 표정이 침울해졌다. 그가 말했다.

―기소장을 자세하게 작성해놓게. 돌아오는 대로 내가 직접 심문하겠네. 왜 그런 짓을 저질렀는지 밝혀내고야 말겠어.

―해적은 어디까지나 해적이에요.

―그를 재판하고 처벌하는 것으로 좋은 본보기를 보이겠네.

아메니가 탄식했다.

―그처럼 용감한 자도 없었지요. 폐하껜 큰 힘이 됐을 텐데…….

―뒤에서 내 등을 찔렀을지도 모르지.

―우리 군대는 정말 전투준비가 되어 있습니까?

―다른 선택의 여지가 없네.

―우리가 승리를 거둘 가능성이 정말로 있는 겁니까?

―우리는 먼저 보호령 내에 혼란을 조성한 반도들을 진압할 것이네. 그 이후엔…….

―카데슈로 진격하기 전에 나도 폐하 곁으로 불러주시게나.

―아냐, 이 친구야. 자네를 가장 필요로 하는 곳은 바로 여기 피-람세스야. 내가 없으면 네페르타리는 자네 도움이 필요할 거야.

아메니는 다짐했다.

―전시동원은 계속될 겁니다. 우리는 계속해서 무기를 만들어낼 거구요. 나는…… 나는, 세타우하고 아샤에게 폐하의 안전을 돌봐

달라고 부탁하는 게 고작이군요. 세라마나가 곁에 없으니, 폐하가 무모한 행동을 하기가 쉽겠지요.

　—내가 우리 군대의 선봉에 서지 않는다면, 우리 군대는 이미 패한 것과 다름없지 않겠나?

　그녀의 머리칼은 밤의 어둠보다 더 검고 무화과보다 더 달콤하며, 그녀의 치아는 석고 가루보다 더 하얗고, 그녀의 두 젖가슴은 토마토처럼 단단했다.

　네페르타리. 이집트의 왕비 네페르타리. 그녀의 찬란히 빛나는 시선은 '두 개의 땅'의 기쁨이었다. 람세스는 그녀에게 말했다.

　—세트 신을 만나고, 나는 어머님과 얘길 했소.

　—뭐라 하시던가요?

　—아버님에 대해서 말씀하셨지. 아버님은 전투를 벌이기 전에 오랜 시간 명상에 잠기셨고, 끝없는 여행중에도 힘을 보존하는 능력을 갖고 계셨다고 하셨소.

　—당신의 영혼 속에는 아버님이 살아 계세요. 그분이 곁에서 지켜주실 거예요.

　—나는 왕국을 당신 손에 맡기오, 네페르타리. 어머님과 아메니가 당신을 도와줄 거요. 세라마나는 방금 체포됐소. 셰나르는 필경 앞에 나서려 할 거요. 국가라는 배의 키를 단단히 잡고 있어야 하오.

　—당신 자신만이 하실 일이에요, 람세스.

　왕은 아내를 품에 안았다. 마치 다시는 그녀를 못 보게 될 것처럼.

　람세스의 푸른색 왕관에 매달린 주름 잡힌 넓은 띠가 그의 발목까지 드리워져 있었다. 몸에는 가슴받이와 로인클로스를 하나로 대신하는 가죽옷을 입고 있었는데, 그것은 작은 금속판들로 뒤덮여 일종의 갑옷처럼 보였다. 그 위에 투명한 겉옷을 두른 그의 모습은 위풍당당하기 그지없었다.

호메로스는 파라오가 그러한 전사의 복장으로 나타나자, 피우던 파이프를 놓고 자리에서 일어났다. 고양이 헥토르는 의자 아래로 도망쳤다.

—드디어 때가 왔군요, 폐하.

—북쪽으로 떠나기 전에 작별인사를 드리고 싶었지요.

—제가 방금 지은 시구를 좀 들어보시겠습니까? "청동의 굽을 하고, 황금의 갈기를 가졌으며, 번개처럼 빠른 두 마리의 말을, 그는 자신의 전차에 매달았네. 휘황찬란한 옷을 입고, 손에는 채찍을 든 채, 순간 그는 말들을 내닫게 했네. 말들은 날듯 하늘과 땅 사이로 돌진해갔네."

—내 말들은 그러한 찬사를 받을 자격이 있지요. 벌써 며칠 전부터 우리가 함께 겪게 될 시련에 대비해서 놈들을 준비시켰습니다.

—떠나신다니…… 참으로 유감입니다. 저는 이제 막 꽤 흥미로운 제조법 하나를 배우게 됐습니다. 우선 야자열매의 씨를 빼내고 그것으로 즙을 내어 보리빵에 섞어 발효시키면 맥주를 얻게 되는데, 이게 소화에 아주 좋습니다. 폐하께서 시음해보셨으면 좋았을 텐데.

—그것은 아주 오래 전부터 내려오는 이집트인들의 비법입니다, 호메로스 선생.

—그리스 시인이 만든 것이니, 전혀 새로운 맛을 내지 않겠습니까?

—돌아오면 그때 같이 마셔보지요.

—제가 늙어가면서 좀 괴팍해진 것은 사실이지만, 저는 혼자 마시는 걸 싫어합니다. 특히나 소중한 친구에게 이러한 기쁨을 함께

나누자고 초대한 경우에는 말이지요. 그러니 폐하께서 예의에 벗어나지 않으시려면, 가능한 한 빨리 돌아오시는 길밖엔 없습니다.

─나도 그러고 싶습니다. 게다가 선생의 『일리아드』를 무척 읽고 싶으니까요.

─제가 그 끝을 어렴풋하게나마 보자면 아직도 수많은 세월이 필요할 겁니다. 바로 그 때문에 저는 시간을 좀 벌자는 생각에서 천천히 늙어가는 것이지요. 하지만 폐하, 폐하께선 시간을 손아귀 안에 꽉 움켜쥐셔야 합니다.

─곧 다시 봅시다, 선생.

람세스는 자신의 가장 훌륭한 말들인 '테베의 승리'와 '무트 여신은 만족하네'가 끄는 전차에 올랐다. 아직 젊고 기운차고 영리한 이 두 마리 말은 드넓은 공간을 달려나갈 희망에 부풀어 있었다.

왕은 자신의 노란 개를 네페르타리에게 맡겼다. 거대한 누비아의 사자는 전차의 오른편에 버티고 있었다. 엄청난 힘과 웅장한 모습을 지닌 이 짐승은 그 역시 전사로서의 자신의 능력을 증명해 보이고픈 욕구를 느끼고 있었다.

파라오가 오른팔을 쳐들었다.

전차가 흔들렸다. 바퀴들이 회전하기 시작했고, 사자는 자신의 걸음을 전차의 속도에 맞추었다. 전차부대에 둘러싸인 수만 명의 보병들이 그 뒤를 따랐다.

13

예년보다 심한 6월의 찌는 듯한 더위에도 불구하고, 이집트 병사들은 마치 들로 소풍가는 기분으로 행군했다. 군대가 델타 북동부를 횡단했을 때의 광경은 병사들의 마음을 사로잡았다. 농부들은 '두 개의 땅'을 짓누르고 있는 전쟁의 위협에도 아랑곳없이 낫을 들고 밀 이삭을 수확하고 있었다. 바다로부터 불어오는 산들바람으로 경작지에는 가벼운 물결이 일었고, 밀밭은 황금빛과 녹색으로 빛나고 있었다. 비록 왕은 강행군을 명령했지만, 보병들은 왜가리, 펠리컨, 홍학들이 날아오르는 전원을 바라보며 즐거울 따름이었다.

도중에 숙영하게 된 마을들에서도 군대는 환대를 받았다. 병사들은 군기를 잘 준수하면서 신선한 야채와 과일을 잔뜩 먹었고, 그 지방의 포도주를 섞은 물을 마셨으며 달콤한 맥주를 한잔하는 것도 잊지 않았다. 갈증과 허기에 지쳐 말안장 밑으로 몸이 처진 병사의 모습은 어디에서도 찾아볼 수 없었다.

람세스는 군의 진두지휘를 맡았다. 이집트 군은 각 5천 명으로 구성된 4개 사단으로 나뉘어 있었다. 각 사단은 라, 아몬, 세트, 프타 신의 보호를 받고 있었다. 이 2만 명의 보병사단 이외에도 정예부대 및 전차부대가 있었다. 이러한 병력 배치는 다소 무겁다는 느낌을 주었고, 또한 통솔하기도 쉽지 않을 것이란 판단을 내렸다. 왕은 2백 명 단위의 중대로 병력을 재편하고 중대 기수로 하여금 각 중대를 향도하게 하였다.

전차부대장과 사단장들, 군 서기관들과 수석 경리 등은 아무런 결정권도 갖고 있지 않았고, 문제가 발생할 때마다 람세스에게 문의했다. 다행히도 왕은 전체 고급장교들로부터 존경을 받고 있는 아샤의 정확하고도 단호한 중재를 기대할 수 있었다.

세타우는 북쪽의 불안한 땅으로 떠나는 사람이라면 마땅히 갖춰야 할 장비라고 생각되는 물건들을 싣기 위해 마차 두 대가 필요했다. 다섯 개의 청동 면도칼, 머릿기름과 방향제가 든 단지들, 칼 가는 돌 하나, 나무빗 하나, 시원한 물을 담은 호리병 몇 개, 절구공이, 자귀 한 자루, 신발, 돗자리, 외투 한 벌, 로인클로스와 튜닉, 지팡이, 산화아연·아스팔트·황토·명반 등이 담긴 용기 수십여 개와 꿀단지, 커민·브리오니아·아주까리·쥐오줌풀 등을 담은 자루들이 거기에 실렸다. 두번째 마차에는 물약이나 약초, 가루 치료제 등이 실렸고 원정대의 홍일점인 세타우의 아내 로투스가 그것들을 지켰다. 그녀가 무시무시한 뱀들을 일종의 무기처럼 부릴 수 있다는 것을 모두들 알고 있었기에, 이 가냘프고 늘씬한 몸매의 누비아 여인에게 접근하려는 사람은 아무도 없었다.

세타우는 다섯 개의 마늘조각을 엮은 목걸이를 목에 걸고 다녔는데, 그것은 몸의 역한 냄새를 없애고 이빨을 보호해주는 역할을 했다. 이 식물의 효능을 알고 있는 다른 병사들 역시 세타우를 흉내 냈다.

전설에 의하면 세트는 오시리스의 아들이자 후계자인 호루스를 죽이려 했다. 그의 어머니인 이시스는 광기에 휩싸인 세트를 피해 어린 호루스를 데리고 델타의 늪지대에 몸을 숨겼는데, 그때 호루스의 젖니를 보호해준 것이 바로 마늘이었다.

피-람세스를 출발한 이후 이집트 군이 첫번째로 휴식을 취하게 됐을 때, 람세스는 세타우와 아샤를 곧바로 자신의 막사로 불렀다. 그는 친구들에게 알렸다.

—세라마나가 나를 배반하려 했네.

아샤가 깜짝 놀라며 말했다.

—놀라운 일이군요. 사람을 잘 알아본다고 자부했었는데, 그자가 폐하를 배반하리라곤 전혀 생각지 못했습니다.

—아메니가 명백한 증거를 갖고 있네.

세타우가 말했다.

—그건 좀 이상한데.

람세스가 그에게 말했다.

—자네는 세라마나를 별로 탐탁하게 여기지 않았잖는가?

—서로 충돌이 잦았던 것은 사실이야. 하지만 그를 한번 떠봤을 따름일세. 그 해적은 자기가 한 약속은 지키는 의리 있는 사나이야. 그리고 왕에게 그러한 약속을 했지, 아마…….

—증거가 있다고 말한 사실을 잊었나?

—아메니가 틀렸을 수도 있어.

—그럴 리 없네.

—아메니라고 꼭 맞기만 하다는 보장은 없네. 누군가가 세라마나를 제거해서 왕의 힘을 약화시키려 했던 것일 수도 있어. 어쨌든 세라마나가 왕을 배반한 것은 아니라고 확신하네.

―자네 생각은 어떤가, 아샤?

―세타우의 추측이 아주 엉터리 같아 보이진 않는군요.

람세스가 말했다.

―우리 보호령 내에 질서가 회복되고 히타이트 족이 용서를 비는 대로 이 문제를 밝히도록 하지. 세라마나가 배반한 것이 사실이거나, 혹은 누군가가 가짜 증거를 꾸몄거나 둘 중의 하나일 테지. 어느 경우건 진실을 밝히고야 말 걸세.

세타우가 말했다.

―사람이 있는 곳엔 거짓이 번성한다, 인정하고 싶진 않지만 이건 하나의 진리일세.

람세스가 말했다.

―바로 그 거짓과 싸워 이기는 것이 나의 사명일세.

―바로 그 때문에 나는 파라오가 부럽지 않네. 뱀들은 뒤에서 덤벼드는 법이 없거든.

아샤가 그 말을 바로잡아주었다.

―사람이 도망가지 않을 경우에만 그렇겠지.

―그런 경우라면, 자네는 뱀들에게 뒷덜미를 물려도 할 말이 없네.

람세스는 친구들의 마음속에 일고 있는 끔찍한 의혹을 눈치챘다. 그들도 그가 자신들의 생각을 눈치챘다는 것을 알았고, 온종일 토론을 벌여서라도 그러한 망령을 떨쳐버리고 싶었을 것이다. 만의 하나라도, 아메니 스스로 증거를 꾸민 것이라면…… 청렴한 아메니, 왕의 절대적인 신임 속에 나라를 실제적으로 관리해왔던 지칠 줄 모르는 서기관…… 아샤도 그리고 세타우도 감히 그런 의혹을 제기하지는 못했다. 하지만 람세스까지도 모른 척할 수는 없는 노릇이었다. 그가 물었다.

―만약 아메니가 증거를 꾸몄다면, 무슨 이유로 그 같은 일을 했

겠나?

세타우와 아샤는 서로 쳐다볼 뿐 침묵을 지켰다.

람세스가 말을 이었다.

─만약 세라마나가 내 서기관에 대해 뭔가 의심스러운 점을 발견했다면, 곧장 내게 알렸을 것이네.

아샤가 암시했다.

─바로 그걸 막기 위해 아메니가 그를 체포할 수도 있지 않았을까요? 물론 가정이지만…….

세타우가 말했다.

─믿기지 않아. 아무 근거 없는 상상일 뿐이야. 피-람세스에 돌아가면 그때 자세한 것을 알아보자구.

아샤가 말했다.

─그게 현명한 길이지.

세타우가 말했다.

─이놈의 바람이 영 마음에 안 들어. 보통 여름철에 부는 바람과는 달라. 바람 속에 질병과 파괴의 냄새가 실려 있어. 마치 세월이 때 이르게 죽어가고 있는 것 같은 느낌이야. 조심하게나, 람세스. 이 고약한 바람은 결코 좋은 징조가 아닐세.

─신속하게 행동하는 것만이 우리가 성공을 거둘 수 있는 가장 확실한 길이야. 어떤 바람도 우리의 전진을 늦추지는 못해.

이집트 북동쪽에는 여러 성채로 구성된 '왕의 성벽'이 국경을 수호하고 있었다. 그 요새들은 봉화를 통해서 서로 교신했고, 정기적으로 궁정에 보고를 올렸으며, 평화시에는 이민을 통제하는 임무를 맡고 있었다. 비상사태가 선포된 이후로 성벽 위의 순찰로에는 전방을 감시하는 궁수들과 감시병들이 끊이지 않고 돌아다녔다. 이 거대한 성벽은 수세기 전에 세소스트리스1세에 의해 세워진 것이었다. 베두인 족이 델타에 들어와 가축을 노략질해가는 것을 막고, 적의 침공 기도를 사전에 예방하기 위해서였다.

각 요새마다 하나씩 세워져 있는 비석에는 다음과 같은 법령이 새겨져 있었다. '누구든 이 경계를 넘는 자는 파라오의 아들 가운데 하나가 되리라.' 봉급이 후하고 무장이 잘된 수비대의 병사들이 그 비석의 관리를 맡고 있었다. 그들말고도 그곳에는 이집트로 물품을 반입하길 원하는 상인들에게 세금을 물리는 세관원들이 함께 생활하고 있었다.

세월이 흐를수록 더욱더 강화된 왕의 성벽은 이집트 백성에겐 믿음직한 것이었다. 과거에 여러 번 그 효능을 입증한 바 있는 이러한 방어체제 덕분에 이집트는 어떠한 기습공격이나 혹은 델타의 비옥한 땅에 이끌린 야만인들의 침략에도 두려워하지 않았다.

람세스의 군대는 무사태평하게 전진을 계속했다. 심지어 어떤 고참병들은 이번 원정이 파라오의 군사력을 과시하기 위한 단순한 시찰에 불과한 것이라고 믿기 시작했다.

긴장한 궁수들이 언제라도 활을 쏠 준비를 한 채 감시구(성벽 꼭대기, 흙벽 따위의 凹 모양으로 된 부분-역주)에 대기중인 첫번째 성채를 만났을 때, 병사들의 낙관론은 한풀 꺾였다.

거대한 성문은 활짝 열려 람세스에게 길을 터주었다. 그의 전차가 성안의 모래가 깔린 넓은 마당에 멈춰 서기가 무섭게 배가 뚱뚱한 인물 하나가 하인이 받쳐든 파라솔로 햇볕을 가리면서 왕에게 서둘러 달려왔다.

─왕을 찬양할지어다! 폐하께서 왕림하신 것은 신들의 선물이옵니다.

아샤는 '왕의 성벽'의 사령관에 대한 상세한 보고서를 이미 람세스에게 제출한 바 있었다. 부유한 지주 출신에 멤피스 대학에서 교육받은 서기관이며, 대식가에다 네 아이의 아버지인 그는 군생활을 증오했으며, 선망의 자리이긴 했지만 그래도 권태로운 지금의 자리를 빨리 떠나 피-람세스에서 병영의 경리 따위를 맡는 고급관리가 되고 싶어했다. '왕의 성벽'의 사령관은 무기를 다루어본 적이 전혀 없었고, 폭력을 두려워했다. 하지만 그는 부정을 저지르지는 않았다. 게다가 질 좋은 농산물이 반입되도록 늘 신경을 썼기 때문에 성 주둔부대의 병사들은 훌륭한 음식을 먹을 수 있었다.

왕은 전차에서 내려 말을 어루만졌다. 두 마리의 말은 친밀한 시선으로 그에게 응답했다.

—만찬을 준비했습니다, 폐하. 여기서는 부족하신 게 아무것도 없으실 겁니다. 침실이 물론 궁전에서만큼 편하시진 않겠지만, 마음에 드시기를 바랍니다. 바라옵건대, 편히 쉬십시오.

—나는 쉬러 온 것이 아니라, 반란을 진압하러 왔소!

—물론입지요, 폐하. 그러나 그 일은 며칠이면 끝날 겁니다.

—어째서 그런 확신을 가지시오?

—가나안의 우리 요새들로부터 온 보고에 의하면 걱정할 것이 아무것도 없습니다. 반도들은 전혀 조직되어 있지 않은 데다가 저희들끼리 싸우고 있다고 합니다.

—우리 진지들이 공격을 받지 않았소?

—천만의 말씀입니다, 폐하! 오늘 아침 도착한 전령 비둘기들의 메시지가 여기 있습니다,

람세스는 어느 태평스러운 자가 쓴 듯한 보고서를 읽었다. 가나안 지방의 질서를 바로잡는 일은 어렵지 않아 보였다. 그는 명령했다.

—내 말들을 잘 돌봐주시오.

사령관은 장담했다.

—좋은 마구간에서 재우고, 제일 좋은 풀을 먹이겠습니다.

—이 지역의 지도를 봤으면 좋겠는데.

―이리로 오시지요, 폐하. 제가 안내하겠습니다.

왕으로 하여금 단 일 초라도 허비하지 않도록 열심히 달린 탓에 사령관은 몸무게가 좀 줄지도 모를 일이었다. 그의 파라솔을 들고 있는 시종도 주인을 쫓아다니느라 고생스러웠다.

람세스는 아샤와 세타우, 그리고 장군들을 소집했다. 왕은 나지막한 탁자에 펼쳐져 있는 지도를 가리키며 말했다.

―우리는 내일 당장 정북방으로 출발할 것이오. 강행군이 될 거요. 우리는 예루살렘 서쪽을 통과해서 해안을 따라 올라가 가나안 지방의 우리의 첫번째 요새와 접촉하게 될 거요. 가나안의 반도들을 진압한 다음 다시 진격하기까지 메기도에 머물며 전열을 가다듬을 것이오.

장군들은 동의했다. 아샤는 침묵을 지키고 있었다.

세타우는 방에서 나갔다. 그는 하늘을 바라보다가 람세스에게로 되돌아왔다.

―무슨 일인가?

―바람이 안 좋아. 뭔가 있어.

14

병사들의 태도는 활기에 차 있었다. 군기도 좀 느슨해졌다. 파라오에 복속되어 조세를 바치고 있는 가나안 땅에 들어서면서, 이집트 군은 낯선 땅에서 모험을 한다거나 어떤 위험한 일을 겪을 것 같다는 느낌은 전혀 들지 않았다.

장군들은, 파라오가 국지적인 분쟁을 너무 심각하게 받아들여 대군을 동원한 건 아닌가 하고 생각할 정도였다.

이집트 군의 군사력은 반도들이 서둘러 무기를 반납하고 왕에게 용서를 빌 정도로 대단한 것이 아니더냐. 다행스럽게도 이번 전투역시 사상자 하나 내지 않고 끝나게 될 것이다.

해안을 따라가는 도중에 병사들은 작은 보루 한 채가 부서져 있는 것을 확인했다. 보통 때라면 가축의 이동을 감시하는 세 명의 감시인들이 그곳을 지키고 있어야 했다. 하지만 아무도 그것 때문에 불안해하지는 않았다.

세타우는 내내 어두운 얼굴이었다. 그는 뜨거운 햇빛에도 불구하고 머리에 아무것도 쓰지 않은 채 홀로 마차를 몰고 있었으며, 로투스에게조차 말 한마디 건네지 않았다. 이 매혹적인 누비아 여인은 운좋게 그녀의 마차 주위에서 행군하게 된 병사들에게 훌륭한 눈요기감이 되어주었다.

바닷바람이 열기를 좀 누그러뜨려주었다. 길은 걷기에 그렇게 험하다고 할 수 없었고, 물당번들도 병사들에게 자주 물을 제공했다.

비록 신체조건이 좋아야 하고 행군을 기피해선 안 되는 것이 사실이지만, 그럼에도 불구하고 군인이란 신분은 다른 직업을 낮추어 보기 좋아하는 서기관들이 묘사하는 것처럼 그렇게 지옥 같은 것만은 아니었다.

람세스의 오른편에는 그의 사자가 버티고 있었다. 병사들은 행여 그 발톱에 갈가리 찢길까봐 아무도 사자 곁에 다가가려 하지 않았다. 하지만 병사들은 사자가 그들과 함께 있는 것을 든든하게 생각했다. 이 야수에게는 오로지 파라오만이 통제할 수 있는 초자연적인 힘이 있었기 때문이다. 세라마나가 없는 마당에 사자는 람세스에겐 가장 훌륭한 호위병이었다.

가나안의 첫번째 요새가 시야에 들어왔다.

양면으로 경사가 진 높이 6미터의 두터운 성벽에 튼튼한 흉벽과 감시 망루와 감시구를 갖춘 그 성채는 인상적인 것이었다. 람세스가 아샤에게 물었다.

—수비대의 대장은 누구인가?

—예리코 출신의 경험 많은 지휘관입니다. 이집트에서 성장했고 거기서 강도 높은 훈련을 받았지요. 팔레스타인에서 몇 차례 출정의 경력을 쌓은 후에 이 자리에 임명되었습니다. 저도 그를 만난

적이 있는데 신중하고 믿을 만한 사람입니다.

─우리에게 가나안의 폭동에 대해 알려온 대부분의 메시지가 그 자가 보낸 것이 아닌가?

─맞습니다. 저 요새는 이 지역의 모든 정보가 집결되는 전략 요충지죠.

─저 지휘관을 가나안의 총독에 임명한다면 잘해낼 수 있을까?

─그럴 거라고 확신합니다.

─앞으로는 지금과 같은 소요가 다시 일어나지 않겠지. 이 지방을 관리하는 데 좀더 신경을 써야만 하겠어. 당장 우리가 할 일은 반란의 뿌리를 근절시키는 것이야.

아샤가 말했다.

─유일한 가능성은 히타이트의 영향력을 제거하는 것입니다.

─바로 그럴 생각이네.

척후병이 성채의 입구까지 달려갔다. 성벽의 꼭대기에서 궁수 한 명이 그에게 우호적인 신호를 보내왔다.

척후병은 되돌아왔다. 중대 기수가 선두에 있는 병사들에게 전진을 명령했다. 피로한 병사들은 먹고 마시고 잠자는 일밖에는 아무 생각이 없었다.

군대가 성채 가까이 이르렀을 때, 갑자기 화살이 빗발처럼 쏟아졌다. 병사들이 무수히 땅에 거꾸러졌다.

숨어 있던 궁수들이 성벽의 순찰로에 모습을 드러냈다. 그들은 아무런 경계 없이 가까이 접근해온 과녁들을 향해서 빠른 간격으로 활을 쏘아대고 있었다. 머리나 가슴 혹은 배에 화살이 박힌 이집트 보병들이 하나둘씩 땅에 쓰러졌다. 사망자와 부상자들이 속출했다. 전위부대를 지휘하던 중대 기수의 반격은 만용에 가까웠다. 그는 생존자들을 지휘해 요새를 점령하려 진격했다.

하지만 한치의 오차도 없는 화살들이 공격부대에 어떠한 기회도 허락하지 않았다. 중대 기수는 목에 화살이 박힌 채 성벽 아래에 쓰러졌다.

단 몇 분 만에 수많은 고참병들이 전사한 것이다.

창을 움켜쥔 백여 명의 보병들이 동료들의 원수를 갚으려고 달려들려 하자, 람세스가 전차를 정지시키면서 큰 소리로 그들을 제지했다.

—물러서라!

하사관 하나가 그에게 간청했다.

—폐하, 저 배신자 놈들을 몰살시키게 해주십시오!

—그렇게 무질서하게 반격에 나섰다가는 몰살당하는 것은 너희들이다. 물러서라!

병사들은 명령에 복종했다.

화살들이 왕이 서 있는 곳에서 불과 2미터도 안 되는 곳에 떨어졌다. 깜짝 놀란 장교들이 왕을 둘러쌌다.

—병사들로 하여금 적의 사정거리 밖에서 요새를 포위케 하라. 제일선엔 궁수들, 그 다음엔 보병들, 그리고 그 뒤로 전차들을 배치하라.

왕의 침착한 태도가 병사들을 진정시켰다. 병사들은 훈련에서 익힌 것들을 기억해냈고, 군대는 질서정연하게 움직였다. 세타우가 왕에게 요구했다.

—부상자들을 데려와 치료해야 하네.

성채 아래 쓰러져 구조를 요청하는 부상병들을 바라보며, 람세스가 말했다.

—불가능해. 적의 궁수들이 구조하러 간 병사들마저 죽일 걸세.

—그놈의 바람이 정말 불행을 불러왔어.

아샤가 고개를 저으며 한탄했다.

—이해가 안 되는군요. 제 요원들 가운데 아무도 반도들이 저 요

새를 점령했다는 보고를 한 적이 없었는데…….

세타우가 말했다.

―어떤 계략이 있었던 게지.

―자네 말이 옳다 하더라도 지휘관이 몇 마리의 전령 비둘기를 날려보낼 시간 정도는 있지 않았겠나. 비상사태를 알리는 파피루스는 사전에 작성해놓았을 테고.

람세스가 결론을 내렸다.

―상황은 간단하고 고약하다. 지휘관은 살해당했고 그의 수비대는 전멸당했으며, 우리는 반도들이 보낸 가짜 메시지를 받았던 거야. 만약 내가 군대를 사단 병력으로 분산시켜서 가나안의 여러 요새에 나눠 보냈더라면 심각한 손실을 입었을 걸세. 반란의 규모는 생각보다 상당하군. 이러한 폭동을 조직할 수 있는 것은 오로지 히타이트 군대밖엔 없어.

세타우가 물었다.

―그들이 아직 이 지역에 남아 있으리라고 생각하나?

―우리 진지를 되찾는 것이 당장 시급한 일이야.

아샤가 말했다.

―저 요새를 점령한 놈들은 그리 오래 버티지 못할 겁니다. 항복을 권해보십시오. 저들 가운데 만약 히타이트 족이 있다면 정체를 드러내겠지요.

―일개 분대를 데려가게나, 아샤. 자네가 직접 제안해보게.

세타우가 말했다.

―나도 함께 가겠네.

―내버려둬. 아샤의 외교솜씨가 어떤지 한번 보자구. 최소한 부상자들만이라도 데려와준다면 좋겠군. 자네는 약을 준비하고 위생병들을 소집하게.

세타우도 람세스의 명령에 이의를 달지 않았다. 말대꾸에 능한 땅꾼이었지만, 파라오의 권위 앞에서는 몸을 굽히지 않을 수 없었다.

아샤가 지휘하는 다섯 대의 전차가 요새 쪽으로 향했다. 젊은 외교관 곁에는 전차병이 창을 쥐고 있었다. 창의 맨 끝에는 이집트 군이 협상을 원한다는 것을 의미하는 하얀 깃발이 매달려 있었다.

전차들이 미처 멈춰 설 시간조차 없었다. 이집트 군의 전차들이 사정거리에 들어서자마자 가나안의 궁수들은 미친 듯이 화살을 쏘아댔다. 화살 두 대가 전차병의 목에 박혔고 세번째 것은 아샤의 왼팔에 붉은 상처를 남기며 스쳐 지나갔다. 아샤가 울부짖었다.

—후퇴! 후퇴!

—움직이지 마. 꿀로 만든 습포가 잘 달라붙지 않잖아.

세타우의 말에 아샤가 받아쳤다.

—아픈 건 자네가 아니야.

—그렇게 엄살 떨 건가?

—나는 다치는 건 질색일세. 그리고 자네보다는 로투스가 치료해주는 게 더 낫겠는걸.

—자네처럼 절망적인 경우에만 내가 맡는 거야. 하지만 내가 가진 것 중에서 가장 좋은 꿀을 썼으니까, 자네는 곧 회복될 거야. 상처는 금방 아물 거고, 곪을 위험도 없어.

—야만인들 같으니라고…… 나는 놈들의 방어상태를 관찰할 시간조차 없었어.

—람세스에게 반도들의 사면을 요구할 필요는 없겠는걸. 그는 누가 자기 친구를 죽이려 하는 건 견디지 못하지. 비록 그가 외교라는 미로에서 길을 잃은 친구라도 말일세.

아샤는 고통으로 얼굴을 찡그렸다. 세타우가 다시 빈정거렸다.

—나는 끼지 않기를 정말 잘했는걸!

―화살이 더 정확히 겨냥됐으면, 더 좋아했겠구만.

―바보 같은 소리 그만두고 쉬게나. 만일 히타이트 족 하나가 우리 손에 떨어지면 그땐 자네 통역솜씨가 필요할 테니.

세타우는 야전병원으로 쓰이는 넓은 막사에서 나왔다. 아샤는 그곳의 첫번째 환자인 셈이었다. 땅꾼은 람세스에게 아샤의 부상을 알리러 뛰어갔다.

람세스는 사자를 데리고 요새의 둘레를 한 바퀴 돌았다. 그는 평원 위에 우뚝 솟은 그 돌무더기를 물끄러미 바라보았다. 이집트의 안전과 평화의 상징이었던 그 요새는 이제 파괴해버려야 할 하나의 위협으로 변했다.

성벽 위에서는 가나안의 감시병들이 파라오를 지켜보고 있었다.

고함이나 욕설은 없었다. 포위된 그들로서는 한 가지 기대가 남아 있었다. 즉 종합적인 전략 수립을 중시한 이집트 군이 일단 요새 점령을 단념하고, 각 부대로 나뉘어 가나안 땅을 시찰할지도 모른다는 것이다. 그 경우라면, 람세스의 군대는 히타이트의 군사고문들이 미리 파놓은 함정에 걸려 부득이 후퇴하지 않을 수 없을 것이다.

나름대로 적의 의도를 간파했다고 믿는 세타우는, 과연 그들의 기대를 저버리지 않았다. 그는 무수한 생명의 희생이 따를 철통 같은 요새의 공격보다는, 현 상황을 전반적으로 재검토하는 것이 더 바람직하지 않을까 자문해보았다.

장군들 역시 그러한 물음을 던지기는 마찬가지였다. 그들은 격론을 거듭하다 결국엔 적군이 포위망 밖으로 나오지 못하게 군의 일부는 남겨두되 나머지 병력은 더 북쪽으로 전진해 반란의 정확한 규모를 파악하자는 제안을 왕에게 올리기로 작정했다.

람세스는 자기 생각 속에 깊이 빠져 있는 것처럼 보였다. 그 때문에, 그가 꿈쩍 않고 의젓하게 버티고 있는 사자의 갈기를 쓰다듬기 전까지는 아무도 감히 그에게 접근하려 하지 않았다. 파라오와 사자 사이에는 완벽한 교감이 형성되어 있었고, 그로부터 누구든 그들에게 가까이 가는 자를 편치 않게 만드는 어떤 힘이 발산되고 있었다.

세티의 지휘 하에 시리아에서 복무한 바 있는, 가장 나이 많은 장군 하나가 왕의 심기를 자극하는 역할을 떠맡게 되었다.

—폐하…… 말씀드릴 게 있사온데…….

—말하시오.

—저와 제 동료들은 오랜 토론을 벌였습니다. 저희는 먼저 반란의 규모를 파악할 필요가 있다고 판단했습니다. 허위 정보로 인해 시야가 흐려진 상태이기 때문입니다.

—그래, 시야가 확 트이는 무슨 방안이라도 있는 거요?

—저 요새에 집착할 것이 아니라 가나안 전역으로 군사를 전개해 나가자는 것입니다. 그러고 나서 선별적으로 공격하는 겁니다.

—흥미로운 생각이오.

늙은 장군은 마음이 놓였다. 그럼 그렇지. 파라오가 절제와 논리를 전혀 모를 리가 없지.

—참모회의를 소집해서 폐하의 명을 수행케 해도 되겠습니까?

왕은 대답했다.

—그럴 필요 없소. 내 명령은 단 한마디로 요약할 수 있소. 우리는 당장 요새를 공격할 것이오.

15

람세스는 자기말고는 아무도 다루지 못하는, 아카시아목으로 만든 활을 들고 첫번째 화살을 날렸다. 황소의 힘줄로 만든 활의 시위는 세트 신에 버금가는 힘을 요구했다.

가나안의 감시병들은 이집트의 왕이 요새로부터 3백여 미터 떨어진 곳에 자리잡고 활을 당기는 것을 보고는 미소지었다. 그것은 자기 군대를 독려하기 위한 상징적인 행동에 지나지 않았다.

단단한 나무에 청동을 씌운 화살촉과 꼬리에 오늬를 단 갈대로 만든 화살은 맑은 하늘에 포물선을 그리며 날아가 첫번째 감시병의 심장에 가서 박혔다. 깜짝 놀란 감시병은 제 살에서 피가 솟구치는 것을 바라보며 두 눈을 부릅뜬 채 허공 속으로 거꾸러졌다. 두번째 감시병은 이마 한가운데 격렬한 충격을 받고 비틀거리다가 동료의 뒤를 따랐다. 당황한 세번째 감시병은 구원병을 부르려고 몸을 돌리는 순간, 등에 화살이 꽂혔다. 그의 몸은 성안의 마당으로 떨어졌다. 그 사이 이집트의 일개 궁수연대가 벌써 성 가까이 접근하고 있었다.

가나안의 궁수들은 성벽 위의 순찰로를 따라 산개하려 시도했다. 하지만 그들의 앞에는 더 많은 숫자의, 그리고 더 정확한 활솜씨를 지닌 이집트 병사들이 있었다. 첫번째 일제 사격으로 가나안 궁수들의 절반이 쓰러졌다.

뒤 이은 교체병들도 같은 운명이었다. 적 궁수들의 숫자가 요새로 접근하는 것을 막기에는 부족하다고 판단한 순간, 람세스는 공병대의 병사들에게 사닥다리를 들고 진격하라는 명령을 내렸다. 거대한 몸체의 사자는 람세스의 곁에서 묵묵히 인간들의 전투 광경을 바라보고 있었다.

사닥다리를 성벽에 갖다붙인 보병들은 기어오르기 시작했다. 이집트 군이 포로를 살려두지 않을 것이라고 생각한 가나안 병사들은 죽을 힘을 다해 싸웠다. 그들은 성벽 위에서 돌을 던졌고, 사닥다리 하나를 쓰러뜨리는 데 성공했다. 십수 명의 이집트 병사들이 땅에 떨어지면서 팔다리가 부러졌다. 그러자 파라오의 궁수들이 지체 없이 성벽에 고개를 내민 반도들을 제거해버렸다.

수백 명의 보병들이 빠른 속도로 성벽을 기어올랐고, 성벽 위의 순찰로를 장악했다. 그들을 뒤따른 궁수들은 성안의 마당에 집결한 적을 향해 활을 쏘아댔다.

세타우와 위생병들은 들것에 실려 이집트 진영에 운반되어온 부상자들을 보살폈다. 로투스는 십자형의 반창고를 붙여서 길게 찢어져 벌어진 상처를 아물렸다. 때로는 실로 꿰매야 할 경우도 있었다. 누비아 여인은 상처에 신선한 고기를 붙여 지혈시키고, 곧 이어 항생작용을 하는 꿀, 수렴성 약초, 곰팡이 슨 빵 따위를 이용해서 상처를 치료했다. 세타우는 탕약, 정제, 고약, 물약, 그리고 마취효과를 내는 식물들을 빚어만든 환약 등의 치료제들을 사용했다. 그는 부상병들의 고통을 가라앉히고 부상 정도가 심한 병사들을 잠들게 해주었으며, 야전병원의 막사 안에서 가능한 한 편안한 상태로 지낼 수 있게 조처했다. 여행을 견딜 만한 상태의 부상자들은 전사자들의 시신과 함께 이집트로 귀환하게 될 것이다. 단 한 구의 시신도 타지에 묻히지 않을 것이며, 만일 전사자에게 가족이 있다면 그 유족은 평생 동안 연금을 받게 될 것이다.

정작 요새로 진격해 들어가자 가나안 병사들의 저항은 대단찮은 것이었다. 최후의 전투는 백병전이었다. 상대가 안 되는 숫자의 반도들은 이내 몰살당했다. 무자비한 심문을 피하기 위해 반도들의 우두머리는 단검으로 스스로의 목을 찔렀다. 살아남은 반도들은 하나도 없었다.

성문이 활짝 열렸다. 탈환한 요새 안으로 들어선 람세스는 명령을 내렸다.

―시체들을 태워라. 그리고 성안을 정화시켜라.

병사들은 벽에 나트론을 끼얹고 주택과 식량 창고, 무기 공장 등에 연기를 피워 소독시켰다. 부드러운 향이 승리자들의 콧구멍에 가득 스며들었다.

요새 지휘관의 식당에서 저녁식사가 준비되었을 땐, 전투의 흔적은 말끔히 사라지고 없었다.

장군들은 람세스의 결단력을 칭송했고, 그것이 가져온 놀라운 전과에 경의를 표했다. 세타우는 로투스와 함께 부상자들을 치료하느라 자리에 없었다. 아샤는 불안해 보였다.

―승전이 기쁘지 않은가, 친구.

―이 같은 전투를 얼마나 더 치러야 하겠습니까?

―우리는 요새들을 하나하나 탈환해서 마침내 가나안을 평정할

것이네. 더이상 기습 따위로 우리를 놀라게 할 순 없을 테니까, 오늘과 같은 심한 손실은 더이상 없을 것이야.

—아군도 오십 명이 전사하고 백여 명이 부상당했습니다…….

—손실이 컸지. 아무도 예상할 수 없었던 책략에 걸려들었기 때문이네.

아샤가 말했다.

—거기까지 생각이 미쳤어야만 했습니다. 히타이트 족은 강력한 전투력만으로는 성이 차지 않았나 봅니다. 이제는 술책에도 아주 능하니…….

—적의 사망자들 가운데 히타이트 족은 없었나?

—없었습니다.

—그렇다면 놈들의 특공대는 북쪽으로 퇴각한 거군.

—다시 말하면, 우리가 걱정해야 할 또다른 함정이 도사리고 있다는 말이지요.

—맞부딪쳐볼 걸세. 이제 눈을 좀 붙이게나, 아샤. 내일이면 다시 길을 떠나야 하니까.

람세스는 강력한 수비대와 그들에게 필요한 식량을 현지에 남겨놓았다. 이미 여러 명의 전령들이 피-람세스로 향하는 중이었다. 그들은 탈환한 요새로 수송대를 파견하라는 명령을 아메니에게 가져가고 있었다.

왕은 백여 대의 전차들의 선봉에 서서 이집트 군에게 길을 열어주었다.

열 곳의 요새를 그렇게 공격했고, 탈환했다. 반도들이 점령한 요새로부터 3백 미터쯤 떨어진 곳에서 람세스는 성벽 위의 궁수들을 쏘아 죽임으로써 적병들이 공포에 질려 고개를 내밀 수 없게 했으며, 그 사이 이집트 궁수들이 화살을 날리며 요새에 접근해서 가나안 병사들이 반격하지 못하게 끊임없이 화살을 쏘아댔다. 엄호를 받으며 사닥다리를 성벽에 갖다댄 이집트 보병들은 방패로 몸을 보호하면서 성벽을 기어올라 성벽 위의 순찰로를 장악하였다. 이집트 군은 성문을 직접 돌파하려고 시도하지 않았다.

한 달이 채 지나기도 전에, 람세스는 다시금 가나안의 주인이 되었다. 반도들은 저들이 이집트 수비대의 병사들은 물론 그 아내와 아이들까지 학살한 바 있기 때문에 누구도 투항하여 왕의 자비를 구하려 하지 않았다. 람세스가 거둔 최초의 승전 이래로 그의 명성은 반도들을 공포에 떨게 했다. 가나안 북부의 마지막 요새를 탈환하는 일은 그저 하나의 형식에 지나지 않았다. 요새를 방어하던 적군은 이미 공포에 질려 있었던 것이다.

갈릴리와 요르단 북부의 계곡, 그리고 교역로들이 다시금 이집트의 통제 하에 들어왔다. 그 지역의 주민들은 파라오를 환영했고, 그에게 영원한 충성을 맹세했다.

포로로 붙잡힌 히타이트인은 하나도 없었다.

가나안의 수도인 가자의 총독은 이집트 사령부를 위해 성대한 만찬을 베풀었다. 가자의 시민들은 엄청난 열성으로 파라오의 군대를 돕기 위해 발벗고 나섰다. 그들은 병사들이 필요로 하는 것을 가져다주었고, 말이나 당나귀를 돌보거나 여물을 먹였다. 짧은 탈환전은 환희와 우호적인 분위기 속에서 끝나가고 있었다.

가나안의 총독은 격렬한 어조로 히타이트 족을 비난했다. 저 아시아의 야만인들은 가나안과 이집트 사이의 혈맹관계를 끊어놓으려 했다. 물론 그런 시도는 성공을 거둘 수 없었다. 신들의 은총을 입으신 파라오께서 우리를 버리지 않으시고 영원한 동맹국을 구하러 나는 듯이 달려오셨다. 물론 이집트 주민들이 비극적인 죽임을 당하게 된 것은 슬픈 일이다. 하지만 람세스께선 마아트의 규범에 따라 행동하시어 혼돈과 싸우시고 마침내는 질서를 회복시키시지 않았는가.

왕이 아샤에게 말했다.

―저런 거짓말은 구역질이 나네.

―사람이 쉽게 달라지리라고 기대하지 마십시오.

―저놈을 바꿔칠 수는 있겠지.

아샤가 미소지었다.

―저자를 다른 자로 교체시킨다, 물론 폐하는 그러실 수 있습니다. 하지만 사람의 천성이라는 게 그렇게 쉽게 바뀌는 건 아니지요. 다음번 총독도 좋은 구실만 생기면 폐하를 배반하기를 주저하지 않을 겁니다. 적어도 지금 있는 녀석의 뱃속은 우리가 환히 꿰뚫고 있습니다. 거짓말쟁이에 탐욕스럽고 썩었지요. 저런 놈은 다루기가 쉽단 얘기입니다.

―하지만 저놈은 히타이트 특공대가 이집트 관할의 영토에 존재하는 것을 묵인했단 말일세. 그걸 잊고 있나.

―다른 누구라도 마찬가지였을 겁니다.

―그렇다면 자네는 저 형편없는 작자를 그냥 저 자리에 놔두자는 말인가?

―조금이라도 이상한 짓을 하면 쫓아내겠다고 위협해보십시오. 그 효과가 몇 달이나 갈지는 모르지만 말입니다.

―과연 자네가 괜찮게 봐줄 만한 사람이 세상에 하나라도 있나, 아샤?

―제가 맡은 직책의 성격상 저는 권력자들을 많이 만나게 됩니다. 그들은 권력을 지키거나 더 확대하기 위해서라면 물불을 가리지 않지요. 그런 그들에게 만약 조금이라도 신뢰를 보낸다면, 저는 이내 끝장나게 될 겁니다.

―내 질문엔 대답하지 않았네.

─저는 폐하를 존경합니다. 이건 제게는 예외적인 감정이지요. 하지만 폐하 역시 한 사람의 권력자가 아닙니까?

─나는 규범과 내 백성을 위해 봉사하는 사람일세.

─그러나 언젠가 그 사실을 잊는다면?

─그때는 내 영혼을 지켜주는 카를 잃게 될 것이고, 나의 패배는 돌이킬 수 없는 일이 될 걸세.

─신들의 도움으로 그런 불행이 닥치지 않기를 빌겠습니다.

─자네의 조사 결과는 어떤가?

─가자의 상인들과 적절한 보상을 약속받은 몇몇 관리들이 사실을 털어놓았습니다. 반란을 선동하고 가나안인들에게 요새들을 점령하는 계책을 알려준 것은 분명 히타이트 족입니다.

─어떤 방법으로?

─일상적인 식료품 배달을 통해서였습니다. 마차 안엔 무장한 병사들이 숨어 있었습니다. 우리 요새들은 모두 같은 시각에 공격받았습니다. 볼모로 잡힌 여자들과 아이들의 목숨을 구하기 위해서 요새의 지휘관들은 투항을 택했습니다. 치명적인 실수였지요. 히타이트 족은 이집트의 반격이 분산적으로 이루어질 것이므로 그다지 위협적이지 않을 거라고 가나안인들을 설득했습니다. 우리 주둔부대를 몰살시키더라도 아무것도 겁낼 게 없다고 반도들은 생각했던 것입니다. 그렇게 좋은 사이였는데도 말이지요…….

람세스는 자신의 결단을 후회하지 않았다. 이집트의 무력이 내리친 것은 그저 한 떼의 비열한 놈들에 지나지 않았던 것이다.

─모세에 대해 말하는 사람은 없던가?

─어떤 흔적도 없습니다.

왕이 기거하는 막사 안에서 람세스의 주재로 참모회의가 소집되었다. 그는 황금을 입힌 휴대용 의자에 앉아 있었고, 그 발치엔 그의 사자가 엎드려 있었다.

왕은 아샤와 고급장교들에게 돌아가며 소견을 피력하도록 했다. 가장 나이 많은 장군이 마지막으로 발언했다.

─병사들의 사기는 하늘을 찌를 듯합니다. 가축과 장비 역시 완벽한 상태입니다. 폐하께서는 역사의 한 장을 기록하게 될 혁혁한 승리를 거두셨습니다.

─지나친 말씀이오.

─폐하, 저희는 이번 전투에 참가하게 된 것을 자랑스럽게 생각하며…….

─전투라고? 그 표현은 나중을 위해서 남겨두시오. 훗날 우리가 진짜 저항다운 저항과 맞닥뜨리게 되었을 때를 위해서 말씀이오.

─피-람세스에는 우리를 환영할 준비가 모두 갖추어져 있습니다.

─피-람세스는 더 기다릴 수 있소.

─우리가 팔레스타인에 대한 영향력을 되찾고 가나안 전역을 평정한 이상 개선하는 것이 적당하지 않겠습니까?

─더 어려운 일이 우리를 기다리고 있소. 아무르 지방을 탈환하는 것이오.

─히타이트 족은 필경 그곳에 만만찮은 군사력을 집결시켰을 터인데…….

─싸우기가 두렵다는 것이오, 장군?

─전략을 세울 시간이 필요하다는 것입니다, 폐하.

─전략은 이미 세워졌소. 우리는 곧장 북쪽으로 진군할 것이오.

16

네페르타리는 짧은 가발을 쓰고 있었고, 그것을 묶은 머리띠의 양끝은 어깨 위에까지 늘어져 펄럭이고 있었다. 몸에 착 달라붙는 긴 옷과 붉은 허리띠를 맨 그녀는 성스러운 호수에서 길어올린 물에 손을 정결히 씻고, 아몬 신전의 성상 안치소로 들어갔다. 그녀는 신성이 영원히 현존토록 저녁 제사를 드렸다. 신의 아내라는 직책을 수행하는 왕비는 끊임없이 우주를 빚어내는 창조의 힘으로부터 태어난 빛의 딸로서 처신했다.

왕비는 봉헌을 마치고 성상 안치소의 문을 닫고 그 위에 봉인을 했다. 신전 밖으로 나온 그녀는 제관들을 따라 피-람세스의 생명의 집으로 향했다. 그곳에서 그녀는 먼 곳에 존재하는 죽음이요 동시에 어머니인 여신의 화신으로서, 악의 세력을 쫓을 것이다. 만일 태양의 눈이 그녀 자신의 시선으로 화한다면, 그녀는 생명과 자연의 순환을 영속화시킬 것이다. 하루하루의 잔잔한 행복은 거친 바람에 실려오는 파괴의 힘을 조화와 평온으로 변화시키는 그녀의 능력에 달려 있었다.

사제는 왕비에게 활을 내밀었고, 여사제는 그녀에게 네 개의 화살을 주었다.

네페르타리는 활을 당겨 첫번째 화살은 동쪽으로, 두번째 화살은 북쪽으로, 세번째 화살은 남쪽으로, 네번째 화살은 서쪽으로 날려 보냈다. 그렇게 그녀는 람세스를 위협하는, 눈에 보이지 않는 적들을 제거하였다.

투야의 시종이 네페르타리를 기다리고 있었다.

─투야님께서 가능한 한 빨리 뵙고 싶어하십니다.

왕비를 실은 가마가 대비의 처소로 향했다.

가냘픈 몸을 섬세하게 주름진 긴 옷으로 감싸고 팔과 목에는 금 팔찌와 여섯 줄의 청금석 목걸이를 두른 투야는 참으로 우아한 모습이었다.

─걱정할 것 없다, 네페르타리. 가나안에서 온 전령이 기쁜 소식을 가져왔구나. 람세스가 가나안 지역을 장악했다고 한다. 질서가 회복되었다.

네페르타리는 밝은 목소리로 물었다.

─그는 언제 돌아오는지요?

─밝히지 않았구나.

─우리 군대는 계속해서 북진한다는 말이군요.

─아마도 그렇겠지.

─어머님이라도 그렇게 하셨겠습니까?

투야는 대답했다.

—그랬겠지, 주저 없이.

—가나안 북쪽은 아무르 지방입니다. 이집트 영향권과 히타이트 영향권을 가르는 경계이지요.

—세티께서 그렇게 해놓으셨지. 전쟁을 피하자는 것이었다.

—만약 히타이트 군이 이미 그 경계를 넘어섰다면…….

—그렇다면 전쟁을 피할 수 없단다, 네페르타리.

—저는 동서남북의 네 방향에 활을 쏘았습니다.

—성심껏 제의를 올렸다면, 두려울 것이 무엇이겠느냐?

셰나르는 아메니를 증오했다. 람세스 원정군에 대한 정보를 짜내기 위해 매일 아침마다 이 약해빠지고 시건방진 서기관 녀석을 만나야 하다니, 얼마나 지긋지긋한 일이냐! 셰나르가 왕좌에 오르게 되면, 아메니는 어느 시골에 주둔한 연대의 마구간이나 청소하면서 그나마의 건강마저 잃게 되리라.

그나마 만족스러운 일이 있다면, 그것은 파라오의 개인비서의 얼굴에 시무룩한 표정이 가시지 않는다는 점이었다. 이집트 군이 고전하고 있다는 의심할 바 없는 증거가 아니고 무엇이랴! 셰나르는 유감스럽다는 태도를 취하고, 운명이 이집트에 유리한 쪽으로 돌아서도록 신들에게 기도를 올리겠다고 역설했다.

외무성의 업무엔 전혀 관심이 없었지만, 그래도 나라의 위급상황에 악착스럽게 일하고 있다는 인상을 심어줘야 했던 셰나르는 시리아 상인 라이아와는 일체의 직접적인 접촉을 삼갔다. 이렇게 불안한 시기에 셰나르와 같은 신분에 있는 인사가 외국에서 들여오는 진귀한 화병 따위를 사모으는 데 열중하고 있다면 그것은 눈에 거슬리는 일일 것이다. 라이아가 보내오는 암호 메시지에만 만족해야 했지만, 그 내용은 자못 마음을 흡족케 하는 것이었다.

람세스는 가나안인들이 파놓은 함정에 빠졌다고 한다. 지나치게 잘난 우리 파라오께선 적들이 술책에 능하다는 사실을 망각하고, 제 천성대로 맹렬하게 밀고 나가는 모양이었다.

셰나르는 궁정을 뒤숭숭하게 만든 사소한 수수께끼 하나를 해결하기로 했다. 오피르의 마법을 위해 네페르타리의 숄과 헬리오폴리스 생명의 집의 말린 생선 단지를 훔친 것은 누구일까? 오래 조사해볼 것도 없었다. 대전 집사장 로메가 아니면 누구겠는가. 셰나르는 아메니와의 의무적인 회동을 갖기 전에 어줍잖은 구실로 그 뚱뚱이를 불러오게 했다.

불룩 튀어나온 배에 두 뺨은 툭 불거졌으며, 턱이 삼중으로 늘어져 고민인 로메는 자기가 맡은 일을 완벽하게 해내는 사람이었다. 비록 동작은 느려터졌지만 위생이나 기타 자질구레한 일들에 대해서는 광적으로 신경을 썼다. 왕족에게 올리는 음식물은 자기가 직접 맛을 봤으며, 자기 밑에 거느린 사람들을 엄격히 통제하였다. 폐하께서 직접 그 막중한 자리에 임명하셨다는 것만 믿고, 로메는 사람들의 비판을 묵살하며, 궁전의 전체 시종들을 부려먹으려 했다. 그의 말을 듣지 않으면 그 즉시 해고였다.

로메가 셰나르에게 물었다.

―어쩐 일이십니까, 나리?

―내 집사가 말해주지 않던가?

―무슨 만찬 때문에 급한 문제가 있다고 들었습니다만…….

―헬리오폴리스의 생명의 집 창고에서 도난당한 생선 단지에 대해서, 뭐 할 얘기 없나?

―단지라뇨…… 무슨 말씀이신지…….

―네페르타리 왕비의 숄은?

로메의 표정이 굳어지는 걸 보며 셰나르는 심증을 굳혔다.

―물론 보고는 받았습니다만, 그리고 그런 고약한 사건이 일어난 것을 유감스럽게 생각합니다만…….

─자네는 범인을 찾았나?

　─저한테는 진상을 조사할 권한이 없습니다, 세나르 나리.

　─하지만 자네는 좋은 자리에 있잖나, 로메.

　─천만의 말씀이십니다.

　─아니지, 생각해보게. 자네는 궁 안에서 핵심적인 인물이야. 어떤 사건도 자네한테서 벗어날 수는 없지.

　─저를 과대평가하시는 겁니다.

　─왜 그런 일을 저질렀나?

　─예? 설마 그런 추측을…….

　─추측이 아닐세, 확신이지. 누구한테 왕비의 숄과 생선 단지를 건네주었나?

　─전 아닙니다!

　─나는 사람을 볼 줄 아네, 로메. 게다가 증거까지 갖고 있지.

　─증거라구요……?

　─왜 그런 위험한 짓을 저질렀지?

　로메의 일그러진 얼굴과 병적으로 붉어진 이마와 뺨, 게다가 살이 푸들거리며 떨리는 것을 보면 누구라도 그를 범인으로 볼 만했다.

　─누구에게 거액을 받았거나, 아니면 람세스를 증오했거나 둘 중의 하나겠지. 어떤 경우라 하더라도 이것은 중대한 범죄다.

　─나리, 저는…….

　이 뚱뚱한 사나이의 절망스런 모습은 동정심을 불러일으켰다.

　─자네가 탁월한 집사라는 점을 감안해서 이 유감스런 사건을 잊기로 하겠다. 하지만 장차 내가 자네를 필요로 할 때 배은망덕해서는 안 될 것이야.

　아메니는 람세스를 위한 일일 보고서를 작성하고 있었다. 그의 손놀림은 빠르면서 확신에 차 있었다. 셰나르가 싹싹한 태도로 그에게 물었다.

―잠시 방해해도 괜찮겠나?

―방해라니요. 하루에 한 번씩 회동하라는 폐하의 명령을 받드는 것인데요.

서기관은 서판을 바닥에 내려놓았다.

―지쳐 보이는군, 아메니.

―그렇게 보일 따름입니다.

―건강에 좀더 신경을 쓰는 게 좋지 않겠나?

―제가 신경써야 할 것은 오로지 이집트의 안위뿐입니다.

―무슨…… 나쁜 소식이라도 있단 말씀인가?

―그 반대입니다.

―좀더 자세히 설명해줄 수 없겠나?

―말씀드리기 전에 확인해볼 필요가 있어 조금 유보했었습니다만, 폐하의 이집트 군이 승전을 거두었다는 소식입니다. 전령 비둘기들이 가져온 가짜 메시지에 속은 적이 있는 탓에 신중을 기하게 된 것이지요.

―히타이트 족의 술수였나?

―아주 크게 당할 뻔했지요. 가나안의 요새들이 반도의 수중에 떨어졌었습니다. 만약 폐하가 군사를 분산시켰더라면 엄청난 참화를 겪을 뻔했지요.

―다행히도, 그게 아니었군…….

―가나안 지방은 다시 복속되었고, 해안으로 가는 통로도 열렸습니다. 총독은 파라오의 충실한 신하로 남겠다고 맹세했지요.

―엄청난 승전이군…… 람세스는 커다란 공적을 세웠고, 히타이트의 위협을 물리치게 되었어. 그럼 지금쯤 우리 군대는 개선하는 중이겠군.

―군사기밀입니다.

―뭐? 군사기밀? 내가 외무대신이라는 걸 잊었나?

―어쨌든 말씀드릴 수 있는 것은 이것뿐입니다.

―말도 안 돼!

―어쩔 수 없습니다.

세나르는 잔뜩 화가 난 채 돌아갔다.

아메니는 후회하고 있었다. 세나르를 대하는 자신의 태도 때문이 아니었다. 그는 세라마나의 사건을 너무 성급하게 처리한 것은 아닌가 자문해보던 중이었다. 물론 사르디니아인에게 불리한 증거는 산더미처럼 쌓여 있다. 하지만 자신이 너무 고지식했던 것은 아닐까? 군대의 출정이 불러일으킨 어떤 흥분에 도취되어 그는 평소와 같이 신중하게 일을 처리하지 못했다. 그는 세라마나를 감옥에 보내게 한 증언과 증거들을 확인했어야만 했다. 설령 그것이 불필요한 일이라 해도, 그의 엄격함이 그것을 요구하고 있었다.

스스로에게 화가 난 아메니는 세라마나의 서류를 다시 집어들었다.

17

시리아의 입구를 지키고 있는 군사기지 메기도 요새는 언덕 꼭대기에 우뚝 서 있어 멀리서도 알아볼 수 있었다. 돌로 쌓아올린 성벽과 그 위의 감시구, 높은 사각탑들과 나무 전망대, 두텁고 거대한 성문을 갖추고 푸르른 평원의 한가운데 언덕에 홀로 서 있는 그것은 난공불락의 요새처럼 보였다.

요새의 주둔부대는 이집트 병사들과 파라오에 충성스런 시리아인들로 구성되어 있었다. 공식 보고는 요새가 반도들의 수중에 떨어지지 않았다는 것을 확인시켜주고 있었다. 하지만 그것을 어떻게 믿을 수 있겠는가?

람세스에게는 낯선 풍경이었다. 숲이 우거진 높은 언덕들, 둥치가 굵은 떡갈나무들, 흙탕물이 흐르는 강들, 그리고 늪과 사구가 뒤섞인 땅…… 그것은 나일 강의 아름다움이나 이집트 평원의 부드러움과는 너무나 동떨어진 풍경이었다. 적대적이고 폐쇄적인 곳, 사람이 견디기 힘든 지방이었다.

두 번에 걸쳐 한 떼의 멧돼지들이 암컷과 새끼들의 평화를 방해한 이집트 척후병들에게 달려들었다. 기마병들은 제멋대로 자란 빽빽한 초목들로 애를 먹었다. 그들은 뒤엉킨 덤불을 어렵사리 헤치며 전진하거나, 촘촘히 늘어선 커다란 나무들의 밑동 사이를 빠져나갔다. 그런 불편한 점들의 이면에는 적지 않은 이점도 있었다. 물을 찾기가 쉬웠고 사냥거리가 풍부하다는 점이 그것이었다.

람세스는 정지명령을 내렸다. 진지를 구축하라는 말은 없었다. 그는 메기도 요새에서 눈을 떼지 않은 채 척후병들이 돌아오기를 기다렸다.

세타우는 그 틈을 이용해 환자들을 돌보았고, 그들에게 물약을 먹였다. 중상자들을 귀향시키고 난 지금, 이집트 군에는 오한이나 소화불량으로 고생하는 사람들을 빼고는 모두 몸이 건강한 병사들만 남아 있었다. 브리오니아와 커민, 아주까리 등으로 조제한 약이 그런 잔병들을 없애주었다. 병사들은 예방의 차원에서 마늘이나 양파 따위를 계속 먹었는데, 세타우는 동쪽 사막지대에서 나는 '뱀나무'라는 양파의 변종을 특히 좋아했다.

로투스는 물뱀에게 다리를 물린 당나귀의 목숨을 구해냈다. 그녀는 문제의 물뱀을 붙잡는 데도 성공했다. 드디어 그녀에게 이번 시리아 여행이 흥미로워지기 시작했다. 지금까지 그녀가 마주친 것들은 이미 알려진 종류들뿐이었다. 그런데 요놈은 비록 독이 많지는 않았지만, 어쨌든 새로운 종이었다.

보병 두 사람이 뱀에게 물렸다는 핑계로 누비아 여인의 재간에 도움을 청해왔다. 눈이 번쩍 뜨이는 따귀가 그들의 거짓말에 대한 벌로 주어졌다. 로투스가 스르륵 소리를 내는 살모사의 대가리를 자루에서 꺼내 보이자, 두 병사는 동료들이 있는 곳으로 황급히 달아났다.

두 시간 이상이 흘렀다. 왕의 허락을 받은 기마병들과 전차병들은 땅에 내려섰고, 여러 명의 보초를 사방에 배치한 이후에 보병들도 바닥에 주저앉았다.

아샤가 말했다.

—척후병들이 떠난 지가 꽤 오랜데…….

람세스가 대답했다.

—나도 그렇게 생각하네. 상처는 좀 어떤가?

—다 나았습니다. 저 세타우란 친구는 정말 마술삽니다.

—이 장소에 대해선 어떻게 생각하나?

—좋지 않군요. 전방은 시야가 트였지만 늪이 도사리고 있습니다. 떡갈나무 숲과 덤불들, 그리고 키 큰 풀들이 곳곳에 도사리고 있고…… 우리 군사는 너무 분산되어 있습니다.

람세스가 말했다.

—척후병들은 돌아오지 않을 것 같군. 적에게 살해당했거나 포로로 끌려갔을 테지.

—그렇다면 메기도가 적의 수중에 떨어졌고, 항복할 의사가 전혀 없다는 것을 의미하는 셈이지요.

람세스가 상기시켰다.

—저 요새는 시리아 남부의 중추일세. 히타이트 족이 저 요새에 숨어 있다 할지라도 우리는 저곳을 다시 탈환해야만 하네.

아샤가 말했다.

—이것은 선전포고라 할 수 없을 겁니다. 본래 우리 영향권에 속하는 영토를 회복하는 것일 뿐이지요. 따라서 우리는 사전 경고 없이 언제라도 공격할 수 있습니다. 법률상으로도 이것은 폭동진압의 범주에 속할 뿐, 국가간의 분쟁과는 아무 상관이 없습니다.

주변국들의 입장에서도 이 젊은 외교관의 분석엔 큰 하자가 없을 것이었다.

—장군들에게 공격 준비를 하라고 알리게.

아샤가 말의 고삐를 당길 시간조차 없었다. 왕의 좌측에 있는 빽빽한 숲으로부터 한 무리의 기병들이 순식간에 뛰어나와 휴식을 취하고 있던 이집트 전차병들을 덮친 것이다. 단창에 몸을 관통당한 불운한 병사들의 수효가 적지 않았고, 몇 마리의 군마는 뒷발이나 목을 잘렸다. 살아남은 자들은 창과 칼을 들고 대항했다. 어떤 자들은 겨우 전차에 오르는 데 성공했고, 방패로 몸을 가린 보병들이 버티고 있는 진지까지 퇴각할 수 있었다.

전혀 예기치 못한 이러한 격렬한 기습은 성공을 거두는 듯했다. 뾰족한 턱수염에 텁수룩한 머리털을 띠로 동여맨 것이며, 발 뒤꿈치까지 술이 늘어진 옷이나 멜빵이 달린 알록달록한 허리띠 따위를 보건대 그들은 틀림없는 시리아인들이었다.

람세스는 이상할 정도로 침착한 모습이었다. 아샤는 불안했다.

—우리 전열이 무너지겠습니다!

—저들은 어리석게도 승리감에 도취되어 있네.

시리아인들의 전진은 차단되었다. 이집트 보병들은 그들을 궁수들이 있는 쪽으로 밀어붙였고, 궁수들의 화살은 그들을 몰살시켰다.

사자가 으르렁거렸다. 람세스가 말했다.

—또다른 위험이 우리를 위협하고 있네. 이 전투의 승패가 갈리는 것은 이제부터야.

숲에서 자루가 짧은 도끼로 무장한 수백 명의 시리아인들이 뛰어나왔다. 그들은 몇 걸음만 옮기면 이집트 궁수들을 등뒤에서 공격할 수 있는 거리에 있었다. 왕은 군마의 등에 채찍을 내려쳤다.

—이랴!

두 마리의 군마는 주인의 목소리에서 자신들이 최대의 힘을 발휘해야만 하는 상황이라는 것을 깨달았다. 사자가 몸을 솟구쳤다. 아샤와 오십여 대의 전차가 그 뒤를 따랐다.

유례를 찾아보기 힘든 격렬한 접전이었다. 사자는 감히 람세스의 전차에 달려드는 적병들의 머리와 가슴을 발톱으로 갈가리 찢었고, 그 사이에 왕은 잇달아 화살을 쏘아 적병들의 가슴과 목과 이마를 꿰뚫었다. 뒤따라온 전차들이 다친 자들을 깔아뭉갰고, 지원에 나선 보병들이 달려들자 얼마 남지 않은 시리아인들은 도망치기에 바빴다.

숲으로 달아나던 적병 하나가 유난히 람세스의 주의를 끌었다. 그는 사자에게 명령했다.

ㅡ붙잡아!

사자는 뒤처진 적병 두 명을 먼저 처치하고, 람세스가 손가락으로 가리킨 그 사내에게 달려들었다. 이 야생동물은 제 힘을 제어하려 애썼음에도 불구하고 그에게 치명상을 입히고 말았다. 순식간에 적병은 등이 찢긴 채 땅바닥에 고꾸라져버렸다. 람세스는 포로를 찬찬히 살펴보았다. 머리가 길게 자라 있었으며, 턱수염은 전혀 손질이 안 되어 있었고, 누더기가 다 된 울긋불긋한 줄무늬 옷을 입고 있었다. 그가 명령했다.

ㅡ세타우를 불러오라.

시리아인들은 한 사람도 남김없이 몰살당했다. 그들이 이집트 군에 입힌 손실은 기습의 성과로는 대수로울 게 없었다.

세타우가 헐떡거리며 달려왔다. 왕이 그에게 요청했다.

ㅡ이 자를 구해보게. 이 자는 시리아인이 아니야. 사막의 유랑자네. 이자가 왜 이곳에 있는지 밝혀야겠어.

자기네 땅에서 이렇게 멀리까지…… 웬 베두인 족인가? 대개는 시나이 쪽에서 대상들이나 털어먹는 자들인데…… 세타우도 호기심이 일었다.

─자네 사자가 완전히 망쳐놨는걸.

부상자의 얼굴은 땀으로 뒤덮여 있었고, 코에선 피가 흐르고 있었으며, 목은 뻣뻣했다. 세타우는 그의 맥박을 짚었다. 심장이 너무나 약하게 뛰고 있었다. 진단을 내리는 데는 전혀 어려움이 없었다. 사막의 유랑자는 죽어가고 있었다. 왕이 그에게 물었다.

─말을 할 수 있겠나?

─턱을 벌릴 수 없을 것 같은데…… 하지만 방법이 전혀 없는건 아니지.

세타우는 다 죽어가는 자의 입 안에 천으로 감싼 나무관을 집어넣는 데 성공했다. 그는 거기에 사이프러스 나무 뿌리에서 짜낸 액체를 부어넣었다.

─이 약이 고통을 덜어줄 거야. 이 자가 튼튼하다면 몇 시간 정도는 살아 있을 걸세.

얼마 후, 정신이 든 사막의 유랑자는 파라오를 바라보았다. 겁에 질린 그는 몸을 일으키려다가 이빨 사이에 낀 나무관을 깨뜨려버렸다. 그는 날지 못하는 새처럼 파득거렸다. 세타우가 말했다.

─가만 있어, 이 친구야. 내가 돌봐줄 테니.

─파라오…….

─이집트의 왕께서 자네에게 말씀하실 게 있다네.

베두인 사람은 푸른 왕관을 뚫어지게 쳐다보았다. 왕이 그에게 물었다.

─너는 시나이에서 왔는가?

─예, 저는 시나이 사람입니다.

─왜 시리아인들과 한편이 되어 싸웠는가?

─황금 때문에…… 그들이 황금을 주겠다고 약속했습니다.

─히타이트 족을 본 적이 있는가?

―저희들에게 작전을 일러주고 떠났습니다.

―너말고 다른 베두인 사람들도 있는가?

―다들 도망쳤죠.

―혹시 모세라는 이름의 히브리인을 만난 적이 있는가?

―모세라…….

람세스는 친구의 용모를 설명해주었다.

―아뇨, 모르는 사람입니다.

―요새 안에는 사람이 얼마나 되는가?

―전…… 전 모릅니다.

―거짓말하지 마라.

순식간이었다. 부상자는 자신의 단도를 쥐어들고 몸을 일으켜 왕을 죽이려 했다. 세타우가 그의 손목을 쳐서 단도를 빼앗았다.

베두인 사람은 너무 격렬하게 힘을 썼던 모양이었다. 그의 얼굴이 일그러지고 몸이 활처럼 휘더니, 땅에 다시 쓰러져버렸다. 죽은 것이다.

세타우가 말했다.

―시리아인들이 베두인 족과 동맹을 맺으려 했군. 놀라운 짓이야! 서로 말이 안 통할 텐데…….

세타우는 벌써부터 로투스와 위생병들의 보살핌을 받고 있던 이집트 군 부상자들에게 돌아갔다. 전사자들은 거적에 싸여 전차에 실렸다. 수송대 하나가 호위부대의 보호를 받으며 이집트로 출발할 것이다. 그곳에서 이 불행한 자들은 부활의 의식을 거치게 되리라.

람세스는 자신의 군마와 사자를 쓰다듬었다. 사자는 마치 고양이처럼 그르렁거렸다. 수많은 병사들이 왕의 주위로 몰려들었다. 그들은 무기를 하늘 높이 쳐들고 자신들을 승리로 이끈 왕을 환호했다.

병사들 사이를 뚫고 들어오는 데 성공한 장군들이 앞다투어 람세스를 찬양했다.

　―부근의 숲에 다른 시리아인들은 없었소?

　―없었습니다, 폐하. 야영을 허락해주시겠습니까?

　―더 좋은 일을 허락하겠소. 메기도를 탈환하시오.

18

전혀 살로 갈 것 같지 않은 엄청난 양의 콩요리로 원기를 회복한 아메니는 자기 사무실에서 밤을 보냈다. 다음날의 업무를 몇 시간 줄여서 남는 시간에 세라마나의 서류를 살펴볼 작정이었다. 격무에 등이 아파올 때면 그는 람세스가 자기를 비서로 임명하면서 선물로 주었던 백합무늬를 두른 원통형의 나무 붓통을 만져보았다. 그러면 다시 활력이 되살아나곤 했다.

어린 시절부터 눈에 보이지 않는 그 무엇이 아메니와 람세스를 연결하고 있었다. 그는 세티의 아들에게 위험이 닥친 경우에 본능적으로 그것을 알 수 있었다. 몇 차례에 걸쳐 그는 죽음이 왕의 어깨를 스치고 지나갔다는 것을 느꼈다. 왕이 불행을 피할 수 있었던 것은 오로지 그의 초자연적인 힘 덕분이었다는 것도 알고 있었다.

파라오를 둘러싼 신들에 의해 세워진 그러한 보호벽이 만일 무너져 내린다면, 람세스의 무모함은 자기 스스로의 무덤을 파는 결과를 낳게 되지 않을까?

그리고 만약 세라마나가 그러한 마법의 성벽을 이루는 돌들 가운데 하나였다면, 아메니는 그의 임무수행을 방해함으로써 중대한 실수를 범한 것이 된다. 하지만 과연 그런가?

세라마나에 대한 기소는 대부분 그의 정부인 네노파르의 증언에 근거하고 있었다. 아메니는 그녀를 좀더 자세히 심문하기 위해서 경찰에 그녀의 소환을 요청해두었다. 만일 그녀가 거짓말을 한 것이라면, 이번엔 진실을 밝히도록 만들 생각이었다.

수사를 책임지고 있는 경찰관이 저녁 무렵 국왕의 개인비서 사무실에 출두했다. 차분해 보이는 50대 남자였다. 그가 아메니에게 말했다.

―네노파르는 오지 않을 겁니다.

―그녀가 출두를 거부했던 모양이지요?

―집에 아무도 없었습니다.

―신고된 주소에 살고 있긴 한가요?

―이웃사람들에 의하면 그렇습니다. 하지만 집을 나간 지가 여러 날째랍니다.

―어딜 갔는지, 말도 없었나요?

―아무도 아는 사람이 없습니다.

―집을 수색해봤습니까?

―깨끗합니다. 옷함까지 비어 있었습니다. 마치 모든 삶의 흔적을 없애고자 노력한 것 같았습니다.

―신상에 대해서 뭐 알아낸 것이 있습니까?

―젊은 여자인데, 아주 경박했던 것 같습니다. 몸을 파는 여자라는 말도 들립니다.

―그렇다면 술집에서 일을 했겠군요.

―그렇지는 않습니다. 거기에 대해선 충분히 조사했습니다.

―남자들을 집에서 받은 것은 아닙니까?

―이웃사람들에 의하면 아닙니다. 하지만 흔히, 특히 밤에는 자주 집을 비웠다고 합니다.

―그녀를 찾아서 어떤 자들이 그녀의 고객이었는지 밝혀내야만 합니다.

―문제 없습니다.

―서둘러주십시오.

경찰관이 떠나자, 아메니는 서판을 다시 집어들었다. 바로 세라마나가 히타이트 족 공범에게 보내려던 것으로 그의 유죄를 입증하는 결정적인 증거가 된 서판이었다.

이렇듯 적막한 아침에 사무실에 홀로 앉아 있자니 정신이 맑아졌다. 하나의 추측이 차츰 그의 머릿속에 떠오르고 있었다. 그것의 타당성을 확인하자면 아샤가 돌아오기를 기다려야 했다.

바위투성이 산마루에 우뚝 솟은 메기도 요새는 평원에 산개해 있는 이집트 군을 위압했다. 성탑의 높이를 고려해서 긴 사닥다리를 만들어야만 했는데, 그것을 성벽에 갖다붙이는 일은 쉬워 보이지 않았다. 공격부대가 화살이나 돌 따위에 몰살당할 위험이 있었다.

람세스는 아샤와 함께 요새의 주위를 한 바퀴 둘러보았다. 그는 적의 궁수들에게 손쉬운 과녁이 되지 않도록 전속력으로 전차를 몰았다.

단 한 대의 화살도 그들을 향해 날아오지 않았다. 성벽 위의 감시구에 모습을 드러낸 궁수도 없었다. 아샤가 말했다.

―저놈들은 끝까지 숨어 있을 겁니다. 그렇게 해서 화살 하나라도 아끼자는 것이겠지요. 가장 좋은 방법은 저놈들을 굶겨 죽이는

것입니다만.

—메기도의 비축식량을 보건대, 저들은 수개월은 버틸 수 있을 것이네. 끝이 보이지 않는 포위공격만큼 절망스러운 일이 또 무엇이겠는가?

—우리가 저 요새를 공격한다면 많은 병사를 잃게 될 겁니다.

—자네에겐 내가 승리밖에 모르는, 그런 강퍅한 가슴을 가졌다고 보이나?

—이집트의 영광이 개개인의 운명보다는 더 중요한 것일 테지요.

—생명은 모두 소중한 것일세, 아샤.

—어떻게 할 작정입니까?

—전차들을 사정거리에 들지 않는 범위에서 요새 둘레에 배치시킬 걸세. 우리 궁수들이 감시구에 나타나는 시리아인들을 제거할 것이고, 지원병들로 구성된 공격조 셋이 방패로 몸을 가린 채 사닥다리를 설치할 것이네.

—만약 메기도가 난공불락이라면 어떡하시겠습니까?

—시도는 해봐야지. 머릿속에 실패만 생각하고 있으면 애당초 그른 일이 아닌가?

람세스로부터 분출되는 힘은 병사들에게 새로운 활력을 부여했다. 지원병들이 앞다투어 나섰고, 궁수들은 서로 경쟁하듯 달려가 요새를 포위하고 있는 전차들 위에 자리를 잡았다. 요새는 한 마리 야수처럼 그들 앞에 도사리고 있었다.

어깨에 기다란 사닥다리를 짊어진 보병중대가 날렵한 걸음으로 성벽을 향해 전진했다. 그들이 사닥다리를 올리려 할 때 시리아의 궁수들이 가장 높은 성탑에 나타나 활시위를 당겼다. 하지만 그들에게는 미처 정확히 겨냥할 시간이 없었다. 람세스와 이집트 궁수들이 전차를 전진시키며 화살을 날려 곧바로 그들을 떨어뜨려버렸다. 텁수룩한 머리를 끈으로 묶고 턱수염이 뾰족한 두번째 수비조가 다시 자리를 메웠다. 시리아인들은 얼마간의 화살을 날리는 데 성공했지만, 이집트 군을 맞추지는 못했다. 왕과 그의 일등 사수들이 그들을 제거해버렸다.

가장 나이 많은 장군이 세타우에게 말했다.

─저항이 형편없군. 내기해도 좋은데, 저놈들은 한번도 제대로 싸움을 치러본 적이 없을 거요.

─잘됐군요. 내가 할 일이 많지 않을 테니 말입니다. 어쩌면 오늘 밤은 로투스와 함께 보낼 수도 있겠군요. 이놈의 전투로 나는 완전히 지쳤어요.

이집트 보병들이 막 성벽을 기어오르려 할 때 50여 명의 아낙네들이 갑자기 성벽 위에 나타났다.

이집트 군은 아녀자를 죽이는 법이 없었다. 여자들은 자기 아이들과 함께 전쟁포로로 이집트에 끌려가게 될 것이고, 그곳에서 농작지에 딸린 하녀로 일하게 될 것이었다. 그들은 이름도 바꾸게 될 것이며 차츰 이집트 사회에 동화하게 되리라.

노장군은 아연실색했다.

─이런 일은 또 처음일세…… 저 여자들 좀 보게나! 완전히 미쳤군.

두 명의 시리아 여인이 성벽 위로 화로를 들어올려 벽을 기어오르고 있던 보병들의 머리 위에 쏟았다. 불타는 숯덩어리들이 사닥다리의 살에 바짝 몸을 붙여 피하는 공격조들을 스치며 지나갔다. 이집트 궁수들의 화살이 여인들의 눈에 가 박혔고, 그녀들은 꽃잎처럼 분분히 허공으로 떨어져내렸다. 또다른 여인들이 새로운 화로를 들고 나타났지만, 그들의 운명도 마찬가지였다. 흥분한 어느 어린 소녀 하나가 숯덩어리를 투석기에 넣어 빙빙 돌리다가 멀리 내던졌다.

숯덩어리 가운데 하나가 노장군의 허벅다리에 와서 맞았다. 말이 놀라 뛰어오르는 바람에 땅에 쓰러진 그는 부들부들 떨리는 손으로 불에 덴 상처를 만지려 했다. 세타우가 외쳤다.

―만지면 안 돼요. 가만히 계십시오. 내가 치료해드리겠소.

땅꾼은 노장군의 옷을 들치고 화상 부위에 오줌을 누었다.

―내가 마침 요의를 느끼고 있었던 게 그나마 다행이오.

장군도 우물물이나 강물과는 달리 오줌이 무균질의 액체로서 전염의 위험이 없이 상처를 소독한다는 사실을 알고 있었지만, 오줌발을 맞고 있는 게 기분좋은 일은 아니었다. 병사들이 들것을 가져와 부상당한 장군을 야전병원으로 옮겼다.

이집트 보병들은 이제 아무런 저항도 없는 성벽 위를 점령했다.

얼마 후 메기도 요새의 성문이 활짝 열렸다.

성안에는 공포에 질린 몇몇 여자들과 아이들밖에는 없었다.

아샤가 말했다.

―시리아인들은 기습공격에 모든 전력을 쏟았던 모양입니다.

람세스는 말했다.

―놈들 전술이 성공할 뻔했지.

―폐하를 잘 몰랐던 거지요.

―누가 감히 나를 안다고 말할 수 있겠는가, 친구.

열 명가량의 병사들이 백대리석 그릇들과 순은 조상들로 그득한 요새의 보고를 뒤지기 시작했다.

사자의 으르렁거리는 소리가 그들을 쫓아버렸다.

람세스가 명령했다.

―저자들을 근신에 처하라. 그리고 집들을 정화시키라.

왕은 한 사람의 총사령관을 임명해서 메기도에 주둔하게 될 장교들과 병사들을 선발하게 했다. 창고에는 수주일을 견디기에 충분한 식량이 남아 있었다. 이미 일개 분대가 가축떼와 사냥감을 찾아 출발했다.

람세스와 아샤, 그리고 새로운 사령관은 지방의 경제를 다시 살려야만 했다. 누가 자기네 주인인지 더이상 분간할 수 없게 된 농부들이 밭일을 멈춰버렸던 것이다. 일주일이 채 되지 않아 이집트 군의 존재는 다시금 안전과 평화를 보장하는 것으로 여겨지게 되었다.

왕은 메기도에서 북쪽으로 조금 떨어진 곳에 네 사람의 감시병들과 말들이 머물 수 있는 작은 보루들을 짓게 했다. 그렇게 함으로써 히타이트의 공격이 있을 경우, 주둔부대는 방비할 시간을 벌 수 있을 것이다.

성탑의 꼭대기에서 람세스는 좀체로 정이 가지 않는 풍경을 내려다보았다. 나일 강과 종려나무 숲, 푸르른 전원과 또한 사막으로부터 멀리 떨어져 산다는 것은 그에게는 하나의 고통이었다. 지금쯤 네페르타리는 저녁 제의를 집전하고 있겠지. 너무나 그립구나!

아샤가 왕의 생각을 중단시켰다.

─폐하의 말씀대로 병사들과 대화해보았습니다.

─그들의 의견은 어떤가?

─장교들이나 사병들은 모두 폐하를 완전히 신뢰하고 있습니다. 하지만 그들에게는 집에 돌아가고픈 생각밖에 없습니다.

람세스는 풍경을 둘러보며 물었다.

─아샤, 자네는 시리아가 맘에 드나?

─위험한 곳이지요. 함정이 가득합니다. 이 지방을 제대로 알자면 꽤 오래 머물러야 할 겁니다.

─히타이트의 땅도 이곳과 흡사한가?

─더 거칠고 황량하지요. 아나톨리아 고원의 겨울바람은 살을 에는 듯합니다.

─내가 그 땅을 좋아하게 되리라고 생각하나?

─폐하는 곧 이집트입니다. 이집트말고는 그 어떤 땅도 폐하 가슴속에 자리잡을 수 없다는 걸 잘 알고 있습니다.

—아무르 지방이 가까이에 있네.

—적군도 그렇지요.

—히타이트 군이 아무르를 점령했다고 여기는군?

—믿을 만한 정보는 아무것도 없습니다.

—자네 생각을 묻는 걸세.

—바로 그곳에서, 우리를 기다리고 있을 겁니다.

19

해안도시인 티루스와 비블로스 사이의 바다를 끼고 펼쳐진 아무르 지방은 헤르몬 산과 상업도시 다마스커스의 서쪽에 위치해 있었다. 그곳은 히타이트 세력권으로부터 가장 가까운 이집트의 보호령이었다.

이집트로부터 4백 킬로미터 이상 떨어진 곳에서 파라오의 병사들은 무거운 발걸음을 옮기고 있었다. 람세스는 해안을 끼고 진군하자는 장군들의 제안을 무시하고, 군마와 병사들 모두에게 고된 산간의 협로를 택했다. 병사들 사이에서는 이제 웃음소리가 그쳤고, 대화를 나누는 소리도 사그라들었다. 그들은 잔혹하기로 소문난 히타이트 군과의 결전을 앞두고 있음을 깨달았다. 가장 용맹스런 병사들마저도 그들의 악명에는 몸을 떨었다.

아샤의 분석에 따르면, 아무르를 정벌하는 것은 양측의 사활을 건 전쟁으로까진 번지진 않을 것이었다. 그렇다 하더라도 얼마나 많은 병사들이 피로 물든 태양 아래 희생될 것인가? 사람들은 왕이 메기도에 만족하고 회군하리라 기대했었다. 하지만 람세스는 짧은 휴식만을 허락했을 뿐, 이내 새로운 고생길로 그들을 내몰았다.

척후병 하나가 황급히 종대를 거슬러올라와 람세스 앞에 멈춰 섰다.

—저기, 적군이 있습니다. 바다와 벼랑 중간쯤입니다.

—수효가 많은가?

—수백 명쯤 되어 보입니다. 창과 활로 무장한 채 덤불 뒤에 숨어 있습니다. 해안쪽 길만 지키고 있으니까, 측면에서 기습할 수 있을 것입니다.

—히타이트 족인가?

—아닙니다, 폐하. 아무르 지방의 토착민들입니다.

람세스는 혼란스러웠다. 이건 무슨 함정인가?

—안내하라.

전차부대의 장군이 중간에 나섰다.

—너무 위험합니다, 폐하.

람세스의 시선이 불타오르고 있었다.

—내가 직접 보고, 판단하고, 결정을 내린다.

왕은 척후병을 따라갔다. 그들은 도중에 말에서 내려 바위들이 금방이라도 굴러떨어질 것 같은 비탈면을 기어올랐다.

람세스는 멈춰 섰다.

바다, 해안로, 덤불, 거기 매복한 적군, 벼랑…… 히타이트 군이 매복해 있을 만한 장소는 보이지 않았다. 하지만 또다른 벼랑이 시야를 가로막고 있었다. 아나톨리아의 전차들이 저곳 어딘가에 숨어 있다가 불시에 기습하는 것은 아닐까?

람세스의 손에는 병사들 전체의 목숨이 달려 있었다. 그리고 이집트의 안전을 지키는 것은 바로 그들이었다. 그는 낮지만 단호한 어조로 말했다.

—공격이다!

아무르의 보병들은 졸고 있었다. 그들은 이집트 군이 해안로를 따라 남쪽에서 나타나기만 하면 곧바로 기습할 작정이었다.

아무르의 군주 벤테쉬나는 히타이트 고문들이 지시한 전략을 따르고 있었다. 그들의 확신에 따르면, 람세스는 가나안과 메기도 요새에 이르는 저항들 때문에 여기까지 이르지 못할 것이 분명했다. 설령 그가 이곳까지 도달한다 하더라도 그의 군사력은 약해질 대로 약해져서 최후의 자그마한 덫에도 쉽사리 끝장날 것이었다.

근사한 턱수염을 기른 50세가량의 벤테쉬나는 히타이트인들을 좋아하진 않았다. 하지만 그들이 두려웠다. 게다가 아무르는 그들의 세력권에 너무 가까이 있었기 때문에 그들의 비위를 건드려 좋을 일이 없었다. 물론 그는 이집트의 신하로서 파라오에게 조공을 바치고 있었다. 하지만 히타이트인들은 그의 처지를 달리 생각했고, 그에게 반란을 일으켜 기진맥진한 이집트 군에 최후의 일격을 가할 것을 강요했다.

목이 마른 벤테쉬나는 술 담당 시종에게 시원한 포도주를 가져오라고 명령했다. 그는 벼랑의 동굴 안에 숨어 있었다.

시종은 몇 발짝 떼지도 못했다.

—전하, 저기…… 저…….

—서둘러라. 갈증이 나 죽겠구나.

—저기를 좀 보십쇼, 저기 벼랑 위에…… 수백, 아니 수천의 이집트인들이…….

벤테쉬나는 깜짝 놀라 몸을 일으켰다. 거짓말이 아니었다.

푸른 왕관을 쓰고 황금빛 옷을 입은 키 큰 남자 하나가 해안의 평야에까지 이르는 협로를 내려오고 있었다. 그의 오른편에는 거대한 사자가 따르고 있었다.

아무르 병사들도 처음엔 한두 사람씩, 이내 모든 사람이 뒤를 돌아보았고, 그들의 군주가 목격한 것과 같은 광경에 경악했다. 졸던 병사들도 창졸간에 잠에서 깨어났다.

람세스의 힘차고 장중한 목소리가 울려퍼졌다.

―어디에 숨었느냐, 벤테쉬나?

아무르의 군주는 부들부들 떨며 파라오의 앞으로 나섰다.

―너는 내 신하가 아니더냐?

―폐하, 저는 항상 이집트를 위해 충성스럽게 봉사해왔습니다.

―그런데 어떤 연유로 네 군대는 내게 이러한 함정을 파놓았느냐?

―저는…… 제 땅의 안전을 생각하지 않을 수 없었습니다.

수천 마리의 말이 달리는 듯한 둔중한 소리가 하늘을 진동시켰다. 람세스는 저 멀리 히타이트 족이 숨어 있을지도 모르는 벼랑 쪽을 바라보며 긴장했다.

파라오에게는 진실이 밝혀진 순간이었다.

―나를 배반했구나, 벤테쉬나.

―아닙니다, 폐하! 히타이트 놈들이 강제로 시킨 일이옵니다. 제가 거부했다면 그들은 저는 물론 제 백성을 모조리 학살했을 겁니다. 저희는 이 속박에서 벗어나기 위해 폐하가 오시기만을 기다리고 있었습니다.

―그들은 어디 있는가?

―그들은 떠났습니다. 그들은 폐하의 군대가 설령 여기에까지 이른다 해도 도중에 파놓은 무수한 함정들을 뚫고 오느라 지리멸렬한 상태일 거라고 믿고 있었습니다.

―이 괴이한 소리는 무엇인가?

―파도소리입니다, 폐하. 바다로부터 밀려오는 거대한 파도들이 바위를 스치고 벼랑에 부딪치는 소리입니다.

―네 병사들은 내게 싸움을 걸 작정이었지. 내 병사들 역시 싸울 준비가 되어 있다.

벤테쉬나는 무릎을 꿇었다.

―죽음이 지배하는 침묵의 땅으로 떨어진다는 것은 참으로 슬픈 일이옵니다, 폐하! 잠에서 깨어난 자도 그곳에선 끝없이 무력해져 온 하루 졸고만 있을 따름입니다. 저 아래에 사는 사람들이 머무는 곳은 너무도 깊은 곳이어서 그들의 목소리는 우리에게까지 들려오지 않습니다. 그곳엔 문도 없고 창도 없기 때문입니다. 어떤 태양의 빛도 사자(死者)들의 어두운 왕국을 비춰주지 않고 어떤 바람도 그들의 가슴을 식혀주지 못합니다. 아무도 그 무서운 곳에 가고자 하지 않지요. 용서해주십시오, 폐하! 아무르인들의 목숨을 살려주시고, 그들로 하여금 계속해서 폐하를 섬기게 해주시옵소서.

아무르의 병사들은 그들의 왕이 무릎을 꿇는 것을 보고는 자신들도 무기를 내던졌다.

파라오가 자기 앞에 엎드린 벤테쉬나를 일으켜 세우자, 이집트와 아무르 병사들의 가슴에서는 기쁨의 함성이 터져나왔다.

아샤는 생각에 잠겼다. 히타이트 제국은 상당히 고급전술을 구사한 셈이었다. 전령 통신문을 바꿔치기하여 이집트 군으로 하여금 방심케 한 후 공격한 것도 그렇고, 가나안 지방 10여 곳의 성채에 철저히 수성(守城)에만 전력하도록 지시한 것도 그랬다. 성채에만 웅크린 적을 정복하는 데에는 많은 시간이 걸릴 수밖에 없고, 그 경우 가나안 지방을 평정한다 해도 이집트 군은 오랜 원정에 힘이 소진될 수밖에 없었을 것이다. 아니면 시간을 단축하기 위해 병력을 분산시켜서 진군한다? 이집트 군 전략회의에서도 거론된 바 있는 그 전술을 람세스가 채택했더라면, 아마도 히타이트 군사고문들은 게릴라전으로 이집트 군을 분산 고립시켜서 괴롭힐 준비를 해두었을 것이다. 하지만 람세스는 히타이트가 예상한 어느 경우에도 해당되지 않는 이상한 성채 공격전술로 단기간에 10여 곳의 성을 수복했다.

가나안 지방을 평정한 이집트 군이 메기도 요새로 진군하리라는 것은 히타이트로서는 어렵지 않게 파악할 수 있었을 것이다. 메기도에서는 가나안과 완전히 다른 전술을 준비해두었다. 미처 성을 공격하기도 전에 기습한다! 실패할 수 없는 전략이었다. 10여 곳의 성을 공격하면서, 수성에만 매달리는 반군들에 지친 이집트 군의 허를 찌른 탁월한 전략이었다. 게다가 아무르에는 진군로에 매복을 준비시켰다!

수성, 기습, 매복! 히타이트 제국의 군사력에 대한 평가가 단순히 난폭하고 잔혹한 그들의 기질이나 우수한 무기에만 해당되진 않는다는 걸 알려주는 전략 구사였다. 또한 히타이트 병사는 하나도 남겨두지 않아, 세티와의 협약을 깼다는 어떤 증거도 찾을 수 없게 한 것은 최악의 경우를 상정한 고도의 전략으로 보였다.

아샤는 총기 가득한 눈으로 북쪽을 응시했다. 히타이트 제국도, 그들의 치밀한 전략에도 아랑곳없이 이상한 힘으로 승리를 거둔 람세스도, 알 수 없는 공포의 대상으로 느껴졌다.

아메니의 사무실에서 나오면서 셰나르는 낙심천만이었다.

도저히 믿기지 않는 **빠른** 속도로 군사작전을 펼친 끝에 람세스는 히타이트의 세력권으로 넘어가 있던 아무르 지방을 탈환했다지 않는가! 군대라곤 처음 지휘해보는 저 풋내기 왕이 도대체 어떻게 그 모든 함정을 돌파할 수 있었으며, 그토록 혁혁한 승리를 거둘 수 있단 말인가?

셰나르는 벌써 오래 전부터 신의 존재 따위를 믿지 않았다. 하지만 람세스는 세티가 비밀스런 의식을 통해 그에게 전수한 모종의 주술적인 힘에 의해 보호받고 있다는 점은 명백했다. 바로 그러한 힘이 그에게 길을 터주고 있었던 것이다.

셰나르는 아메니에게 보내는 공문을 작성했다. 내용은 외무대신의 자격으로 멤피스의 귀족들에게 이 기쁜 소식을 전하기 위해서 몸소 행차한다는 것이었다.

셰나르가 그의 누이 돌렌테에게 물었다.

—마법사는 어디 있느냐?

돌렌테는 셰나르의 성난 모습에 겁을 먹은 아케나톤의 증손녀, 리타를 꼭 끌어안았다.

—지금 일하는 중이에요.

—당장 봐야겠다.

—좀 참으세요. 네페르타리의 숄을 가지고 새로운 마법을 준비하고 있어요.

—효과가 좋기도 하겠구나! 람세스가 아무르를 탈환했고, 가나안의 모든 요새들을 되찾았으며, 북부의 보호령들을 다시 지배하게됐다는 걸 알고나 있어? 우리 군의 피해는 미미한 정도이고, 우리의 사랑하는 아우님께선 할퀸 상처 하나 없으며, 심지어 병사들에게 신적인 존재로 추앙받고 있는 걸 말이다!

—확실한 얘긴가요……?

—아메니는 믿을 만한 정보통이다. 그 빌어먹을 서기관놈은 무척 신중하니까 필경 나한테 얘기하지 않은 게 더 있는지도 모르지. 하지만 확실한 건 가나안, 아무르, 그리고 남부 시리아가 이제 다시는 히타이트인들의 품으로 돌아가지 않을 거라는 점이다. 람세스는 그

지역을 적이 절대로 돌파할 수 없는 강력한 군사기지로 만들 거라구. 두고 보렴. 동생놈을 쳐부수기는커녕 그의 방어체제를 더 강화시켜준 꼴이란 말이다.

금발의 리타는 셰나르를 뚫어져라 쳐다보고 있었다. 흥분한 셰나르는 리타를 노려보며 말했다.

─우리의 꿈이 멀어져가고 있다, 애야. 너와 네 마법사가 나를 가지고 논 것이 아니면, 이게 뭐냐?

셰나르는 젊은 여인의 옷자락을 잡아당겨 어깨끈을 찢었다. 그녀의 가슴엔 심한 화상자국이 남아 있었다.

리타는 울음을 터뜨리며 돌렌테의 품에 파고들었다.

─그녀를 괴롭히지 말아요, 셰나르. 그녀와 오피르는 우리에겐 가장 소중한 동지들이에요.

─그래, 굉장한 동지들이지!

그때 차분하고 느릿한 목소리가 들려왔다.

─의구심을 떨쳐버리십시오, 셰나르 공.

셰나르는 뒤를 돌아보았다.

맹금처럼 생긴 오피르의 모습이 셰나르를 위압했다. 짙푸른 리비아인의 시선에는 상대방을 순식간에 요절낼 수 있는 온갖 저주들이 담겨 있는 것 같았다.

─나는 자네가 일하는 게 마땅치 않네, 오피르.

─아시다시피 저나 리타는 수고를 아끼지 않고 있습니다. 제가 이미 설명드렸다시피, 우리는 아주 강한 상대와 맞서고 있습니다. 따라서 효과를 보려면 시간이 필요합니다. 네페르타리의 숄이 완전히 불타 없어지지 않는 한 람세스의 주술적인 방어력은 사라지지 않을 겁니다. 만일 우리가 너무 서두른다면 리타를 죽이게 될 것이고, 그땐 람세스를 왕위에서 끌어내릴 희망도 모조리 사라지게 될 겁니다.

―시간이 얼마나 더 필요하단 말인가?

―리타는 연약합니다. 그건 바로 그녀가 탁월한 영매라는 증거입니다. 마법이 한 차례 끝날 때마다 저와 돌렌테가 그녀의 상처를 돌보고 있습니다. 그녀의 재능을 다시 사용하자면 상처가 아물 때까지 기다려야 합니다.

―희생물을 바꾸면 안 되나?

마법사의 시선이 굳어졌다.

―리타는 희생물이 아니올시다. 그녀는 미래의 이집트의 여왕, 바로 나리의 아내올시다. 결국엔 승리를 거두고야 말 이 처절한 싸움을 위해서 그녀는 벌써 수년 전부터 준비를 해왔습니다. 아무도 그녀를 대신할 수 없습니다.

오피르의 확신에 찬 태도에 어느 정도 진정된 셰나르가 의자에 앉으며 말했다.

―알았네…… 하지만 람세스의 명성이 자꾸만 높아지고 있어!

―한순간이면 그 모든 것에 종지부를 찍을 수 있지요.

―내 동생은 범상한 인물이 아니야. 어떤 이상한 힘이 그를 감싸고 있어…….

―저도 알고 있습니다, 셰나르 공. 바로 그 때문에 제 마법 가운데서도 가장 비장의 수단을 쓸 수밖에 없는 겁니다. 일을 서두르는 것은 중대한 실수가 될 겁니다. 하지만…….

셰나르는 오피르의 입술만을 바라보고 있었다.

―하지만…… 람세스에게 한 가지 시도해볼 것이 있습니다. 승리에 취한 자는 자만하기 마련, 그는 주의를 게을리하고 있을 겁니다. 우리는 그러한 방심의 시기를 이용할 수 있습니다.

20

아무르 지방은 온통 축제 분위기였다. 벤테쉬나는 람세스를 찬양함과 동시에 다시 찾아온 평화를 요란하게 경축하고자 했다. 이집트에 대한 충성을 다짐하는 글이 엄숙하게 파피루스에 기록되었다. 아무르의 군주는 또한 조속한 시일 내에 배를 띄워 이집트의 신전들 앞에 쌓이게 될 레몬나무 재목들을 헌상할 것을 약속했다. 아무르 병사들은 이집트 동료들에 대해 지나칠 정도로 우호적이었고, 포도주는 넘쳐났으며, 수복지구의 여인들은 그네들의 해방군을 유혹하는 데 주저하지 않았다.

세타우와 로투스 역시, 지나치게 과장된 듯한 이런 환희에 속지는 않았다 하더라도 그 축제 분위기에 이끌릴 수밖에 없었고, 그 와중에 뱀에 미친 어느 늙은 마법사를 만나는 행운을 누렸다. 그

지역의 종들이 어떤 특이한 독성이나 이집트 산(産) 뱀들에 버금가
는 공격성을 지닌 것은 아니었지만, 어쨌든 그들 전문가들은 약간
의 전문적인 비밀을 교환할 수 있었다.

주인의 자상한 배려에도 불구하고 람세스의 이마엔 주름이 펴지
지 않았다.

'아무렴, 세상에서 가장 강한 자인 파라오는 어떤 상황에서건 위
엄을 잃어서는 안 되겠지.'

벤테쉬나는 람세스의 태도를 이렇게 해석했다.

하지만 아샤의 견해는 달랐다.

이집트와 아무르의 고급장교들이 참여한 회식이 끝나고 나서, 람
세스는 벤테쉬나가 내어준 왕궁의 테라스로 향했다.

왕의 시선은 북쪽에 고정되어 있었다.

―제가 방해가 된 건 아닙니까, 폐하?

―무슨 일인가, 아샤?

―폐하께서는 저 인심 후한 아무르 군주가 별로 탐탁치 않은 모
양이시군요.

―그자는 한 번 배반했으니 또 배반할 걸세. 하지만 나는 자네의
충고를 따를 것이네. 우리가 그의 악폐를 잘 알고 있으니, 그를 바
꿔칠 까닭이 없잖은가?

―폐하께서 고민하시는 건 그것이 아닐 텐데요.

―내 걱정이 뭔지 알고 있나?

―폐하의 시선은 카데슈를 향하고 있습니다.

―카데슈! 그것은 히타이트 족의 자랑이지. 그들에게는 북부 시
리아에 대한 저들의 지배를 상징하고 우리에겐 이집트를 위협하는
항구적인 위험을 의미하는 카데슈…… 맞았네. 나는 카데슈를 생각
하고 있네.

―그 요새를 공격한다는 것은 히타이트 영향권 안으로 들어서는

것을 의미합니다. 만약 공격을 결정하신다면, 우리는 관례대로 그들에게 선전포고를 해야만 할 겁니다.

—관례라고? 우리 보호령 내에서 반란을 선동한 그놈들은 관례를 따랐나?

—말씀 그대로 그건 우리 보호령 내의 반란일 따름이지요. 반면에 카데슈를 공격하는 것은 이집트와 히타이트 제국 사이의 진짜 국경을 넘어가는 것입니다. 다시 말하면 국가간의 대전쟁을 일으키는 것이지요. 그 전쟁은 몇 달이나 계속될지 알 수 없고, 어쩌면 우리를 파멸시킬 수도 있습니다.

—우리는 준비가 되어 있네.

—아닙니다, 폐하. 몇 번의 전투에서 승전을 거두었다고 자만하시면 안 됩니다.

—자네가 보기엔 우리의 승전이 우스꽝스러운가?

—보잘것없는 군사들을 상대로 한 것일 뿐입니다. 아무르의 병사들은 싸우기도 전에 무기를 던지지 않았습니까. 히타이트 족은 경우가 다릅니다. 게다가 우리 병사들은 모두 기진해 있고, 집에 돌아갈 날만을 손꼽고 있습니다. 곧바로 대규모 전투에 내몬다는 것은 패배를 자초하는 일입니다.

—우리 군대가 그렇게 약해빠졌을까?

—병사들의 몸과 마음은 탈환전에 준비되어 있었을 뿐, 군사적 역량이 우리보다 우위인 히타이트 제국에 대한 공격에는 전혀 준비가 되어 있지 않습니다.

—자네의 그런 신중함이 오히려 역효과를 가져오지는 않을까?

—원하신다면 카데슈 전투는 벌어질 것입니다, 폐하. 하지만 그 전에 철저한 준비가 있어야만 합니다.

—오늘 밤 안으로 결정을 내리겠네.

축제는 끝났다.

새벽부터 전투준비의 명령이 병영에 떨어졌다. 두 시간 후, 충성스런 두 마리의 말이 끄는 전차를 타고 람세스가 모습을 나타냈다. 왕은 갑옷을 입고 있었다.

숱한 병사들의 속이 뒤틀렸다. 병영에 떠돌던 소문이 사실이었단 말인가? 카데슈를 공격하다니…… 히타이트의 철옹성을 향해 행군해서 저 잔인한 야만인들과 정면대결하다니…… 아니다! 왕이 설마 그런 무모한 계획을 세웠으랴. 세티의 지혜를 물려받은 왕은 상대국의 세력권을 존중하고 평화를 공고히 하는 편을 선택할 것이다.

왕은 병사들을 사열했다. 불안하고 잔뜩 긴장한 얼굴들이었다. 어린 병사로부터 경험이 풍부한 고참병에 이르기까지 모든 병사들은 근육이 아플 정도로 뻣뻣한 자세를 유지하고 있었다. 파라오의 입에서 무슨 말이 떨어지느냐에 그들의 운명이 걸려 있었다.

군사 열병식을 좋아하지 않는 세타우는 자기 마차 안에서 배를 깔고 엎드린 채 로투스에게 안마를 부탁했다. 그녀의 벌거벗은 젖가슴이 그의 견갑골을 스쳤다.

벤테쉬나는 자신의 궁전에 틀어박혀 있었다. 그는 조반으로 즐겨 먹던 크림 케이크를 삼킬 수가 없었다. 만일 람세스가 히타이트 족에게 전쟁을 선포한다면, 아무르 지방은 이집트 군의 후방기지로 사용될 테고 주민들은 용병으로 징집당할 판이었다. 람세스가 패배한다면, 히타이트 족은 이곳을 쑥대밭으로 만들 것이다.

아샤는 왕의 의중을 알아보려 했지만, 람세스의 얼굴에선 아무것도 읽어낼 수 없었다.

사열이 끝나자, 람세스는 전차의 방향을 돌렸다. 한순간, 말들은 북쪽 카데슈를 향해 출발하는 것처럼 보였다. 이윽고 파라오는 남쪽의 이집트로 방향을 돌렸다.

세타우는 청동 면도기로 수염을 깎고, 이가 고르지 않은 나무빗으로 머리를 빗고, 벌레를 쫓는 연고를 얼굴에 바르고, 신발을 청소하고, 돗자리를 말았다. 그의 몰골이 아샤만큼 근사한 편은 아니었지만, 평소보다는 좀더 멋있게 보이고 싶었다. 그 곁에선 로투스가 수정 같은 목소리로 웃고 있었다.

이집트 군이 감개무량한 개선길에 오른 이후로 세타우와 로투스는 비로소 마차 안에서 사랑을 나눌 짬이 생겼다. 보병들 사이에선 람세스를 찬양하는 노랫소리가 끊이지 않았으며, 전차를 타고 가던 사람들은 귀한 신분에 소리 높여 노래할 순 없고 그저 콧노래를 흥얼거리는 것으로 만족했다. 그들은 계급 고하를 막론하고 한 가지 점에서 공통되는 의견을 갖고 있었다. 싸우지만 않을 수 있다면, 군인처럼 상팔자가 또 어디 있으랴!

군대는 빠른 속도로 아무르와 갈릴리, 그리고 팔레스타인을 지났다. 그곳의 주민들은 지나가는 이집트 군을 환영했으며 야채나 신선한 과일을 제공하기도 했다.

이집트 군은 귀로의 마지막 단계로 델타의 입구까지 행군하기 전에 시나이로부터 북쪽, 그리고 네겝으로부터 서쪽에 위치한 무척 더운 지역에 야영지를 설치했다. 그곳의 사막 경비대는 유목민들의 이동을 감시했고, 대상들을 보호하고 있었다.

세타우는 희희낙락이었다. 그곳엔 독성이 아주 강한 엄청난 크기의 코브라와 살모사들이 무진장이었다. 로투스는 야영지를 한 바퀴 도는 사이에 평소와 같은 날랜 손놀림으로 벌써 십여 마리의 뱀을 잡아들였다. 뱀을 잡아든 그녀는 자기가 가는 곳마다 병사들이 피해 달아나는 것을 웃음띤 눈으로 바라보았다.

람세스는 사막을 응시했다. 북쪽, 카데슈 쪽을 바라보았다. 아샤가 말했다.

―폐하의 결정은 옳고 현명했습니다.

―적 앞에서 물러서는 것이 현명한 것인가?

―그렇다고 떼죽음당하거나 불가능한 일을 시도하는 것이 현명한 것은 아니지요.

―틀렸네, 아샤. 진정한 용기엔 불가능한 일이 없는 것이야.

―람세스, 생전 처음으로 폐하께서는 저를 겁나게 하고 있습니다. 도대체 폐하께서는 이집트를 어디로 이끌어갈 작정이십니까?

―자네는 카데슈의 위협이 저절로 소멸되리라고 믿나?

―외교라는 것은, 겉으로 보기에는 풀리기 힘든 분쟁도 해결하게 해주지요.

―자네의 외교가 히타이트 족의 무장을 해제시킬 수 있겠나?

―굳이 안 될 이유도 없지요.

―내가 바라는 진정한 평화를 내게 가져다주게, 아샤. 아니면, 나 스스로 그것을 건설하겠네.

그들의 수효는 150명이었다.

베두인이나 또는 히브리 사람들로 구성된 사막의 유랑자들은 길을 잃고 헤매는 대상들을 찾아서 수주일 전부터 네겝 지방을 휩쓸고 다녔다. 그들의 두목은 처형당하기 직전에 군대 영창에서 도망쳤다는 마흔 살가량의 애꾸눈이었다. 삼십 차례나 대상을 습격했고, 스물세 차례나 상인들을 살해한 바 있는 바르고즈는, 같은 패거리의 눈에는 영웅으로 비쳤다.

이집트 군이 지평선에 나타났을 때, 그들은 그것을 신기루라고 믿었다. 전차들, 기병들, 보병들…… 바르고즈와 그의 패거리들은 동굴 속에 몸을 숨겼고, 적이 사라지기 전에는 그곳에서 나오지 않을 작정이었다.

그날 밤, 하나의 얼굴이 바르고즈의 꿈속에 계속 나타났다.

맹금처럼 생긴 머리에 부드럽고 설득력 있는 목소리, 그것은 바르고즈가 젊은 시절 잘 알고 지냈던 리비아인 마법사 오피르의 얼굴이었다. 리비아와 이집트 사이의 어느 오아시스에서 마법사는 그에게 읽고 쓰는 법을 가르쳐주었고, 그를 영매로 이용했었다.

그런데 그날 밤, 그의 위압적인 얼굴이 과거로부터 되살아나 다시금 그윽한 목소리로 바르고즈가 거역할 수 없는 명령을 내리고 있었다.

두 눈이 불타오르고 입술이 하얗게 질린 두목은 부하들을 깨웠다. 그는 까닭을 설명했다.

─큰 게 한 건 생겼다. 나를 따라와.

평소대로 그들은 복종했다. 바르고즈가 이끄는 곳에는 항상 노획할 게 있었다.

그들이 이집트 군 야영지에 가까이 다다르자, 패거리 중 몇몇이 반대하고 나섰다.

─누구를 털자는 얘기야?

─저기…… 제일 화려한 막사…… 거기 보물이 있다.

─전혀 불가능한 일이야!

─보초들은 얼마 없다. 그리고 우리가 공격하리라고는 꿈에도 생각지 않을 거다. 재빨리 해치우고 튀자구. 그러면 우리는 부자가 된다.

사막의 유랑자들 가운데 한 명이 반박했다.

─이들은 파라오의 군대야. 우리가 성공하더라도 결국엔 붙잡히게 될 거야.

─멍청한 놈…… 우리가 계속 이곳에 머물 거라고 생각하나? 저놈들의 황금만 있으면 우리는 왕들보다 더 부자가 된단 말이다!

─황금…….

─파라오가 행차할 때는 엄청난 양의 황금이나 보석을 갖고 다니

기 마련이다. 그는 그것으로 자기 신하들을 산단 말이다.

—누가 그런 걸 가르쳐주었나?

—꿈.

사막의 유랑자는 놀라서 바르고즈를 바라보았다.

—우릴 놀리는 거야?

—나를 따르지 않겠다는 말이냐?

—꿈 때문에 목숨을 걸라고…… 자네 미쳤어?

바르고즈의 도끼가 그의 목을 내리찍었다. 사막의 유랑자는 절반쯤 목이 잘려나갔다. 두목은 죽어가는 자를 발길로 몇 번 내지르다가 그의 머리를 몸통에서 떼어내어 숨을 끊어주었다.

—또 누구 할 말 있는 사람 있나?

149명의 남자들은 포복자세로 파라오의 막사가 있는 곳까지 다가갔다.

바르고즈는 오피르의 명령에 복종할 것이다. 람세스의 다리 하나를 잘라 불구로 만들라는…….

21

보초를 서던 병사들 가운데 몇 명은 졸고 있었다. 다른 자들은 집이나 가족들 생각에 빠져 있었다. 한 병사만이 자기 쪽으로 기어오는 수상한 형체를 발견했다. 하지만 미처 소리를 지르기도 전에, 그의 목은 바르고즈에 의해 꺾여버렸다. 같은 패거리들은 이번에도 역시 두목이 옳았다는 것을 인정하지 않을 수 없었다. 왕의 막사에 접근하는 것은 전혀 어렵지 않았다.

바르고즈는 람세스가 정말 보물을 갖고 있는지는 잘 알지 못했다. 그의 패거리들이 자기한테 속았다는 것을 알아챘을 때 어떻게 해야겠다는 대책도 없었다. 그의 머릿속에는 단 하나의 생각밖에 없었다. 그는 오피르의 말에 복종하고 그럼으로써 그 얼굴과 목소리에서 벗어나고 싶었다.

아무것도 겁내지 않는 그는 커다란 막사의 입구에서 졸고 있던 장교에게 그대로 달려들었다. 바르고즈가 얼마나 맹렬하게 돌격해 왔던지, 이집트인은 칼을 뽑을 시간조차 없었다. 바르고즈의 박치기에 숨이 헉 막혀버린 장교는 발에 짓밟혀 이내 기절해버렸다.

길이 뚫렸다. 파라오가 설령 신이라 하더라도, 이처럼 미친 듯 날뛰는 공격자에게는 저항하지 못하리라.

도끼날이 막사의 입구를 찢었다.

갑작스레 잠이 깬 람세스가 막 몸을 일으키고 있었다. 바르고즈는 도끼를 쳐든 채 왕에게 달려들었다.

엄청난 무게가 그를 덮쳤다. 마치 칼로 살을 후비는 것 같은 격렬한 고통이 등에 느껴졌다. 고개를 돌린 그는, 순간 거대한 사자의 턱이 그의 두개골 위에서 닫히는 것을 보았을 뿐이다. 사자는 잘 익은 과일을 으깨듯이 바르고즈의 머리를 터뜨려버렸다.

바르고즈를 바로 뒤따르던 사막의 유랑자들은 공포에 질려 부르짖었다. 그 소리에 병사들이 잠에서 깨어났다. 두목을 잃고 우왕좌왕 달아나던 도적들은 이내 화살받이가 되었다. 사자는 혼자서 다섯 명을 처치하고, 궁수들이 임무를 썩 잘 수행해내는 것을 확인하고는 주인의 침대 뒤로 어슬렁거리며 돌아가 잠을 청했다.

성난 이집트 병사들은 도적들을 몰살시켰다. 살려달라고 애원하는 도적 하나가 장교의 호기심을 끌었다. 그는 왕에게 알렸다.

─히브리 사람입니다, 폐하.

배에 두 대의 화살이 박힌 도적은 죽어가고 있었다.

─히브리인, 너는 이집트에서 산 적이 있는가?

─아파요…….

장교가 명령했다.

─치료를 받고 싶다면 물음에 대답하라!

─아니요…… 이집트는 아닙니다. 저는 이곳에서만 살았어요.

람세스가 물었다.

—너희 부족은 모세라 불리는 사람을 받아들인 적이 있는가?

—아니요…….

—왜 공격했는가?

히브리인은 알아들을 수 없는 몇 마디를 중얼거리다가 이내 죽어버렸다. 아샤가 왕에게 다가왔다.

—무사하셨군요, 폐하!

—사자가 나를 보호했네.

—이 도적들은 누굽니까?

—베두인 족, 사막의 유랑자들이지. 히브리인도 끼어 있더군.

—이들의 공격은 자살행위였습니다.

—그들로 하여금 이런 무모한 짓을 하도록 부추긴 자가 있겠지.

—히타이트 족의 짓일까요?

—그럴지도 모르지.

—그게 누구라고 생각하십니까, 폐하?

—악마들이야 셀 수 없이 많지 않나.

아샤가 고백했다.

—잠이 오질 않습니다.

—자네 불면증의 원인은 뭔가?

—히타이트 족 때문입니다. 그들은 가만히 있지 않을 겁니다.

—나한테 카데슈를 공격했어야 했다고 말할 참인가?

—우리 보호령의 방어체제를 하루 속히 강화시켜야 한다는 말이지요.

—그게 바로 자네의 다음번 임무야, 아샤.

절약정신이 투철한 아메니는 다시 사용할 생각으로 낡은 서판을 깨끗이 닦고 있었다. 그의 밑에서 일하는 관리들은 왕의 개인비서가 낭비를 싫어하고 물자를 아낀다는 사실을 잘 알고 있었다.

람세스가 이집트 보호령에서 승리를 거두었다는 사실과 곡식이 제대로 자라고 있다는 사실로 피-람세스는 기쁨에 들떠 있었다. 부자건 가난뱅이건 구분 없이 사람들은 모두 왕을 환영할 준비에 여념이 없었고, 도시의 모든 주민들이 참여하게 될 어마어마한 규모의 만찬에 필요한 음식물들을 매일같이 날라오느라 항구는 부산스러웠다.

이러한 특별 휴가기간 동안 농부들은 일손을 잠시 놓고 좀 떨어져 사는 친척들을 방문하였다. 나일 강의 삼각주는 마을들이 들어선 작은 섬들이 군데군데 흩뿌려져 있는 하나의 바다로 변했고, 람세스의 수도는 그러한 대양의 중심에 닻을 내린 배와도 같았다.

아메니만이 홀로 속을 썩이고 있었다. 만일 그가 무고한 사람을 감옥에 넣은 것이라면, 그러한 불의는 저승의 심판의 저울에 죄의 무게를 크게 더할 것이었다. 하물며 그 무고한 자가 람세스의 심복인 바에야. 서기관은 계속해서 자신의 무죄를 주장하고 있는 세라마나를 차마 찾아가볼 수 없었다.

아메니가 이번 사건의 가장 중요한 증인인 세라마나의 정부 네노파르에 대해 조사를 의뢰했던 경찰관이 저녁 무렵 그의 사무실에 출두했다.

─어떤 성과가 있었습니까?

경찰관은 다소 뜸을 들이고 나서 대답했다.

─있었지요.

아메니는 크게 안도했다. 드디어 뭔가 확실해지겠구나!

─네노파르?

─그녀를 찾았습니다.

─왜 데려오지 않았나요?

─죽었습니다.

─사고인가요?

─그녀의 시체를 검시한 의사에 의하면 사고사는 아니랍니다. 그녀는 교살당했습니다.

─교살…… 그렇다면 누군가가 우리의 증인을 제거하고자 했군요. 하지만 왜? 그녀가 우리에게 거짓말을 했고, 이제는 필요 이상으로 떠들어댈 위험이 있기 때문인가?

─실례가 될지 모릅니다만, 그녀의 죽음은 세라마나의 혐의에 의문을 제기하는 것이 아닐까요?

아메니의 안색이 어느 때보다 더 창백해졌다.

─나한테 있는 건 세라마나에게 불리한 증거들뿐입니다.

경찰관은 말했다.

─증거라…… 그렇다면 끝난 얘기지요.

─아니, 끝난 게 아닙니다! 누군가가 세라마나에게 죄를 덮어씌우기 위해 그 네노파르란 여자를 매수한 것이라고 가정해봅시다. 그런데 그녀가 법정에 출두하는 것에 겁을 먹고, 규범 앞에서 진실만을 말하겠다고 선서해놓고서 거짓 증언을 해야 한다는 것에 두려움을 느꼈다고 해봅시다. 그렇다면 그녀를 매수한 자에게는 다른 선택의 여지가 없었을 겁니다. 그녀를 제거할 수밖에 없었겠죠. 물론 우리에겐 여전히 확실한 물증이 있습니다. 하지만 만일 그게 가짜라면, 누군가가 세라마나의 필체를 흉내낸 것이라면?

─그건 어려운 일이 아니었을 겁니다. 세라마나는 매주 공문을 작성해서 국왕 친위대의 병영 문에 붙여놓았으니까요.

─세라마나는 어떤 음모의 피해자다…… 당신은 그렇게 생각하는군요, 그렇지 않습니까?

경찰관은 고개를 끄덕였다. 아메니가 말했다.

─어쩌면 네노파르를 죽인 범인이 체포될 때까지 기다릴 것 없이, 아샤가 돌아오는 대로 세라마나의 무죄를 밝힐 수 있을지도 모

르겠군요. 그 사건에 대해선 어떤 단서라도 있습니까?

―네노파르는 싸운 흔적이 없습니다. 살인자는 그녀와 잘 아는 사이일 가능성이 높습니다.

―그녀의 시체는 어디서 발견했지요?

―상업지구의 작은 주택입니다.

―주택의 소유주는?

―집이 비어 있었기 때문에 알 수 없었죠. 이웃들로부터도 쓸 만한 정보는 얻을 수 없었습니다.

―토지대장을 조사하면 혹시 뭔가 알아낼지도 모르겠군요. 그 이웃들은 뭔가 수상쩍은 사람을 보지 못했답니까?

―눈이 반쯤 먼 어느 할머니 말로는 키가 작은 남자 하나가 한밤중에 그 집에서 나오는 것을 봤다는데, 인상착의는 알아낼 수 없었습니다.

―네노파르의 남자관계를 조사해본다면?

―거의 불가능한 일입니다. 어쨌거나 세라마나는 그녀가 낚아올린 월척이 아니었을까요?

네페르타리는 미지근한 물로 오랫동안 샤워했다. 두 눈을 감은 채 그녀는 점점 가까이 다가오는 행복의 순간, 람세스가 돌아오는 순간을 꿈꾸고 있었다. 그의 부재는 그녀에게 형벌과도 같았다.

시녀들은 피부를 건조시키고 정화시키는 효능을 가진 재와 천연 탄산소다를 그녀의 몸에 부드럽게 문질렀다. 왕비는 뜨거운 포석 위에 몸을 뉘었다. 시녀 하나가 테레빈 나무와 레몬과 기름을 혼합해 만든 연고를 발라가며 그녀의 몸을 마사지했다. 그녀에게선 하루 종일 향기로운 냄새가 가시지 않을 것이다.

시녀들은 네페르타리의 손톱과 발톱도 다듬었다. 화장을 담당한 시녀는 왕비의 눈가에 장식과 보호를 겸하는 연녹색의 선을 그려넣었다. 람세스의 도착이 멀지 않았기 때문에, 그녀는 안식향과 소합향을 주성분으로 만든 축제의 향수를 왕비의 풍성한 머리칼에 뿌렸다. 그러고 나서 그녀는 네페르타리에게 반들반들한 청동거울을 내밀었다. 거울의 손잡이는 하토르 여신의 아름다움을 상징하는 벌거벗은 젊은 처녀의 형상을 하고 있었다.

왕비는 다듬어진 가발을 썼다. 그 탐스러운 머리채는 그녀의 가슴에까지 드리워졌다. 거울에 비친 모습은 매혹적이었다. 시녀가 중얼거렸다.

─감히 말씀드린다면, 폐하께서 이처럼 아름다우셨던 적은 없었어요.

네페르타리는 미소지었다. 옷을 담당한 시녀들은 궁전의 길쌈 공방에서 갓 만들어낸 하얀 옷을 왕비에게 입혔다.

왕비가 옷폭을 확인하기 위해 자리에 앉자마자, 귀가 축 늘어지고 꼬리가 둘둘 말린 통통한 노란 개가 그녀의 무릎 위로 뛰어올랐다. 방금 전에 물을 뿌린 정원에서 들어온 그놈은 왕비의 옷을 온통 진흙투성이로 만들어버렸다.

질겁한 시녀 하나가 파리채를 집어들고 개를 때리려 했다. 네페르타리가 명령했다.

─내버려두어라! 이 녀석은 폐하의 개야. 이 녀석이 이런 행동을 하는 데에는 다 까닭이 있을 거다.

장밋빛의 부드럽고 축축한 혀가 왕비의 뺨을 핥으며, 화장을 지워버렸다. 노란 개는 그 커다란 두 눈에 뭐라 형용할 수 없는 기쁨을 가득 담고 있었다.

─내일부터는 폐하께서 여기에 계시겠구나, 그렇지?

노란 개는 왕비의 어깨에 앞발을 얹고 신이 나서 꼬리를 흔들어댔다. 녀석은 틀리지 않았다.

22

요새와 감시 보루들의 병사들이 봉화를 피워 소식을 알려왔다. 람세스가 돌아오고 있다.

수도는 이내 흥분의 도가니로 변했다. 라 신전에 이웃한 거리에서 항구 근처의 공방들에 이르기까지, 고급관리들의 별장에서 소시민들의 주택에 이르기까지, 궁전에서 창고에 이르기까지, 사람들은 모두 자기에게 맡겨진 일을 완수하고 왕이 피-람세스에 입성하는 역사적인 순간을 대비하기 위해 분주히 뛰어다녔다.

대전 집사장 로메는 점점 심해지는 대머리를 짧은 가발로 감추고 있었다. 나흘 동안 잠을 못 잔 그는 아랫사람들을 닦달하고 있었다. 그가 보기엔 전부가 느려터졌고 일을 대충 해치우려 했다. 왕의 식탁을 준비하는 데만도, 수백 덩어리의 구운 소고기, 수십 마리의 훈제 거위, 2백 바구니의 어포와 육포, 오십 단지의 크림, 백여 접시의 양념한 생선요리 등이 필요했고 야채와 과일은 말할 것도 없었다. 포도주는 좋은 것이어야 하며, 맥주 역시 마찬가지다. 그리고 가장 가난한 사람들도 이날만은 왕의 영광과 이집트의 행복에 동참할 수 있도록 도시의 여러 구역들에 만찬이 준비되어야 했다. 조그마한 차질이라도 생긴다면, 누가 손가락질당하는가? 바로 로메 자신이 아니겠는가?

그는 배달 내역을 적은 파피루스를 들여다보았다. 고운 밀가루로 만든 갖가지 형태의 빵들이 천 개, 금빛으로 구어낸 바삭바삭한 미슈(둥그스름한 빵의 일종 —역주)가 2천 개, 꿀과 카루브(카루비아라 불리는 콩과 식물의 열매 —역주)의 즙을 섞고 거기에 무화과를 넣은 케이크가 2만 개, 잔에 차려내야 할 포도가 352부대, 112개의 석류와 그만큼의 무화과…….

술 담당 시종이 소리쳤다.

—저기 오시나봐요!

주방의 지붕 위에 올라가 있던 설거지 담당이 커다란 몸짓으로 신호를 보내오고 있었다.

—그럴 리가…….

—맞아요, 왕이 틀림없어요!

설거지 담당은 지붕에서 뛰어내렸고, 술 담당은 수도의 넓은 가로수 길을 향해 달려갔다.

로메가 부르짖었다.

—자리를 뜨지 마!

일 분도 안 되어 주방과 궁에 딸린 부속건물들은 텅텅 비었다. 로메는 길이 3피트 가량의 걸상 위에 털썩 주저앉았다. 누가 저 포도송이들을 부대에서 꺼내어 솜씨 있게 차려낸단 말인가?

그는 사람들을 사로잡았다.

그는 태양이요, 힘센 황소요, 이집트의 보호자요, 또한 정복자였다. 위대한 승리의 왕, 바로 신성한 빛에 의해 선택된 왕이었다.

람세스가 거기 있었다.

황금관을 쓰고 은빛 갑옷과 금빛 테두리를 단 옷을 입고 왼손엔 활을, 오른손엔 검을 든 그는 아샤가 몰고 있는 백합으로 장식된 전차 위에 늠름하게 서 있었다. 불타오르는 듯한 갈기를 가진 누비아의 사자는 말들과 같은 속도로 전진하고 있었다.

람세스는 힘과 빛을 하나로 결합하고 있었다. 그의 모습은 가장 완벽한 파라오, 바로 그것이었다.

군중들은 서로 밀쳐대며 아몬 신전으로 향하는 긴 행렬을 뒤따르고 있었다. 축제의 향을 뿌린 꽃다발을 손에 든 채 음악가들과 가수들은 왕의 개선을 축하하는 노래를 불렀다. 노래는 이렇게 읊고 있다. "람세스의 모습만 보아도 마음이 즐거워라." 사람들은 단 한 순간이라도 왕의 모습을 보고자 그가 지나는 길에 몰려들었다.

성스런 공간의 입구에는 왕비 네페르타리가 기다리고 있었다.

'두 개의 땅'의 왕비, 그녀의 왕관의 두 깃은 하늘에 닿아 있었고, 청금석 풍뎅이로 장식된 금목걸이는 부활의 비밀을 간직하고 있었다. 그녀의 손에는 영원한 규범, 마아트의 상징인 쿠데(고대 이집트의 길이를 재는 도구, 혹은 길이의 단위로서 '팔꿈치길이'를 가리킨다—역주)가 들려 있었다.

람세스가 전차에서 내리자 군중은 침묵했다.

왕은 천천히 왕비 쪽으로 걸어갔다. 그는 왕비로부터 3미터 떨어진 곳에서 걸음을 멈추고, 활과 검을 땅에 내려놓고 오른쪽 주먹을 쥐어 가슴에 갖다대었다.

—마아트를 감히 바라보는 그대는 누구인가?

—빛의 아들이다. 신들의 정의를 지키는 자이며, 강한 자와 약한

자 사이에 어떤 차별도 두지 않는 자이다. 나는 안에서건 밖에서건 이집트를 불행으로부터 지켜내는 자이다.

─그대는 신성한 땅에서 멀리 떨어진 곳에서도 마아트를 지켰는가?

─나는 규범을 지켰으며, 이제 내 모든 행동을 규범 앞에 심판받고자 한다. 그리하여 이집트는 진리 속에 강성해지리라.

네페르타리는 황금 쿠데를 높이 쳐들었고, 그것은 태양 아래 찬란한 빛을 발했다.

군중들의 환호가 터져나왔다. 오랫동안 군중은 그들의 왕을 연호했다. 셰나르까지도 분위기에 압도당해 동생의 이름을 웅얼거리지 않을 수 없었다.

아몬 신전의 안뜰에는 '용기의 황금' 수여식에 참석하기 위해 피-람세스에서 달려온 귀족들을 비롯해 많은 귀족과 장군들이 엄격한 심사를 거쳐 입장해 있었다. 파라오가 누구누구에게 훈장을 달아줄 것이며, 또한 누가 영전하게 될 것인가? 몇몇 이름들이 사람들 입에 올랐고, 심지어 내기가 벌어지기도 했다.

왕과 왕비가 연단에 모습을 드러내자, 웅성대던 사람들이 숨을 죽였다. 맨 앞에 도열해 있던 장군들은 서로 곁눈질을 하며 기대에 부풀어 있었다.

두 명의 시종은 연단 아래로 행운의 수상자들을 인도할 준비를 갖추고 있었다. 비밀은 제대로 유지되었다. 궁중의 수다스런 여자들조차도 수상자가 누구인지 감도 잡지 못했다.

람세스가 선언했다.

─내 전사들 가운데 가장 용감한 자에게 먼저 영광이 돌아가리라. 파라오의 생명을 구하기 위해 자신의 생명을 내던지는 데 결코 주저하지 않았던 전사, 학살자, 앞으로 나오라.

겁에 질린 참관자들이 두 갈래로 갈라지면서 사자에게 길을 내주었다. 사자는 모든 사람들의 시선이 자기에게 쏠리는 것에 즐거움을 느끼는 것처럼 보였다. 거대한 사자는 엉덩이를 좌우로 흔들면서 유연한 걸음으로 연단까지 나아갔다. 람세스는 몸을 굽혀 사자의 머리를 쓰다듬어주고, 그 목에 가느다란 황금줄을 걸어주었다. 그것으로 이 짐승은 궁정에서 가장 눈에 띄는 지위의 인사들 가운데 하나가 되는 셈이었다. 만족한 사자는 스핑크스의 자세로 그 자리에 엎드렸다.

왕은 시종들에게 두 사람의 이름을 나직이 말했다. 사자를 멀리 우회한 시종들이 장군들의 열을 지나치고, 이어서 고급장교들의 열도 지나, 마지막으로 서기관들의 열마저 지나쳤다. 어리둥절해 있는 사람들의 시선을 받으며 시종들은 뒤에 뻐딱하게 서 있는 세타우와 로투스에게 따르라고 말했다. 땅꾼은 고개를 저으며 사양했지만, 그의 어여쁜 아내가 그의 손을 잡아끌었다.

가냘픈 몸매에 피부가 금빛으로 빛나는 누비아 여인을 바라보며 사람들은 신선한 기쁨을 느꼈다. 하지만 주머니투성이의 영양가죽 옷에 파묻힌 세타우의 촌스런 모습에는 고개를 저었다.

람세스가 말했다.

─다친 병사들을 치료하고 수많은 생명을 구해낸 자들에게 영광이 돌아갈지어다. 그들의 의술과 헌신 덕분에 용맹스런 병사들은 고통을 이겨낼 수 있었고, 고향을 다시 찾을 수 있었다.

왕은 몸을 굽혀 세타우와 로투스의 손목에 여러 개의 황금 팔찌를 채워주었다. 아름다운 누비아 여인은 감동하였고, 땅꾼은 뭔가 투덜거렸다.

람세스는 말했다.

─나는 세타우와 로투스에게 왕궁 실험실을 맡길 것이다. 그들은 뱀의 독으로 치료제를 만드는 일과 그것을 온 나라에 고루 분배하

는 임무를 맡게 될 것이다.

세타우가 웅얼거렸다.

―젠장, 나는 사막의 내 집이 더 좋은데…….

네페르타리가 그에게 물었다.

―우리와 좀더 가까이 지내는 것이 싫으신가요?

왕비의 미소가 불평쟁이의 마음을 누그러뜨렸다. 그 미소 앞에서 세타우는 반쯤 넋이 나간 표정으로 말했다.

―폐하…….

―그대가 왕궁에 계신다면 우리로선 영광일 거예요.

당황한 세타우는 얼굴을 붉혔다.

―폐하의 말씀대로 따르겠습니다.

장군들은 상당히 충격을 받았음에도 함부로 비난하는 일은 삼가고 있었다. 그들 역시 한두 번은 소화불량이나 호흡곤란을 고치기 위해 세타우와 로투스의 의술에 도움을 청하지 않았던가? 땅꾼과 그의 아내는 출정기간 동안 그들의 위치를 제대로 지켰다. 그들의 포상이 비록 장교들의 눈에 좀 과하게 비친 것은 사실이지만, 전혀 부당한 것만은 아니었다.

이제 남은 것은 과연 누가 파라오로부터 직접 명령을 하달받는 이집트 군 총사령관의 자리에 발탁되느냐였다. 이것은 상당히 중요한 일이었는데, 그 자리를 차지하는 행운아가 누구냐에 따라 향후 람세스가 취할 군사정책 방향이 드러나기 때문이었다. 장군들 가운데 가장 연로한 자를 선택한다면 그것은 대외정책의 후퇴와 수동성을 증명하는 것이고, 전차부대의 대장이라면 전쟁이 임박했음을 알리는 것이었다.

두 명의 시종이 아샤를 둘러쌌다.

기품 있고 우아한 젊은 외교관은 국왕 부처를 향해 존경스런 시선을 들었다.

람세스가 선언했다.

—내 소중하고 변함없는 친구여, 내게 귀한 충고를 해준 자네를 치하한다. 그대 역시 위험에 몸을 내던지기를 마다하지 않았고, 상황이 그것을 요구할 때 나로 하여금 계획을 변경하도록 설득할 줄도 알았다. 우리는 평화를 되찾았다. 하지만 언제 다시 깨질지 모르는 평화다. 우리는 신속한 개입으로 반도들을 일망타진했지만, 이번 소요의 배후인 히타이트 족은 어떤 반응을 보일 것인가? 우리는 가나안의 우리 요새들에 수비대를 다시 조직해놓았고, 적의 기습적인 보복공격에 가장 위험하게 노출된 아무르 지방에 군대를 주둔시켰다. 하지만 새로운 반란이 터지는 것을 막기 위해서는 보호령 내의 방어력을 상호 연대시켜야 한다. 나는 그 일을 그대에게 맡긴다. 차후 이집트의 안전은 그대의 어깨에 놓일 것이다.

아샤는 몸을 굽혔다. 람세스는 그의 목에 세 줄의 황금 목걸이를 걸어주었다. 젊은 외교관은 이제 이집트의 거물급 인사가 된 것이다.

장군들은 기가 막혔다. 그렇게 막중한 임무를 저런 풋내기 귀족에게 맡기다니, 가당치 않았다. 왕은 지금 엄청난 실수를 저질렀다. 이처럼 군의 위계질서를 무시하는 처사는 도저히 용납할 수 없었다.

세나르는 외무성의 협력자를 잃었다. 하지만 그의 소중한 동지는 더 힘이 강해졌다. 아샤를 그러한 막중한 자리에 임명함으로써, 람세스는 스스로의 파멸을 향해 달려가고 있다. 세나르에게 그날 행사 가운데 뜻밖에 기분좋은 순간이 있었다면, 아샤와 그가 은밀한 시선을 주고받은 바로 그 순간이었다.

노란 개와 사자는 다시 만난 것을 몹시 기뻐했다. 람세스는 그들을 데리고 신전을 나와 다시 전차에 올랐다. 그는 지켜야 할 약속이 한 가지 있었다.

호메로스는 더 젊어진 것 같았다. 그는 레몬나무 아래 앉아서 대추야자 열매의 씨를 빼고 있었다. 신선한 고기를 포식한 고양이는 무심한 눈길로 그것을 바라보고 있었다.

─행사에 나가보지 못해서 유감입니다, 폐하. 제 늙어빠진 다리가 이제는 게을러진 데다가 몇 시간을 서 있지도 못하게 하는군요. 이렇게 건강한 모습을 뵈니 정말 기쁩니다.

─전에 직접 만드셨다던 그 야자즙 맥주를 좀 주시겠습니까?

저녁 나절의 평온 속에서 두 사람은 그 미묘한 맛의 음료를 마셨다.

─선생은 내게 아주 드물게 있는 즐거움을 가져다주십니다, 호메로스. 한순간이나마 내가 다른 사람들과 똑같은 평범한 사람이라고 믿게 되는 그런 즐거움 말입니다. 내일 일을 생각지 않고 평온을 즐길 수 있다니…… 선생의 『일리아드』는 진전이 있었습니까?

호메로스는 레몬나무를 응시하며 나직한 음성으로 천천히 말했다.

─그것은 마치 제 기억이 그렇듯 살인과 시체와 배신과 신들의 음모 등으로 점철되어 있지요. 하지만 인간이란 과연 그들 자신의 광기말고 또다른 운명을 가지고 있던가요?

─우리 백성들이 염려하던 큰 전쟁은 터지지 않았습니다. 이집트의 보호령들은 우리 품으로 되돌아왔지요. 그곳에 나는 우리와 히타이트 사이에 누구도 건널 수 없는 보호지대를 만들 생각입니다.

─이토록 용감무쌍한 젊은 군주께서 그런 지혜까지 겸비하셨다니…… 폐하께 프리아모스의 신중함과 아킬레우스의 용맹스러움이 기적적으로 한데 결합해 있는 것 같습니다.

─히타이트 족은 우리의 승리에 심기가 많이 불편할 것입니다.

이 평화는 잠시의 휴식에 불과합니다…… 내일, 세계의 운명이 카데슈에서 판가름날 겁니다.

　―왜 이렇듯 부드러운 저녁에 내일이 있어야만 할까요. 신들은 정말로 잔인하지요.

　―오늘 밤 향연에 제 손님이 되어주시겠습니까?

　―일찍 돌아올 수만 있다면 좋지요. 제 나이엔 푹 자는 것이 가장 중요한 미덕이랍니다.

　―선생은 전쟁이 더이상 존재하지 않는 그런 세계를 꿈꾸신 적이 있습니까?

　―『일리아드』를 쓰면서 저는 사람들이 자신들의 파괴본능 앞에서 뒷걸음질칠 수밖에 없게끔 전쟁을 끔찍하게 묘사하려고 노력하지요. 하지만 어디 정복자들이 늙은 시인의 목소리에 귀를 기울이던가요?

23

투야의 날카롭고 엄격한 두 눈이 람세스를 보자, 이내 부드럽게 젖어들었다. 그녀는 오랫동안 왕을 바라보았다.

—정말 아무 데도 다친 곳이 없으신가?

—제가 어머님 앞에 무얼 숨길 수 있다고 생각하십니까? 어머님은 정말 여전히 아름다우신데요!

—이마와 목에 주름이 늘었다오. 가장 좋은 화장법도 기적을 이루지는 못하더군요.

—아직 젊으신데요, 뭐.

—세티 때문이겠지요, 아마…… 파라오께서 누리고 있는 청춘은 나한테는 어느덧 낯선 것이 돼버렸다오. 하지만, 이렇게 기쁜 저녁에 옛일은 생각해서 뭣하겠소? 향연이 있을 텐데, 내 자리를 잘 지

켜야겠지요.

왕은 어머니를 부드럽게 껴안았다.

―어머님은 이집트의 영혼이십니다.

―아니오, 람세스. 나는 이집트의 기억일 뿐이오. 파라오께서 자랑스러워해야 할 과거의 그림자일 뿐이지요. 이집트의 영혼은, 바로 왕과 왕비라오. 그래, 파라오께서는 지속적인 평화를 구했나요?

―평화는 구했습니다. 하지만 지속적인 것은 아닙니다. 저는 아무르를 포함해서 우리 보호령들에 이집트의 권위를 회복시켰습니다만, 히타이트 쪽에서 격렬한 반응을 해오지 않을까 걱정입니다.

―파라오께서는 카데슈를 공격할 생각이었겠지, 그렇지요?

―아샤가 만류했습니다.

―그가 옳았어요. 세티께서도 그 전쟁을 피하셨지. 우리의 피해가 심각하리라는 걸 아셨던 거요.

―세월이 바뀌지 않았습니까? 카데슈는 더이상 방관할 수 없는 위협이 되어버렸습니다.

―손님들이 기다리겠소.

람세스와 네페르타리, 그리고 투야가 주재하는 성대한 연회는 한 치의 어긋남도 없이 훌륭히 진행되었다.

로메는 연회장에서 주방으로, 주방에서 연회장으로 쉴새없이 뛰어다니면서 접시들을 일일이 검사했고 소스를 맛보았으며 포도주를 시음했다.

세타우와 로투스, 그리고 아샤는 명예의 자리를 차지했다. 젊은 외교관은 화가 나 있는 장군들 가운데 두 사람을 그 뛰어난 화술로 사로잡아버렸다. 로투스는 그녀의 아름다움을 찬미하는 수많은 남자들에 둘러싸여 즐거워했고, 그 동안에 세타우는 끊임없이 맛있는 요리들로 채워지는 자신의 백대리석 접시에 모든 정신을 집중하고 있었다.

귀족들과 군인들은 내일의 걱정을 모두 잊고 휴식의 밤을 함께 보냈다.

마침내 람세스와 네페르타리는 십여 개의 꽃다발로 향기 가득한 궁전의 침실에 단둘이 있게 되었다. 자스민 향이 짙게 풍겼다.

—사랑하는 여인과 몇 시간 함께 지내기 위해 몰래 도망쳐야 하다니…… 왕이란 게 이런 것인가?

—너무 오래 떠나 계셨어요…….

그들은 서로 어깨를 붙이고 손을 잡은 채 침대에 누워 재회의 기쁨을 만끽했다. 그녀가 말했다.

—이상한 일이에요. 당신이 없는 동안 저는 무척 괴로웠어요. 하지만 당신은 항상 내 마음속에 계셨지요. 매일 아침 새벽 제의를 올리기 위해 신전에 가면 당신 모습이 벽에서 튀어나와 내 손을 이끌어주셨지요.

—이번 원정에서 가장 힘든 순간에도 당신 얼굴은 나를 떠나지 않았소. 항상 내 주위에 당신이 있는 것을 느꼈소. 마치 당신이 이시스의 날갯짓을 하는 것 같았소. 오시리스를 부활시키기 위해서 말이오.

—그것은 바로 우리의 결합을 완성하는 주술이에요. 그 무엇도 그것을 파괴해서는 안 돼요.

—누가 그럴 수 있겠소?

—이따금 저는 차가운 그림자를 느껴요…… 다가왔다가 멀어지고 다시 가까워졌다가 사라지는…….

—만약 그런 게 존재한다면 내가 없애버리겠소. 하지만 나는 당신 눈 속에서 부드럽고도 강렬한 빛밖에는 볼 수 없는걸.

람세스는 옆으로 몸을 일으켜 네페르타리의 완벽한 몸매를 감상했다. 그는 그녀의 머리를 풀었고 천천히 아주 천천히 그녀의 옷을 벗겼다. 그녀는 몸을 떨며 람세스의 품을 파고들었다.

―춥소?

―너무 멀리 계세요.

그는 그녀 위로 몸을 눕혔다. 그들의 몸과 욕망이 하나로 결합하며 깊은 신음을 토했다.

이른 아침, 샤워를 하고 천연 탄산소다로 입을 헹군 아메니는 사무실에 들어가 보리죽, 야구르트, 치즈, 무화과 등으로 차려진 조반을 책상으로 옮겼다. 시간을 아끼기 위해 그는 아침을 사무실로 가져오게 했다. 아메니는 책상에 펼쳐진 파피루스에서 눈을 떼지 않은 채 서둘러 아침을 먹었다.

타일 바닥에 부딪치는 가죽샌들 소리가 그를 놀라게 했다. 부하 직원인가, 이렇게 이른 시각에? 아메니는 천으로 입술을 닦으며 입구 쪽을 응시했다.

―람세스!

―어제 연회에는 왜 오지 않았나?

―보시지요. 할 일이 저렇게 많아요. 저 서류들은 자기들끼리 새끼를 치는 것 같다니까요. 게다가 나는 사교를 싫어합니다. 폐하께서도 잘 아시잖습니까. 나는 폐하께 그 간의 업무집행 결과를 보고하기 위해, 안 그래도 오늘 아침 접견을 요청할 생각이었지요.

―자네가 잘해냈으리라고 확신하네.

어렴풋한 미소로 아메니의 겉늙은 얼굴이 한결 활기를 띠었다. 람세스의 신뢰야말로 그에게는 가장 소중한 재산이었다.

―근데…… 이렇게 이른 시각에 웬일이십니까?

―세라마나 때문일세.

─나도 바로 그 문제를 보고할 작정이었어요.

─이번 원정 동안 우리에겐 그가 절실하게 필요했네. 그를 반역죄로 고발한 것은 바로 자네야, 그렇지 않나?

─증거는 너무나 명백해요, 하지만…….

─하지만?

─재조사를 시작했습니다.

─왜?

─어떤 속임수에 놀아났다는 느낌이 들어서 그럽니다. 그리고 세라마나에게 불리한 그 증거들이라는 게 점점 더 설득력을 잃어가고 있어요. 그를 고발한 네노파르란 여자가 살해당했어요. 그가 히타이트 족과 공모했다는 걸 보여주는 문서로 말하면, 나는 빨리 그것을 아샤에게 확인해보고 싶어 안달이 날 지경입니다.

─아샤에게? 그를 깨우세, 지금.

아샤가 아메니에게 품었던 의혹은 사라졌다. 그 기쁨을, 왕은 혼자서만 누리기로 작정했다.

꿀을 섞은 신선한 우유가 아샤를 깨웠다. 그는 간밤의 애인을 자신의 안마사와 미용사의 능숙한 손에 맡겼다. 외교관은 눈을 비비며 말했다.

─만약 폐하께서 몸소 납시지 않았다면, 저는 눈을 뜰 용기가 없었을 것입니다.

람세스가 말했다.

─눈은 됐고, 자네 귀도 열게나.

아샤가 아메니를 바라보며 물었다.

─왕과 그의 비서는 도대체 잠도 안 자나?

아메니가 말했다.

─실수로 감옥에 갇힌 것일지도 모르는 한 사람의 운명이 달려

있으니, 잠을 방해할 만도 하지.

—누구 얘기를 하는 건가?

—세라마나.

—하지만…… 바로 자네가…….

—이 서판을 좀 들여다보게.

아샤는 눈을 비비고 세라마나가 그의 히타이트 연락원에게 보내려 했다던 메시지를 읽었다. 전투가 있을 경우 자신의 정예부대를 투입시키지 않겠다는 약속을 담고 있었다.

—이게 무슨 장난인가?

—왜 그런 말을 하지?

—히타이트 조정의 인물들은 모두 극도로 민감하네. 그들은 형식을 굉장히 따지지. 비밀 통신문도 마찬가지야. 이런 종류의 편지가 하투사까지 도달하려면 몇 가지 형식에 따라 씌어져야 하는 걸세. 근데 이 편지엔 전혀 그런 게 없군.

—그렇다면 누군가가 세라마나의 필체를 흉내낸 것이군!

—어렵지 않았겠지. 그의 필체라는 게 워낙 단순하니까…….

람세스가 서판을 살펴보며 말했다.

—뭔가 특이한 점은 눈에 띄지 않나?

아샤와 아메니는 생각에 잠겼다. 람세스가 웃으며 말했다.

—멤피스 대학 '캅' 출신이라면 좀더 머리회전이 빨라야 하지 않겠나.

아샤가 변명했다.

—아침 시각입니다, 폐하. 한 가지, 이 글을 쓴 사람은 시리아인이 틀림없어요. 우리 말을 잘하고는 있지만, 문장 가운데 두 군데의 어법이 시리아어의 특징을 드러내고 있습니다.

아메니가 말을 받았다.

—시리아인! 그렇다면 세라마나의 정부인 네노파르를 매수해서

거짓증언을 하게 한 자가 시리아인이라. 동일인임에 틀림없어요. 그녀가 함부로 입을 놀릴까 두려워 그자는 불가피하게 그녀를 제거해버린 것 같습니다.

아샤가 소리쳤다.

—여자를 살해하다니! 끔찍하군.

람세스가 환기시켰다.

—이집트에는 수천 명이 넘는 시리아 사람들이 있네.

아메니가 말했다.

—그가 어떤 실수, 아주 작은 실수라도 저질렀기를 기대해야지요. 나는 행정적인 조사에 착수하겠습니다. 어떤 단서를 찾게 될 겁니다.

람세스가 말했다.

—그자는 필경 단순한 살인범은 아닐 거야.

아샤가 물었다.

—무슨 뜻입니까?

—히타이트 족과 선이 닿아 있는 시리아인이라…… 우리 영토 내에 히타이트 첩보망이 조직되었단 말인가?

—세라마나를 모함하려 했던 자와 우리의 대적을 직접적으로 연결시켜주는 증거는 아무것도 없습니다.

아메니가 아샤의 아픈 곳을 건드렸다.

—자네, 자존심 상하니까 그런 반론을 펴는 거 아냐? 이집트의 정보부장으로서 방금 전혀 유쾌할 것 없는 사실을 하나 발견한 것이니까 말일세!

아샤가 인정했다.

—오늘 하루 시작이 고약하군. 당분간은 파란이 많겠는걸.

람세스가 명령했다.

—그 시리아인을 하루 속히 찾아내게.

세라마나는 감방에서 나름대로 단련을 하고 있었다. 그는 계속 자신의 무죄를 주장하면서, 한편으론 주먹으로 벽을 무너뜨리려 했다. 재판이 열리는 날, 그는 그게 누구건 자신을 고발한 자의 목을 분질러버릴 참이었다. 왕년의 해적의 심술에 겁을 먹은 간수들은 나무 창살을 통해 그에게 음식물을 건네주었다.

마침내 감방 문이 열렸을 때, 세라마나는 감히 그와 마주하려는 자를 때려눕혀버리고 싶었다.

─폐하!

─이 고약한 곳에서 그렇게 상한 모습은 아니구먼, 세라마나.

─저는 폐하를 배반하지 않았습니다!

─실수였네. 자네는 애매하게 피해를 당했어. 그래서 내가 자네를 풀어주려고 이렇게 오지 않았나.

─이 닭장 같은 곳에서 정말 나가게 되는 겁니까?

─왕의 말을 의심할 텐가?

─아직도 저를…… 믿으시는 겁니까?

─자네는 내 친위대의 대장이 아닌가?

─그렇다면, 폐하. 모든 걸 말씀드리겠습니다. 제가 알고 있는 모든 걸, 제가 의심하는 모든 걸, 바로 그 때문에 누군가가 제 입을 막으려 했던 모든 진실을 말입니다.

24

람세스와 아샤, 그리고 아메니가 바라보는 가운데 세라마나는 엄청난 식욕을 과시하고 있었다. 궁전 식당에 편하게 자리잡은 그는 비둘기고기 수프, 소갈비구이, 거위기름에 튀긴 잠두콩, 수박, 염소 치즈 등을 입에 몰아넣었다. 이따금 생각났다는 듯 붉은 포도주를 단지째 들이키면서.

실컷 먹고 난 그는 험상궂은 눈으로 아메니를 바라보았다.

―왜 나를 가뒀나, 서기관?

―사과하겠네. 나는 농락당했을 뿐만 아니라, 군대가 곧 출정한다는 사실 때문에 너무 서둘러 일을 처리하고 말았네. 내 의도는 오로지 폐하를 보호하자는 것이었어.

―사과라…… 내 대신 감옥에나 가보라지. 그럼 그 맛을 알게 될

거다! 네노파르는 어디 있나?

아메니가 대답했다.

—죽었네. 살해당했어.

—불쌍할 것도 없지. 누가 그년을 뒤에서 조종했나? 나를 제거하려 했던 게 누구야?

—아직은 우리도 모르네. 하지만 알게 되겠지.

—난 알아!

왕이 말했다.

—말해보게.

세라마나의 말투에 힘이 들어갔다.

—폐하, 이미 말씀드린 바 있습니다. 아메니가 저를 체포했을 때 저는 폐하의 심기를 편치 않게 할 만한 몇 가지 사실을 폭로할 참이었습니다.

—듣고 있다, 세라마나.

—저를 없애려고 했던 자는 바로 폐하께서 직접 고르신 집사장 로메입니다, 폐하. 누군가가 선상의 폐하 침실에 전갈을 집어넣었을 때, 저는 세타우를 의심했었죠. 그런데 제가 틀렸습니다. 그를 제대로 알게 되었죠. 그는 거짓말하거나 속이거나 남을 해칠 수 없는 올바른 사람이올시다. 하지만 로메는 나쁜 놈입니다. 왕비님의 숄을 훔치기에 그놈만큼 알맞은 자리에 있는 자가 또 누가 있겠습니까. 마른 생선 단지를 훔친 것도 그놈 아니면, 그 조수들 가운데 하나일 겁니다.

—도대체 그가 무슨 이유로 그와 같은 일을 했겠나?

—저는 모릅니다.

—아메니는 로메에 대해선 전혀 걱정할 게 없다고 하던데.

세라마나가 강하게 반박했다.

—아메니라고 실수가 없는 것은 아닙니다. 제 경우만 보더라도

그가 틀렸잖습니까…… 로메의 경우도 마찬가지예요!

람세스가 말했다.

―내가 그를 직접 심문하겠다. 자네는 여전히 로메를 옹호하나, 아메니?

파라오의 개인비서는 고개를 가로저었다.

―폭로할 것이 또 있나, 세라마나?

―있습죠, 폐하.

―누구에 대한 것인가?

―폐하의 친구 모세입니다. 그 문제에 대해서는 확신이 있습니다. 저는 항상 폐하를 보호해야 할 임무를 지니고 있기 때문에 솔직히 말씀드릴 수밖에 없습니다.

람세스의 날카로운 시선이 상대방의 간담을 서늘하게 했다. 세라마나는 독한 포도주를 한 모금 벌컥 들이키고 용기를 냈다.

―제가 보기엔 모세는 배신자입니다. 그는 음모를 꾸미고 있었어요. 그의 목적은 히브리 족의 우두머리가 되어 델타에 독립적인 히브리 국가를 건설하는 겁니다. 아마도 그는 폐하에 대해 우정을 느끼고 있겠죠. 하지만 궁극적으로 그는 폐하의 적들 가운데 가장 무서운 적이 될 겁니다. 물론 그가 아직 살아 있다면 말입니다.

아메니는 왕이 심하게 화를 내지 않을까 걱정이었다. 하지만 람세스는 이상하게도 조용했다.

―단순한 추측인가, 아니면 조사 결과인가?

―심층적인 조사의 결과입니다. 게다가 저는 모세가 건축가로 행세하는 어느 외국인과 빈번히 접촉했다는 사실을 알아냈습니다. 그자는 모세를 격려하고, 아마도 도움을 제공하기 위해 온 것 같습니다. 폐하의 히브리인 친구는 이집트에 대한 어떤 음모의 핵심에 있었습니다.

―건축가로 행세했다는 자의 정체를 알아냈나?

—아메니가 그럴 시간을 주지 않았지요.

—그 일은 그만 잊자구. 비록 자네가 고생을 좀 했지만 말일세. 우리는 힘을 합쳐야만 해. 화해하세.

오래 주저한 끝에 세라마나는 다소 무뚝뚝하게 아메니를 끌어안았다. 아메니는 사르디니아인에게 눌려 죽는 줄 알았다.

왕이 말했다.

—세라마나의 추측이 맞다면 아주 고약한 일이네. 모세는 고집이 센 친구야. 만약 자네 말이 맞다면 그는 끝까지 갈 거다, 세라마나. 하지만 누가 진정으로 자신의 이상을 알 수 있단 말인가? 모세는 그것을 알고 있을까? 그를 국가 반역죄로 고발하기 전에 먼저 그의 말을 들어보아야 할 것이네. 그러기 위해서라도 그를 빨리 찾아내야만 해.

세라마나의 거친 말투와 상스런 태도, 우둔해 보이는 그의 말에 고개를 돌리고 있던 아샤가 모세 이야기에는 흥미를 느꼈는지, 눈을 반짝이며 끼어들었다.

—그 가짜 건축가라는 자 말인데, 혹시 거물급 배후 조종자는 아닐까요?

아메니가 말했다.

—최종적인 판단을 내리기 전에 밝혀내야 할 모호한 부분들이 많네.

람세스는 사르디니아인의 어깨에 손을 얹었다.

—자네의 그 솔직한 성격은 세상에서 보기 드문 것일세, 세라마나. 부디 그것을 잃지 말게나.

아샤는 하마터면 웃음을 터뜨릴 뻔했다.

람세스가 피-람세스로 개선한 그 한 주일 동안 셰나르는 외무대신으로서 동생에게 희소식만을 보고하게 되었다. 히타이트 족은 어떠한 공식적인 항의도 제기하지 않았으며, 기정 사실에 대해 아무런 반응도 보이고 있지 않았다. 이집트의 강력한 군사력과 그 신속한 행동은 그들로 하여금 세티에 의해 강제된 불가침조약을 준수하지 않을 수 없게 만든 것 같았다.

아샤가 이집트 보호령들로 시찰을 떠나기 전에 셰나르는 만찬을 열어 그의 옛 협력자를 명예손님으로 초대했다. 피-람세스의 귀족들이 셰나르의 접대에 매료당한 가운데 젊은 외교관은 집주인의 오른편에 앉아서 세 명의 벌거벗은 무희들의 춤을 감상하고 있었다. 젊은 여인들은 알록달록한 천조각을 허리에 둘렀을 뿐이었는데, 그나마 그녀들의 흑옥빛 성기를 가려주진 못했다. 무희들은 하프와 피리 연주자들로 구성된 여성 합주단이 연주하는, 때로는 경쾌하고 때로는 나른한 듯한 가락에 맞추어 우아하게 몸을 놀렸다.

—어느 애를 붙여드릴까, 친애하는 아샤?

—좀 놀라시겠지만, 지난 한 주일을 어느 기운 좋은 과부와 보냈더니 완전히 녹초가 됐습니다. 지금은 가나안과 아무르로 떠나기 전에 한 열두 시간쯤 푹 자고 싶은 생각밖엔 없습니다.

—음악도 좋고 손님들도 다들 말씀을 나누시고 계시니, 그 참에 우리도 조용히 얘기 좀 해보세나.

—저는 이제 외무성에서 일하지 않게 되었지만, 제가 새로 맡은 일이 공의 마음에 언짢지는 않을 겁니다.

—자네나 나나 그 이상 바랄 게 없게 되지 않았나.

—아니죠, 셰나르 공. 람세스가 죽거나 부상당하거나 혹은 명예가 땅에 떨어졌을 수도 있었죠.

—람세스가 힘이야 본래 타고난 놈이지만, 책략에도 자질이 있을 줄은 생각지 못했네. 하지만 곰곰이 생각해보면 그의 승리는 상대적일 따름이야. 그가 뭘 했나? 우리 보호령들을 다시 찾은 일밖엔 없잖은가? 히타이트 쪽에서 아무 반응이 없다는 게 좀 놀랍네.

―그들은 상황을 분석하고 있습니다. 최초의 충격이 가시고 나면 그들은 공격에 나설 겁니다.

―자네는 어떻게 할 생각인가, 아샤?

―람세스는 우리 보호령 내에서의 전권을 제게 부여함으로써 제게 결정적인 무기를 제공해주었죠. 저는 우리의 방어체제를 재조직한다는 구실 아래 그것을 아주 조금씩 파괴시켜나갈 겁니다.

―정체가 탄로날 염려는 없는가?

―저는 가나안과 아무르의 군주들을 그대로 자리에 남겨두자고 람세스를 설득했습니다. 그들은 간에 붙었다 쓸개에 붙었다 하는 교활하고 부패한 자들입니다. 그들을 히타이트 진영으로 넘어가게 하는 것은 쉬운 일일 겁니다. 람세스가 꿈꾸는 저 보호지대라는 것은 환상에 불과한 것이지요.

―경솔은 금물일세, 아샤. 보통 큰일이 걸려 있는 게 아냐.

―다소의 위험을 무릅쓰지 않고는 이길 수 없습니다. 가장 감을 잡기 어려운 것은 히타이트 족의 전략일 겁니다만, 다행히도 제가 그 방면엔 자질이 좀 있지요.

누비아에서 아나톨리아에 이르는 광대한 제국, 그가 주인이 되는 세계 제국…… 셰나르는 감히 그것을 믿을 수 없었다. 하지만 그의 꿈은 이제 서서히 현실화되고 있는 것이다. 람세스는 친구들을 잘못 사귀었다. 살인자에다 반역자인 모세, 배신자 아샤, 괴짜에다 좀스런 세타우…… 청렴하고 고집불통인 아메니가 있지만 그는 야망이 없는 놈이다.

아샤가 말을 이었다.

―어떻게든 무모한 전쟁으로 람세스를 끌어들여야 합니다. 그는 이집트를 난파시킨 자가 될 것이요, 공은 그 이집트를 구하는 자가 될 겁니다. 이것이 우리가 잊어서는 안 되는 기본 전략입니다.

―람세스가 자네에게 다른 임무도 맡겼는가?

―그럼요. 모세를 찾는 일이죠. 왕은 우정을 무척 중시합니다. 세
라마나는 모세가 국가 반역죄를 범한 것으로 믿고 있지만, 파라오
는 그의 말을 직접 들어보기 전에는 유죄판결을 내리지 않을 겁니
다.

　―중대한 단서라도 찾았나?

　―전혀요. 그는 사막에서 목이 말라 죽었거나, 아니면 시나이와
네겝에 널려 있는 수많은 부족들 가운데 한 곳에 숨어 있겠지요.
만일 그가 가나안이나 아무르에 숨어 있다면 결국 저에게 붙잡히게
될 겁니다.

　―만일 모세가 어떤 부족의 우두머리가 되어 반란을 일으킨다면?
그러면 우리에게 유용할 텐데.

　아샤가 말했다.

　―한 가지, 곤란한 점이 있습니다. 세라마나에 의하면 모세는 어
떤 외국인과 수상쩍은 접촉을 했다는군요.

　―여기 피-람세스에서?

　―그렇습니다.

　―그게 누군지 알아냈는가?

　―아니오, 단지 그자가 건축가 행세를 한다는 사실만 알고 있죠.

　세나르는 모르는 체하며 생각에 잠겼다. 그렇다면 오피르의 정체
가 드러나는 것도 시간문제였다. 물론 마법사는 아직은 하나의 그
림자에 지나지 않았다. 하지만 그는 잠정적인 위협이 되어가고 있
었다. 어떤 종류의 관계도, 그와 세나르 사이에 존재해선 안 된다.
파라오에게 흑마술을 건다는 것은 그 즉시 사형감이었다.

　아샤가 말을 이었다.

　―람세스는 그 인물의 정체를 알아내라고 명령했습니다.

　―필경 불법체류중인 히브리인이겠지…… 아마 모세를 도피시킨
놈도 그자일 거야. 내기해도 좋네, 자네는 그 두 사람 가운데 어느

누구도 찾아낼 수 없을 걸세.

―그럴지도 모르죠…… 그 일에 관해선 아메니가 뭘 좀 밝혀내기를 기대합시다. 특히나 그런 큰 실수를 저지른 다음이니…….

―세라마나가 그를 용서하리라고 생각하나?

―제가 보기엔 앙심을 품고 있는 것 같던데요.

셰나르가 슬쩍 떠보았다. 람세스가 이 일에 관해 어느 정도 파악하고 있는지 알아둘 필요가 있었다.

―그는 어떤 함정에 빠졌던 게 아닌가?

―어떤 시리아인이 창녀 하나를 사서 사르디니아인을 고발하게 만들었죠. 그리고는 입을 막기 위해 그녀를 목졸라 살해했습니다. 세라마나를 히타이트 족에 매수된 첩자로 믿게 하기 위해 그의 필체를 흉내낸 것도 그 사람이죠. 솜씨가 엉터리였다고 할 수는 없지만, 그래도 너무 단순했어요.

셰나르는 냉정을 유지하는 데, 다소 곤란을 겪었다.

―그렇다면 그것은…….

―히타이트 간첩망이 우리 영토 내에서 활개치고 있다는 것을 의미하죠.

시리아 상인인 라이아, 셰나르의 중요한 동지가 위협받고 있었다. 그리고 그를 찾아내서 체포하려는 사람은 바로 아샤, 그의 또다른 중요한 동지가 아닌가!

―외무성이 그 시리아인에 대해 조사를 벌이기를 원하나?

―아메니와 제가 처리할 겁니다. 사냥감이 경계하지 않도록 은밀하게 행동하는 편이 좋습니다.

셰나르는 델타 산(産) 백포도주를 크게 한 모금 들이켰다. 아샤는 그가 자기에게 얼마나 큰 도움을 주고 있는지 평생 알지 못할 것이다.

젊은 외교관이 즐거운 듯 입을 열었다.

―고관 하나가 심각한 곤란을 겪게 됐습니다.

―누구?

―뚱뚱이 로메, 폭군 같은 대전 집사장 말입니다. 세라마나가 그를 감시하고 있지요. 감옥에 처넣어 마땅한 놈이라고 확신하고 있으니까요.

셰나르는 기진맥진한 도박꾼처럼 등이 아파왔다. 하지만 그는 환한 낮을 잃지 않았다.

그는 빨리, 아주 빨리 행동해야 했다. 우르릉거리기 시작한 비구름을 흩뜨리기 위해서……

25

나일 강이 범람하는 계절이 그 막바지에 접어들고 있었다. 농부들은 쟁기를 수리하거나 보강했다. 그들은 두 마리의 소에 쟁기를 매달아 부드러운 진흙땅에 얕은 고랑을 팔 것이고, 그 뒤를 씨 뿌리는 자들이 따를 것이다. 강의 범람이 높지도 얕지도 않고 이상적이어서 관개 전문가들은 경작지를 넓히는 데 충분한 수량을 확보할 수 있었다. 신들은 람세스에게 호의적이었다. 올해에도 역시 곳간은 가득 찰 것이고, 파라오의 백성은 굶주리지 않을 것이다.

이따금 돌풍이 몰아쳐 더위를 식혀주는 시월 말의 온화한 날씨에도 대전 집사장은 즐거울 게 없었다. 뭔가 걱정거리가 있으면 로메는 살이 쪘다. 근심이 갈수록 커져만 갔으니, 그에 따라 늘어난 체중으로 그는 이따금 숨쉬기조차 힘들어서 몇 분 그 자리에 주저앉았다가 다시 무너질 듯 몸을 움직이는 것이었다.

세라마나는 한순간도 가만 놔두는 일 없이 로메의 뒤를 쫓아다녔다. 그가 몸소 나서지 않을 때는 그의 졸개들 가운데 하나가 로메를 뒤따랐다. 어깨가 딱 벌어진 그들의 모습은 궁전에서건 혹은 집사장이 직접 왕궁의 요리에 쓰일 재료를 구입하는 시장거리에서건 어디에서나 금방 눈에 띌 수밖에 없었다.

얼마 전이었다면 로메는 연뿌리, 호박, 이집트 콩, 마늘, 아몬드, 그리고 익힌 농어 등을 섞어 새로운 요리를 만들 생각에 기쁨을 느꼈을 수도 있으리라. 하지만 이제는 그런 굉장한 계획도 자신이 항상 미행당한다는 사실을 잊게 해주지는 못했다.

복권된 이후로 저 괴물 같은 세라마나는 자신에게 모든 일이 허락되었다고 믿고 있었다. 하지만 로메는 어떤 항의도 제기할 수 없었다. 가슴이 답답하고 마음이 우울하니, 어떻게 평정을 찾는단 말인가.

세라마나는 해적의 끈기를 가지고 있었다. 그는 자기의 먹이, 저물렁한 얼굴과 시커먼 영혼을 가진 뚱뚱이 집사장이 실수를 저지르기를 노리고 있었다. 그는 자신의 본능이 틀린 적이 없다고 믿었다. 몇 달 전부터 그는 로메를 비열한 놈이라고 점찍고 있었다. 그가 보기에 로메에겐 치명적인 병이 하나 있었다. 바로 탐욕이었다. 그는 중요한 자리를 차지하긴 했지만, 자신의 위치에 만족하지 않고 자신이 소유한 보잘것없는 권력에 재산을 더하고자 했다.

세라마나가 계속해서 감시한 덕분에 집사장의 신경은 극도로 날카로워진 상태였다. 결국엔 그도 실수를 저지르고 말 것이다. 어쩌면 자신의 죄를 고백할지도 모른다.

세라마나가 예견했던 대로 집사장은 감히 불평하지 못했다. 만일 자신이 무고하다면, 그는 왕에게 일러바치길 주저하지 않았을 것이다. 세라마나는 람세스에게 매일 제출하는 보고서에 이 의미심장한 사실을 강조하는 것을 잊지 않았다.

이런 식으로 며칠 계속하다가 세라마나는 부하들에게 미행은 계속하되 로메의 눈에는 띄지 않게 은밀히 하라고 명령할 작정이었다. 마침내 속박에서 벗어났다고 생각한 로메는 필경 그의 공범, 그가 훔친 물건에 돈을 지불한 자에게로 부리나케 달려갈 것이다.

세라마나는 해가 지고 나서 한참 후에 아메니의 사무실로 갔다. 비서는 그날의 파피루스들을 무화과나무로 된 커다란 장 속에 정리하고 있었다.

─새로운 소식이 있나, 세라마나?

─아직은 전혀. 로메는 생각했던 것보다 훨씬 질기더군.

─아직도 나를 원망하고 있나?

─글쎄…… 자네 때문에 고생한 일이 그리 쉽게 잊혀지지는 않는데…….

─다시 사과해봤자 소용 없겠지. 더 좋은 걸 제안하겠네. 나하고 같이 등기소에 가지 않겠나?

─자네 조사에 나도 끼워주는 건가?

─바로 그렇네.

─그렇다면 자네한테 남은 원망일랑 눈처럼 녹아 없어질 걸세. 같이 가겠네.

피-람세스 등기소의 꼼꼼한 관리들은 멤피스의 그들 동료들에 버금가는 효율성을 얻기 위해서 수개월의 사전작업이 필요했다. 새로운 수도에 적응한다는 것, 땅과 주택들의 목록을 작성하고 그것들의 소유주와 세입자가 누구인지 밝히는 데에는 무수한 사실 확인이 필요했다. 바로 그러한 이유 때문에 긴급사항으로 분류된 아메니의 요구일망정, 그것을 처리하는 데에는 많은 시간이 필요했다.

세라마나가 보기에 마르고 머리가 벗겨진 60대의 소장은 아메니보다 더 침울한 모습을 하고 있었다. 그의 창백한 피부는 햇볕은 고사하고, 바깥 바람 한번 쐰 적이 없는 것처럼 보였다. 방문객들을 사무적인 태도로 맞아들인 관리는 서판들이 겹겹이 쌓여 있고, 파피루스를 넣은 함들이 빼곡히 들어차 있는 미로를 지나 그들을 안으로 안내했다.

아메니가 말했다.

—이렇게 늦은 시각에 만나주셔서 고맙습니다.

—비밀을 요구하는 일이라 생각했지요.

—사실 그렇습니다.

—당신이 부탁하신 일로 우리의 일거리가 더 늘어났다는 사실은 숨기지 않겠습니다. 하지만 문제의 저택이 누구 소유인가를 밝혀냈습니다.

—그게 누굽니까?

—멤피스 출신의 상인으로 레누프라는 사람입니다.

—그 사람의 여기 피-람세스 주소를 아십니까?

—구 시가지 남쪽 어느 별장에서 살고 있습니다.

세라마나가 거칠게 모는 쌍두마차를 피하기 위해 길을 건너던 사람들은 황급히 비켜야 했다. 멀미 때문에 먹은 것이 목구멍까지 치밀어오른 아메니는 눈을 감았다. 마차는 속도를 늦추지 않은 채 수도의 새 시가지와 아바리스의 구 시가지 사이의 운하를 가로지른 다리를 건넜다. 바퀴들이 삐걱거렸고 차체가 심하게 흔들렸다. 마차는 뒤집어지지 않는 게 이상할 정도였다.

아바리스의 옛 터에는 여러 채의 아름다운 별장들이, 잘 가꿔진 공원들과 수수한 이층짜리 저택들에 둘러싸여 있었다. 선선한 가을 저녁, 추위를 잘 타는 사람들은 벌써 작은 나무나 말린 진흙 따위로 집안을 덮히기 시작했다.

세라마나가 말했다.

―여기야.

아메니는 마차의 가죽끈을 너무 단단히 붙잡고 있었기 때문에 거기서 손을 떼기가 힘들었다.

―괜찮나?

―응…….

―그럼 가자구! 새가 둥지를 떠나지 않았으면, 이 일은 금방 해결이 날 거야.

아메니는 후들거리는 다리로 세라마나를 따라갔다.

레누프의 문지기는 덩굴식물들로 장식된 돌울타리 입구에 앉아, 빵과 치즈를 먹고 있었다.

세라마나가 말했다.

―상인 레누프를 만나고 싶은데.

―집에 없습니다.

―어디 가면 만날 수 있겠나?

―중부 이집트로 떠났어요.

―언제 돌아오나?

―난 모릅니다.

―누구 아는 사람 없는가?

―글쎄…… 없을 걸요.

―그가 돌아오는 대로 우리에게 알려라.

―내가 뭣 땜에 그래야 합니까?

세라마나는 험상궂은 눈으로 문지기의 겨드랑이를 붙잡아 들어올렸다.

―뭣 때문이냐 하면 파라오께서 그걸 바라고 계시기 때문이다. 만일 네가 조금이라도 늑장을 부린다면 나한테 그 까닭을 설명해줘

야 할 거다.

세나르는 불면증과 소화불량으로 고생하고 있었다. 라이아는 피-람세스에 없었다. 그는 시리아 상인에게 위험을 알리기 위해서뿐만 아니라 오피르와 얘기를 나누기 위해서 서둘러 멤피스로 가야만 했다. 하지만 외무대신은 그가 왜 옛 수도로 가는지 정당한 사유를 밝혀야 했다. 다행히 그는 멤피스의 고급관리들과 몇 가지 행정조치를 논의할 것이 있었다. 세나르는 그날따라 너무 느려터진 배를 타고 파라오의 이름으로 공식적인 여행길에 나섰다.

오피르에게 로메를 침묵시킬 어떤 방안이 있어야만 했다. 그게 아니라면, 비록 그의 흑마술이 끝나진 않았지만 세나르는 마법사를 제거할 수밖에 없을 것이다.

세나르는 그의 동지들 사이에 방수막을 쳐놓았던 것을 후회하지 않았다. 최근에 벌어진 일은 그의 전략이 맞아떨어졌음을 보여주었다. 아샤처럼 예민하고 위험스런 존재는, 세나르가 자신이 통제할 수 없는 히타이트 간첩망과 선이 닿아 있다는 사실을 알게 되면 달가워하지 않을 것이었다. 또한 자기가 람세스의 형을 조종하고 있다고 믿는 라이아처럼 잔인하고 음흉한 자는 자신이 히타이트 족에 대한 충성에서 벗어나, 세나르 개인의 전략에 이용당하고 있다는 것을 알면 견디지 못할 것이었다. 오피르는 그 무서운 힘과 광기 안에 그대로 갇혀 있는 편이 나았다.

아샤, 라이아, 오피르…… 세나르는 자신의 장밋빛 미래를 보장하기 위해 이 세 마리의 야수를 길들일 줄 알았다. 단, 그들의 신중하지 못한 행동이 자기를 위험에 빠뜨리는 일은 피해야 했다.

멤피스에 도착한 날, 세나르는 그가 접촉해야 했던 고급관리들을 만났고 저녁에는 그의 별장에서 혼자만 그 비결을 알고 있는 화려한 연회를 열었다. 그 기회를 이용해서 그는 집사에게 상인 라이아를 불러오게 했다. 라이아는 그의 연회장을 장식하게 될 진귀한 화병을 갖고 올 것이었다.

날이 좀 추워지자, 손님들은 정원을 떠나 별장 안으로 들어왔다. 집사가 셰나르에게 말했다.

─상인이 왔습니다.

셰나르가 신을 믿었다면, 그는 신에게 감사드렸을 것이다. 적절한 시간에 맞추어 라이아가 온 것이다. 그는 짐짓 태평한 사람처럼 별장의 입구로 천천히 걸어갔다.

그런데 그에게 인사한 사람은 라이아가 아니었다.

─자넨 누군가?

─저는 멤피스 상점의 관리인입니다.

─아…… 나는 항상 자네 주인과 거래를 했었는데.

─주인은 고급 통조림을 사들이기 위해 테베와 엘레판티네로 떠났습니다. 주인을 대신해서 제가 나리께 보여드릴 훌륭한 화병을 몇 개 갖고 왔습니다.

─어디 보세.

셰나르는 실망한 표정을 감추고 물건을 살폈다.

─별거 아니구먼…… 하지만 두 개는 사겠네.

─값은 비싸지 않습니다, 나리.

셰나르는 형식상 값을 흥정했고, 집사에게 화병 값을 지불하게 했다.

입가에 미소를 짓고 쓸데없는 말을 떠들어대는 것이 쉬운 일은 아니었다. 하지만 셰나르는 잘해냈다. 평소와 다름없이 매력적이고 구변 좋은 이 외무대신이 불안에 사로잡혀 있다는 것을 눈치챈 사람은 아무도 없었다. 그는 젊은 귀족들에 둘러싸여 빈말뿐인 찬사를 받고 있는 누이 돌렌테에게 말했다.

─아주 예쁘구나.

―멋진 연회예요, 오빠.

그는 그녀의 팔을 끼고 연회장을 따라 서 있는 기둥 아래로 데려
갔다.

―내일 아침 오피르를 보러 가겠다. 무엇보다 밖에 나가지 말라
고 해라. 위험하다.

26

별장 문을 연 것은 돌렌테 자신이었다.

셰나르는 뒤를 돌아보았다. 미행자는 없었다.

-들어와요, 셰나르.

-별일 없니?

돌렌테가 안심시켰다.

-그럼요, 마음 놓으세요. 오피르의 실험에 진전이 있어요. 리타
는 정말 잘 버텨내고 있지만, 몸이 너무 약해졌어요. 그 때문에 일
을 더 서둘 수는 없어요. 그런데 왜 그렇게 불안해하세요?

-마법사는 깨어났니?

-제가 찾으러 가지요.

-그자에게 너무 빠지면 안 된다, 애야.

―그는 훌륭한 사람이에요. 진정한 신의 지배를 이룩하고야 말 거예요. 그는 오라버니가 천명을 위해 봉사할 거라고 믿고 있어요.

―그를 데려와라, 급한 일이다.

기다란 검은 옷을 입은 리비아인 마법사가 셰나르 앞에 허리를 굽혔다.

―무슨 일입니까, 셰나르 공?

―자네가 피-람세스에서 모세와 얘기하는 것을 누군가가 보았다더군.

―그자가 제 인상착의를 정확히 설명했나요?

―그런 것 같진 않아. 하지만 조사관들은 자네가 건축가로 행세했고, 또한 외국인이라는 것을 알고 있어.

―그렇다면 별것 아닙니다. 저한테는 필요하다면 사람 눈에 안 띨 수 있는 재주가 있지요.

―자네는 신중하지 못했어.

―모세와 접촉하는 것은 필요한 일이었습니다. 훗날 아마도 그 일이 잘된 것이라고 기뻐하게 될 겁니다.

―람세스는 우리 보호령의 원정에서 털끝 하나 다치지 않고 돌아왔네. 그는 모세를 찾으려 하고 이제는 자네의 존재까지 알고 있어. 만약 증인들이 자네를 확인한다면 자네는 체포돼서 심문을 받게 될 거야.

오피르의 미소에 셰나르는 피가 얼어붙는 것 같았다.

―왜 그들이 저 같은 사람을 체포하려고 하겠습니까?

―나는 자네가 치명적인 실수를 저지르지 않았나 걱정이 되네.

―어떤 실수인가요?

―로메를 믿은 것 말일세.

―왜 제가 그를 믿는다고 생각하십니까?

―자네 명령을 받고 그자는 자네의 마법에 필요한 네페르타리의

숍과 헬리오폴리스 생명의 집의 생선 단지를 훔치지 않았나.

오피르는 셰나르의 말에 돌렌테를 바라보았다. 그는 돌렌테가 의아한 표정을 짓는 걸 보고 고개를 끄덕였다. 오피르는 미소를 띠며 셰나르에게 고개를 숙였다.

―훌륭한 추리이십니다, 셰나르 공. 하지만 한 가지 틀린 점이 있군요. 로메는 분명 숍을 훔쳤습니다. 하지만 단지를 훔친 것은 그의 친구 가운데 하나인 멤피스의 배달업자였죠.

―배달업자…… 만일 그가 입을 연다면?

―그 불행한 자는 심장마비로 사망했습니다.

―자연사였나?

―어쨌든 심장이 멈추게 되면, 모든 죽음은 자연사이기 마련입지요, 셰나르 공.

―뚱뚱이 로메가 남는군…… 세라마나는 그가 범인이라고 확신하고 그를 끊임없이 괴롭히고 있네. 만일 로메가 입을 뗀다면 우리를 고발하고 말 걸세. 왕을 대상으로 한 방자행위는 사형감이야.

오피르는 계속 미소짓고 있었다.

―제 실험실로 가시죠.

넓은 방안이 온통 파피루스들과 글이 새겨진 상아 조각들, 온갖 색깔의 물질이 담긴 잔들과 가는 끈들로 가득했다. 모든 것이 가지런히 정리되어 있었고 좋은 향내를 풍기고 있었다. 방안은 흑마술사의 소굴이라기보다는 어느 장인의 공방이나 잘 정돈된 서기관의 사무실에 가까웠다.

오피르는 삼각다리 위에 편편히 놓인 청동거울 위로 양손을 펼쳤다. 잠시 후 그는 거울에 물을 부은 뒤 셰나르에게 다가오라고 말했다.

아주 천천히 하나의 얼굴이 거울 속에 떠올랐다. 셰나르가 외쳤다.

─로메!

오피르가 말했다.

─람세스의 집사장은 좋은 사람이지만 약하고 욕심 많고 감화되기 쉽지요. 그런 자에게 방자를 놓는 데는 대단한 마법이 필요치 않습니다. 그가 마지못해 저지른 도둑질은 이미 그의 내부에서 마치 염산처럼 그를 갉아먹고 있지요.

─람세스가 심문하면 로메는 불 거야.

─아닙니다, 셰나르 공.

오피르의 왼손이 거울 위에 하나의 원을 그렸다. 물이 끓기 시작했고 청동에 금이 갔다.

깜짝 놀란 셰나르는 한 걸음 뒤로 물러섰다.

─그런 마법이 로메의 입을 봉하는 데 충분할까?

─그 문제는 이미 해결된 것이라 보셔도 좋습니다. 집을 옮기는 것이 꼭 필요할 것 같지는 않군요. 이 집은 공의 누이 이름으로 되어 있지 않습니까?

─그렇네.

─사람들은 그녀가 오가는 걸 봅니다. 저와 리타는 그녀의 열성적인 하인들인지라 시내를 산책하고픈 생각이 전혀 없지요. 왕과 왕비의 주술적인 보호막을 파괴하기 전에는 그녀나 나는 이곳에서 나가지 않을 것입니다.

─그러면 아톤의 신자들은?

─공의 누이가 연락책을 맡고 있습니다. 제 명령에 따라 그들은 큰 사건이 터지기를 기다리며 모범적으로 근신하고 있습니다.

셰나르는 반신반의한 상태에서 집을 나섰다. 그는 저 향수에 젖어 있는 한 무리의 계시받은 자들은 전혀 안중에도 없었다. 그는 특히 집사장 로메를 자기 손으로 제거하지 못한다는 사실이 불안했다. 마법사가 허풍치지 않았기를 바라는 수밖엔 없었다.

더욱더 조심할 필요가 있었다.

나일은 훌륭한 강이었다. 배를 시속 13킬로미터까지 추진시키는 그 힘찬 흐름 덕분에 셰나르는 멤피스를 떠난 지 이틀도 안 걸려 피-람세스로 돌아올 수 있었다.

왕의 형은 외무성에 들러 주요 협력자들과 짧은 회의를 가진 뒤, 외국에서 온 급송 공문서들과 보호령에 근무중인 외교관들이 보내 온 메시지들을 살폈다. 이어서 한 채의 가마가 비구름으로 잔뜩 뒤 덮인 하늘 아래 그를 왕궁으로 데려갔다.

피-람세스는 아름다운 도시였다. 부족한 것이 있다면 멤피스와 같은 고색창연한 멋이 없다는 점이었다. 셰나르는 자기가 왕좌에 오르면 수도를 바꾸리라 다짐했다. 이곳엔 람세스의 흔적이 너무 많이 남아 있지 않은가. 평화가 영원하기라도 할 것처럼, 히타이트 라는 광대한 제국이 망각의 심연으로 사라져버리기라도 한 것처럼, 사람들은 활기차게 나날의 일과에 종사하고 있었다. 한순간, 셰나 르는 지혜로운 계절의 흐름에 몸을 맡긴 저 단순한 삶의 신기루에 이끌렸다. 그 역시 모든 이집트 백성들과 마찬가지로 람세스의 왕 권을 인정해야 하지 않을까?

아니다. 그는 종이 아니었다.

그는 역사가 기억하게 될 왕의 자질을 갖추고 있었다. 그는 람세 스나 히타이트의 '대왕' 따위와는 종류가 다른, 훨씬 넓은 시야를 가진 군주의 자질을 갖추고 있었다. 그는 자신의 뜻에 따라 새로운 세상을 창조할 것이고, 그 세상의 주인이 될 것이었다.

파라오는 자신의 형을 기다리게 하지 않았다. 람세스는 노란 개 에게 샅샅이 얼굴을 핥인 아메니와 얘기를 끝내고 있었다. 왕의 개 인비서와 셰나르는 차갑게 인사를 나눴다. 노란 개는 옅은 햇볕 아래 몸을 뉘었다.

—여행은 잘하셨나요, 세나르?

—좋았지요. 폐하께서 탓할지도 모르지만 난 멤피스가 좋다오.

—누가 탓하겠습니까? 멤피스는 피-람세스가 도저히 따라갈 수 없는 보기 드문 도시지요. 만일 히타이트의 위협이 이런 정도로 커지지만 않았다면, 나는 새로운 수도를 건설할 필요가 없었을 겁니다.

—멤피스의 행정은 직업정신의 본보기로 남아 있지요.

—피-람세스의 각 부서도 효율적으로 일하고 있습니다. 형님의 외무성이 그 증거가 아닙니까?

—사실, 나도 수고를 아끼지 않고 있지요. 공식적이건 비공식적이건 어떤 불안한 메시지도 없소. 히타이트 족은 침묵하고 있어요.

—우리 외교관들은 뭐라고 하던가요?

—아나톨리아인들이 폐하의 개입으로 완전히 압도당했다는군요. 그들은 이집트 군이 그렇게 신속하고 강할 줄은 상상도 하지 못했다는 거요.

—글쎄요…….

—무엇이 이상하오? 만일 자기들이 무적이라고 믿었다면 히타이트 족은 적어도 강력한 항의 정도는 했을 게 아니오.

—그들이 세티가 강제한 국경을 지킨다…… 난 믿기지 않아요.

—폐하께선 비관론자가 되신 건가?

—히타이트 제국의 존재 이유는 영토의 확장에 있어요.

—아무리 굶주린 적이라 할지라도 이집트는 그냥 집어삼키기에는 너무 큰 덩어리가 아니오?

람세스가 말했다.

—군부가 대결을 원하는 경우엔 이성이나 지혜가 그것을 말릴 수 없는 법입니다.

―강력한 상대에는 히타이트 족도 어쩔 수 없겠지요.

―형님은 우리가 무장을 강화하고 병력을 증강시켜야 한다고 주장하는 건가요?

―더 좋은 해결책이 무엇이겠소?

햇빛이 사그러들었다. 노란 개는 왕의 무릎 위로 뛰어올랐다.

람세스는 걱정했다.

―그것은 일종의 선전포고가 되지 않을까요?

―히타이트 족은 힘의 언어말고는 다른 언어를 이해하지 못하는 족속이지요. 내가 틀리지 않았다면, 폐하 역시 나와 같은 생각 아닙니까?

―물론, 우리 방어체제를 강화시키고 싶습니다.

―나도 그렇소. 우리 보호령을 완충지대화하는 것이지요…… 아샤에게는 힘겨운 일이지요. 야심은 많지만…….

―그의 야망이 형님이 보기엔 지나쳐 보입니까?

―아샤는 아직 젊소. 폐하께서는 최근에 그에게 훈장을 달아주었고, 그를 국가의 주요 인물로 만드셨지요. 그렇게 빠른 승진은 자만을 불러오는 법. 아무도 그의 비상한 자질을 반박하는 사람은 없지만 그래도 경계하는 게 낫지 않겠소?

―군의 위계질서가 충분히 존중되지 않았다는 것은 나도 의식하고 있습니다. 하지만 아샤는 현 상황에서 가장 필요한 인물입니다.

―하나 말씀드릴 게 있는데, 대단찮은 일이지만 그래도 말씀드리는 게 내 의무일 것 같소. 폐하께서도 아시다시피 궁전의 시종들이란 함부로 수다를 떠는 경향이 있지요. 그럼에도 불구하고 어떤 얘기들은 흥미를 가질 만한 것들도 있다오. 내 집사한테 들은 말인데, 왕비의 시중을 드는 시녀들 가운데 하나하고 사귀고 있다던가. 그런데 로메가 왕비의 숄을 훔치는 장면을 그 시녀가 목격했다지요, 아마.

—그 시녀가 증언하겠답니까?

—그녀는 로메를 겁내고 있어요. 만일 자기가 집사장을 고발하면 그자에게 해코지당하게 될까봐 두려워하고 있지요.

—도대체 이곳이 마아트가 지배하는 나라입니까? 아니면 강도들 소굴입니까?

—아마도 폐하께서 먼저 로메의 자백을 받아내셔야 할 거요. 그러고 나면 그 계집애가 증언할 테지요.

아샤에 대한 비판을 슬쩍 흘리고, 특히 로메를 고발하여 람세스가 서둘러 개입하게 하는 것은 셰나르에게는 위험한 승부수였다. 하지만 그 반면에 더욱더 파라오의 신임을 얻을 수 있는 것이다.

만일 오피르의 마법이 아무 효과도 없는 것으로 드러난다면, 셰나르는 자기 손으로 마법사의 목을 조를 작정이었다.

27

로메는 병적인 허기증의 원인인 불안을 가라앉히기 위해 한 가지 해결책을 찾아냈다. 요리사들이 '람세스의 진미'라는 이름으로, 그 요리법을 전수하게 될 전대미문의 고기절임을 만드는 것이다.

집사장은 아무도 방해하지 말라고 명령하고 궁전의 넓은 주방에 틀어박혔다. 마늘, 일등품 양파, 오아시스의 특산 포도주, 헬리오폴리스의 올리브 기름, 세트의 땅 사막에서 캐낸 최고급 소금으로 간을 한 식초, 몇 가지 종류의 향초, 보기 드물게 부드러운 나일 강의 농어, 그리고 신들에게 바쳐도 손색이 없을 소고기 등, 그는 제 손으로 재료를 직접 골랐다. 그가 만든 소스는 이 재료들의 잡탕에 아무도 흉내내지 못할 향을 더할 것이고, 그것은 왕을 기쁘게 함과 동시에 로메 자신의 위치를 확고하게 해줄 것이다.

그의 추상 같은 명령에도 불구하고 주방의 문이 열렸다.

―내가 말했지, 아무도…… 폐하! 이런 곳에 납시면 안 됩니다.

―이 궁전 안에 내게 금지된 곳이 있던가?

―그런 말씀이 아니었습니다. 용서하십시오. 저는…….

―맛 좀 보게 해주겠나?

―고기절임이 아직 완성되지 않았습니다. 지금은 준비단계에 불과합니다. 하지만 이것은 이집트의 요리사에 기록될 굉장한 요리가 될 겁니다.

―자네는 비밀을 좋아하는군, 로메.

―아닙니다. 하지만 좋은 요리의 비결은 지킬 필요가 있지요. 고백하자면, 저는 제가 만들어낸 것에 무척 집착하는 편입니다.

―나에게 달리 고백할 것은 없는가?

람세스의 큰 키가 로메를 짓눌렀다. 집사장은 몸을 움츠리며 눈을 내리깔았다.

―저한테는 어떤 비밀도 없습니다, 폐하. 저는 궁전에서 폐하께, 오로지 폐하만을 위해 봉사하는 데 온몸을 바치고 있습니다.

―확실한가? 사람에겐 누구나 약점이 있기 마련이라는 말이 있지. 자네의 약점은 무엇인가?

―그…… 글쎄요. 너무 많이 먹는 것일까요…….

―봉급에 불만은 없는가?

―천만에요! 전혀 아닙니다.

―집사장이란 다들 부러워하는 자리지만, 부(富)를 가져다주진 않지.

―돈 따위엔 관심 없습니다. 정말입니다!

―몇 가지 대수롭지 않은 일을 해주는 대신 거액을 받을 수 있다면, 누가 그런 유혹을 물리칠 수 있겠는가?

―폐하를 섬기는 일만이 저에게는…….

—더이상 거짓말하지 말게나, 로메. 자네는 내 침실에서 전갈이 발견되었던 그 유감스런 사건을 기억하는가?

—천만다행으로 폐하께서 무사하셨지요.

—누군가가 자네에게 전갈이 나를 죽이진 않을 거고, 또한 자네도 결코 고발당하지 않을 거라고 약속했겠지. 그렇지 않은가?

—아닙니다, 폐하. 전부 사실이 아닙니다!

—거기 넘어가서는 안 되었네, 로메. 누군가가 다시 한번 자네의 졸렬함을 이용해서 왕비의 숄을 훔치라고 요구했겠지. 그리고 필경 자네는 생선 단지의 도난사건과도 무관하지 않을 거야.

—아니에요, 폐하. 아니에요…….

—자네 범행을 증언할 사람이 있네.

로메는 숨이 콱 막혔다. 그의 이마에 굵은 땀방울이 맺혔다.

—그럴 리가요…….

—로메, 자네의 영혼이 본디 악한 것이던가? 그게 아니라면 어떤 피치 못할 사정이라도 있었는가?

집사장은 가슴 깊숙한 곳에 격렬한 통증을 느꼈다. 그는 모든 사실을 왕에게 털어놓고 싶었고, 자기를 갉아먹고 있는 양심의 가책에서 벗어나고 싶었다. 그는 무릎을 꿇었다. 그의 이마가 고기절임 재료들이 놓여 있는 탁자의 모서리에 부딪혔다.

—아닙니다, 폐하. 저는 나쁜 놈이 아닙니다…… 저는 약했습니다, 너무 나약했지요. 저를 용서해주셔야만 합니다.

—자네가 내게 진실을 밝히기만 한다면…….

고통으로 흐릿해진 로메의 시야에 맹금 같은 오피르의 얼굴이 떠올랐다. 그 부리가 그의 살을 헤집었고, 그의 심장을 삼켰다.

—누가 자네에게 그런 범죄를 저지르라고 시켰는가?

로메는 말하고자 했다. 하지만 오피르란 이름은 그의 입 안에서만 맴돌고 있었다. 무엇인가가, 어떤 공포심이, 그를 짓누르고 있었다. 그것은 처벌을 피하려면 가만히 사라지는 길밖엔 없다고 그에게 말하고 있었다.

로메는 애절한 눈빛으로 람세스를 쳐다보았다. 그의 오른손이 고기절임이 담긴 그릇을 움켜잡아 뒤엎어버렸다. 양념이 된 소스가 그의 얼굴 위로 쏟아졌다. 집사장은 털썩 쓰러졌다. 죽은 것이다.

카는 람세스의 사자를 바라보며 말했다.

─엄청 크다!

왕이 아들에게 물었다.

─겁나니?

람세스와 이제트의 아들 카는 이제 겨우 아홉 살인데도, 마치 늙은 서기관과 같이 의젓했다. 그 나이에 알맞는 놀이들은 카의 흥미를 끌지 못했다. 그는 읽고 쓰는 것만을 좋아했고, 대부분의 시간을 궁전의 서재에서 보냈다.

─좀 겁나요.

─네가 맞다, 카. 사자는 아주 위험한 짐승이지.

─하지만 아버지, 아버지는 파라오니까 겁나지 않죠?

─저 사자와 나는 친구가 됐단다. 아직 새끼였을 때 저놈은 뱀한테 물린 적이 있었지. 누비아에서 있었던 일이란다. 내가 저놈을 발견했고 세타우 아저씨가 치료해주었지. 그리고 우리는 서로 헤어진 적이 없단다. 저 사자도 아버지를 구해준 적이 있지.

─사자가 파라오께는 언제나 얌전하게 굴어요?

─언제나. 하지만 나한테만 그렇단다.

─아버지한테 말도 해요?

─그럼. 눈으로, 발로, 그리고 울음소리로 말하지…… 저놈도 내가 말하는 걸 알아듣는단다.

─사자 갈기를 만져보고 싶어요.

스핑크스처럼 몸을 엎드린 채 거대한 사자는 어른과 꼬마를 지켜보고 있었다. 사자가 낮고도 깊은 목소리로 으르렁거리자, 꼬마 카는 아버지의 다리에 꼭 매달렸다.

─화난 거예요?

─아냐, 너 보고 만져도 좋다는 거야.

아버지의 차분한 모습에 안심이 된 카는 사자에게 다가갔다. 처음에는 주저하듯 조그만 손으로 화려한 갈기털을 스치듯 만지다가 이내 대담해졌다. 사자가 그르렁거렸다.

─등에 올라타도 돼요?

─그건 안 돼, 카. 학살자는 사나운 전사란다. 너한테 큰 호의를 베풀었으니, 그 이상을 요구해선 안 돼.

─난 사자 이야기를 써서 메리타몬한테 읽어줄 거예요. 메리타몬이 왕비마마와 함께 궁전의 뜰에 있으니 다행이에요…… 걔는 너무 어려서 이렇게 엄청난 사자 얘기를 들으면 무서워할 테니까요.

람세스는 아들에게 새 팔레트 한 벌과 붓을 넣은 문갑을 선물로 주었다. 신이 난 소년은 곧바로 그 도구들을 시험해보았다. 아버지는 글쓰기에 몰두한 아들을 방해하지 않았다. 조금 전에 얼굴이 순식간에 늙은이의 그것처럼 누르팅팅하게 주름져버린 로메의 끔찍한 죽음을 목격한 그는 좀체로 없는 아들과의 행복한 순간을 조용히 만끽하고 있었다.

도둑은 자신을 자멸의 길로 이끈 자의 이름을 미처 밝히지 못하고 공포로 죽어버렸다.

어떤 암흑의 존재가 파라오를 위협하고 있었다. 그 적은 히타이트 족만큼이나 무서운 적이었다.

셰나르는 희희낙락이었다.

로메가 심장마비로 갑작스레 사라져버렸으니, 이제 오피르에게까지 추적해가는 길은 끊겨버렸다. 마법사는 허풍을 떤 것이 아니었다. 그의 마법이 엄한 심문을 견뎌내지 못한 뚱뚱이 집사장을 죽음으로까지 몰고 간 것이다. 궁전에서 그의 죽음을 놀랍게 생각한 사람은 아무도 없었다. 먹는 것에 유달리 집착한 로메는 끊임없이 살이 쪘으며 또한 불안해했다. 기름기가 잔뜩 끼고 게다가 지속적인 신경과민으로 쇠약해진 그의 심장이 결국 견뎌내지 못한 것이다.

로메의 존재 자체가 제기하던 미묘한 문제가 사라져버린 참에 또 다른 만족스러운 소식을 듣게 되었다. 시리아 상인 라이아가 피-람세스에 돌아온 것이다. 그는 굉장한 화병 하나를 보여줄 게 있다며 셰나르에게 연락해왔다. 11월의 온화하고 햇빛 가득한 어느 아침나절에 약속이 잡혔다.

―남부지방 여행은 괜찮았나?

―무척 피곤했습죠, 나리. 하지만 이익을 많이 남겼습니다.

시리아인의 뾰족한 턱수염이 꼼꼼하게 다듬어져 있었다. 그는 갈색 눈을 번뜩이며 셰나르가 그의 걸작품들을 전시해놓은 응접실을 이리저리 두리번거렸다.

라이아는 화병을 가리고 있던 천을 벗겨내고 포도나무 잎과 가지로 장식된 허리가 볼록한 청동 화병 하나를 내놓았다.

―이것은 크레타 산(産)입니다. 이제 싫증을 느낀 어느 테베 사람에게서 사들인 거죠. 이와 같은 물건은 요즘엔 다시 만들어지지 않습니다.

―훌륭하네! 거래가 끝난 걸세, 친구.

―기쁩니다, 나리. 하지만…….

셰나르가 화병의 볼록한 허리를 흡족한 표정으로 매만지며 물었다.

―왜? 이 귀부인께 다른 조건이 달려 있는가?

―아닙니다, 하지만 값이 워낙 비싸놔서…… 딱 하나, 정말 하나

밖에 없는 물건이라서요.

―귀부인을 받침대 위에 올려놓게. 그리고 내 서재로 가자구. 우리는 흥정을 성사시킬 수 있을 게야. 아무렴…….

무화과나무로 된 두터운 문이 닫혔다. 아무도 그들의 말을 들을 수 없었다.

―제 조수들 가운데 하나가 나리께서 화병을 구입하기 위해 멤피스에 들르셨다는 사실을 알려왔습니다. 그래서 저는 여행을 단축하고 서둘러 피-람세스에 돌아온 것입니다.

―어쩔 수가 없었네.

―무슨 일입니까?

―세라마나가 풀려났네. 그는 다시 람세스의 신임을 얻게 됐어.

―곤란하게 됐군요.

―저 성가신 아메니가 증거를 의심하게 됐네. 게다가 아샤가 일에 끼어들었지.

―그 젊은 외교관을 조심하십쇼. 영리한 데다가 아시아를 잘 압니다.

―다행히도 그는 더이상 외무성에서 일하지 않게 됐네. 람세스가 그에게 훈장을 달아주고 우리의 방어체제를 강화시키기 위해 보호령으로 보내버렸지.

―아주 어려운 일이죠. 거의 불가능해요.

―아샤와 아메니는 우리로서는 아주 난처한 결론에 도달했네. 세라마나가 히타이트인들과 접선하고 있다고 믿게 하기 위해 누군가가 그의 필체를 흉내냈다는 것일세. 그리고 그가 필경 시리아인이라는 거야.

라이아가 한탄했다.

―정말 난처하군요.

―자네가 그 사르디니아인을 함정에 빠뜨리기 위해 이용했던 그

자의 정부 네노파르의 시체도 발견됐네.

—제거할 수밖에 없었지요. 그 바보 같은 년이 다 불어버리겠다고 위협했거든요.

—나도 자네 행동을 이해하네. 하지만 자네는 한 가지 실수를 저질렀어.

—실수라니요?

—장소를 잘못 골랐네.

—제가 고른 게 아닙니다. 그년이 온 동네 사람들을 다 불러모을 참이었죠. 저로서는 재빠르게 처치해버리고 도망치는 도리밖엔 없었습죠.

—아메니가 그 집의 소유주를 심문하기 위해 찾고 있는 중이야.

—사업상 여행을 많이 다니는 이집트 상인의 것입니다. 저하고는 테베에서 만났었죠.

—그자가 자네 이름을 댈 것 같은가?

—그럴 것 같아 걱정입니다. 제가 그곳을 임대했거든요.

—큰일이군, 라이아! 아메니는 히타이트 간첩망이 우리 영토 내에 자리잡고 있다고 확신하고 있네. 그가 비록 세라마나를 체포하긴 했었지만, 그 두 놈은 이제 화해하고 서로 협력하는 것 같네. 세라마나를 거짓으로 고발하게 하고 그의 정부를 살해한 자를 찾아내는 일은 이제 국가적인 차원의 일이 되어버렸어. 그리고 여러 가지 단서들이 자네에게로 집중되고 있네.

—아직 희망은 있습니다.

—자네 계획은 뭔가?

—이집트 상인을 중간에 가로채는 겁니다.

—그리고…….

—죽이는 거죠, 물론.

28

겨울이 다가오고 있었다. 낮시간이 짧아졌고, 햇빛도 그 강도를 잃어가고 있었다. 왕은 여름을 더 좋아했다. 그는 자신만이 눈을 다치지 않고 바라볼 수 있는 강렬한 여름의 태양이 좋았다. 하지만 평온하기 그지없는 그 가을날의 오후가 끝나갈 무렵, 아내 네페르타리와 딸 메리타몬, 그리고 아들 카와 함께 왕궁의 뜰에서, 그는 좀체로 느껴보지 못했던 기쁨을 만끽하고 있었다.

연못가에 놓인 간이 의자에 앉아 왕과 왕비는 두 아이의 실랑이를 바라보고 있었다. 카는 서기관이 갖춰야 할 도덕성에 관해 논하는 어려운 문장을 메리타몬에게 읽히려 애쓰고 있었고, 메리타몬은 카에게 배영을 가르쳐주려고 했다. 그 완고한 성격에도 불구하고 사내아이가 양보했다. 물론 물이 너무 차가워서 감기가 들 거라는 불평은 빠뜨리지 않았다.

람세스가 말했다.

—메리타몬은 제 엄마만큼이나 보통내기가 아닌데. 나중에는 온 세상을 다 후리겠어.

—카는 꼬마 마법사예요…… 보세요, 벌써 메리타몬을 파피루스가 있는 쪽으로 데려가고 있잖아요. 그의 누이는 억지로라도 글을 읽게 될 거예요.

—애들의 개인교사들은 만족합디까?

—카는 비범한 아이예요. 계속해서 아이의 교육에 신경을 써주고 있는 농무대신 네드젬에 의하면 그는 벌써 서기관의 1차 시험을 통과할 수 있을 거래요.

—아이가 그러고 싶어하오?

—그는 배우려는 생각밖엔 없어요.

—아이가 원하는 양식을 줍시다. 자기의 진정한 자질을 꽃피울 수 있게 말이오. 아마도 그에겐 많은 단련이 필요하겠지. 범인들이란 항상 범상치 않은 사람들을 억누르려고 하니까. 메리타몬은 좀 더 평온한 삶을 살았으면 좋겠는데…….

—걔는 안중에 자기 아버지밖에 없어요.

—그런데도 내가 함께 있어주는 시간이 거의 없으니…….

—이집트가 아이들보다는 우선이에요. 그게 바로 규범이지요.

사자와 개는 뜰의 입구에 누운 채 빈틈없이 주위를 경계하고 있었다. 수상한 자가 접근하면 이내 감시자가 학살자를 깨우게 될 것이다.

—이리 와요, 네페르타리.

머리를 풀어헤친 젊은 왕비는 람세스의 무릎 위에 앉았다. 그녀는 그의 어깨 위에 머리를 기댔다.

—그대는 내 삶의 향기요, 내 행복의 원천이오. 우리도 여느 부

부들처럼 지금 같은 순간을 많이 가질 수 있었으면 좋겠소.

―감미로운 꿈이지요. 하지만 신들과 아버님은 당신을 파라오로 만드셨어요. 그리고 당신은 백성들에게 당신의 삶을 바쳤지요. 이미 주어버린 것은 다시 되찾을 수 없는 법이에요.

람세스는 네페르타리의 머리에 코를 묻으며 말했다.

―지금은 내게 한 여인의 향기로운 머리카락만 있을 뿐이오. 저녁 바람에 날리며 내 뺨을 간지럽히고 있는, 내가 끔찍이도 사랑하는…….

젊은 연인들의 뜨거운 입술이 하나로 합쳐지며, 서로를 탐했다.

라이아는 스스로 일을 처리해야 했다.

그는 피-람세스의 항구로 향했다. 그곳은 멤피스의 항구만큼 큰 규모는 아니었지만, 그 활동은 멤피스에 못지않았다. 항구에 닿거나 하역작업을 하는 배들로 북적거렸다. 상당한 권한을 가진 경찰들이 항구의 질서를 유지시키고 있었다.

라이아는 동료인 레누프를 어느 괜찮은 음식점에 데려가서 푸짐한 식사를 대접하며 저녁시간까지 붙잡아둘 생각이었다. 물론 많은 사람들이 지켜볼 것이며, 필요한 경우엔 그들이 증인이 될 것이다. 그 두 사람이 흥겹게 먹고 마시는 것을 봤다고 확인해줌으로써, 그들이 아주 절친한 사이라는 것이 드러날 것이다.

늦은 밤에 라이아는 레누프의 별장에 몰래 들어가서 그를 처치할 것이다. 만일 하인이라도 중간에 끼어든다면 그 역시 같은 운명을 피할 수 없으리라. 상인은 시리아 북부의 히타이트 훈련소에서 살인하는 법을 배웠다. 물론 사람들은 이 새로운 범죄 역시 네노파르를 살해한 자의 소행이라고 생각할 것이다. 하지만 그게 뭐 중요하랴? 레누프만 제거하면 라이아는 안전했다.

부두에는 잡상인들이 과일, 채소, 신발, 포목, 싸구려 목걸이나 팔찌 따위를 팔고 있었다. 물건 사는 데 흥정하는 맛이 빠지면 안 되는 까닭에 사람들은 엄청나게 값을 깎아내렸다. 그럴 겨를만 있었다면, 라이아는 그렇게 무질서한 상행위를 재조직해서 더 많은 이익을 남겼으리라.

시리아인은 부두의 관리자들 가운데 하나에게 말을 걸었다.

─레누프의 배가 도착했소?

─5번 부두, 짐배 옆이오.

라이아는 발걸음을 재촉했다.

레누프의 배 갑판 위에는 선원 하나가 자고 있었다. 시리아인은 선교를 건너 관리인을 깨웠다.

─자네 주인은 어디 있나?

─레누프요? 모르겠는데요.

─언제 도착했나?

─이른 아침이요.

─밤에 항해했단 말인가?

─특별 허가를 받았죠. 멤피스의 큰 낙농장에서 갓 나온 신선한 치즈 때문이었죠. 여기 귀족들은 그것만 찾으니까요.

─그렇다면 자네 주인은 하역절차를 밟고 나서 집에 돌아갔겠군.

─그렇지 않을 걸요.

─왜?

─턱수염이 엄청나게 난 커다란 사르디니아인이 주인을 마차에 반 강제로 태워갔으니까요. 순해 보이지 않던데요, 그자 말예요.

라이아의 머리 위로 하늘이 무너져내렸다.

레누프는 성격이 쾌활한 사내였다. 세 아이의 아버지인 그는 대대로 해상 운수업과 상업을 해온 집안의 후손이었다. 피-람세스에 막 도착한 그를 세라마나가 불러세웠을 때, 그는 무척 놀랐다. 하지만 이 거인의 기분이 썩 좋아 보이지 않았기 때문에 상인은 그를 순순히 따라가는 것이 좋겠다고 판단했다. 어쨌거나 자기에게 걸린 오해를 빨리 풀기 위해서라도 그 편이 나았다.

세라마나는 쏜살같이 마차를 몰아 그를 왕궁으로 데려갔고, 아메니의 사무실까지 인도했다. 레누프가 그 유명한 왕의 개인비서를 만난 것은 그때가 처음이었다. 사람들 사이에는 그의 성실성이나 능력, 그리고 충성심 등에 대한 과장된 말들이 나돌았다. 서기관은 그늘에 숨어 있는 실질적인 총리로서 청렴의 모범을 보이며 나랏일을 관리하고 있고, 명예욕이나 세속적인 쾌락 따위에는 전혀 신경 쓰지 않는다는 것이었다.

레누프는 아메니의 창백한 얼굴에 놀랐다. 들리는 소문에 의하면 서기관은 사무실 밖으로 나가는 일이 거의 없다던데, 정말 그런 것 같았다. 레누프가 말했다.

—이렇게 만나뵙게 돼서 영광입니다만, 도대체 영문을 알 수가 없군요. 이런 갑작스런 검문에 사실 많이 놀랐습니다.

—우리의 실례를 용서해주시오. 중대한 사건을 조사하는 중이라서요.

—사건이라…… 저하고 관련이 있는 것입니까?

—아마도.

—제가 어떻게 도와드리면 되겠습니까?

—내 질문에 솔직히 대답해주시기만 하면 됩니다.

—그러겠습니다. 물어보십쇼.

—네노파르라는 여자를 아십니까?

—네노파르라…… 흔한 이름이라서…… 그런 이름을 가진 여자를 열 명은 족히 알 겁니다.

—우리가 말하는 네노파르는 젊고 예쁘고 혼자 사는 아가씨로 피-람세스에 거주하면서 몸을 파는 여자입니다.

―창녀인가요?

―그런 셈이죠.

―서기관님, 저는 아내를 사랑합니다. 여행을 많이 다니지만 아
내를 배반한 적이 결코 없어요. 저희 부부는 아주 화목하게 지내고
있습니다. 제 말을 못 믿겠다면, 친구들이나 이웃들에게 물어보십
쇼.

―마아트의 규범 앞에 선서를 하고 네노파르 양을 만난 적이 전
혀 없다는 것을 맹세하시겠습니까?

레누프가 엄숙하게 약속했다.

―맹세하지요.

레누프의 선언은 침묵을 지킨 채 심문을 지켜보고 있던 세라마나
에게 깊은 인상을 주었다. 이 장사꾼은 진실해 보였다.

화가 난 듯이 아메니가 말했다.

―이상하군요.

―뭐가 이상합니까? 저희 장사꾼들은 평판이 그리 좋진 않지요.
하지만 저는 정직한 사람입니다. 고용인들에게 후한 급료를 주고,
배를 잘 관리하고, 가족을 잘 부양하고, 돈을 부정하게 빼돌린 적
없고, 세금을 잘 내고, 세무소에서 나쁜 소리 한 번 들은 적이 없어
요…… 그게 이상하다는 겁니까?

―내가 이상하다고 느끼는 것은 네노파르의 시체가 발견된 장소
입니다.

상인은 깜짝 놀랐다.

―시체라뇨…… 그렇다면…….

―그녀는 살해당했습니다.

―끔찍하군요!

―그녀는 행실이 안 좋은 여자에 불과하지요. 하지만 모든 살인
행위는 사형으로 다스려져야 마땅합니다. 이상한 것은 시체가 당신

소유로 되어 있는 피-람세스의 어느 집에서 발견됐다는 점입니다.

　ㅡ내 집이요? 내 별장을 말하는 겁니까?

세라마나가 끼어들었다.

　ㅡ별장이 아니라 바로 여기, 이 집을 말하는 거요.

사르디니아인은 아메니가 펼쳐놓은 피-람세스 시가도의 한 지점을 손가락으로 가리켰다.

　ㅡ도대체…… 알 수가 없군…….

　ㅡ이게 당신 집이 맞지요?

　ㅡ맞아요, 하지만 이건 집이 아닙니다.

아메니와 세라마나는 서로 쳐다보았다. 레누프가 정신이 나간 것인가?

레누프가 말했다.

　ㅡ이건 집이 아니라 창고입니다. 나는 물건을 재어놓을 장소가 필요할 거라고 생각했지요. 그래서 이 건물을 사들인 겁니다. 하지만 저는 배보다는 눈이 더 컸지요(욕심보다는 겁, 혹은 지혜가 더 많다는 뜻ㅡ역주). 내 나이쯤 되면 사업의 규모를 늘릴 욕심은 사라지게 됩니다. 나는 가능한 대로 빨리 은퇴해서 멤피스 부근의 시골에서 살 계획입니다.

　ㅡ이 건물은 다시 팔려고 내놨단 말입니까?

　ㅡ다른 사람에게 임대했지요.

아메니의 눈에 희망의 빛이 번쩍였다.

　ㅡ그게 누구입니까?

　ㅡ라이아라는 동료지요. 부유하고 활동적인 사람입니다. 배를 여러 척 소유하고 있고, 이집트 전역에 여러 개의 상점이 있지요.

　ㅡ주로 무슨 상품을 다룹니까?

　ㅡ고급 통조림이나 진귀한 화병 따위를 수입해서 상류층 고객들에게 팔지요.

―그가 어디 사람인지 아십니까?

―시리아인이지요. 하지만 수년 전부터 이집트에 정착해 살고 있어요.

아메니와 세라마나의 눈이 서로 부딪쳤다. 세라마나는 이미 흥분한 기색이 역력했다.

―감사합니다, 레누프. 아주 큰 도움이 됐습니다.

―그럼…… 이제 가도 된다는 말인가요?

―그렇습니다. 하지만 이 일에 관해선 침묵을 지켜주십시오.

―약속하지요.

라이아, 시리아인이라…… 만일 아샤가 함께 있었다면, 그는 자신의 추리가 맞았다는 것을 확인했을 것이다. 아메니가 미처 자리에서 일어서기도 전에, 사르디니아인은 벌써 마차를 향해 달려가고 있었다.

―세라마나! 기다려!

29

찬바람에도 불구하고 우리테슈프는 거친 양모로 짠 로인클로스 한 벌만을 걸치고 있었다. 웃통을 벗은 채 전속력으로 말을 몰고 있는 그를 뒤따르기 위해 휘하 기병들은 말에 끊임없이 박차를 가해야 했다.

길고 풍성한 머리칼에 갈색 털로 뒤덮인 근육질의 커다란 덩치를 가진 우리테슈프는 히타이트 제국의 대왕 무와탈리스의 아들이었다. 그는 이집트 보호령 내의 반란 봉기가 실패로 돌아간 이후, 히타이트 군의 새로운 총사령관에 임명되었다.

람세스의 신속하고도 거센 진압은 무와탈리스를 놀라게 했다.

이번 폭동을 준비하고 관리하는 일과, 일단 폭동이 성공을 거둔 이후에는 그 영토를 점령하는 일을 맡았던 전 총사령관 바두크의 장담대로였다면, 이번 작전이 이렇게 어이없이 무너져서는 안 되는 것이었다.

그러나 수년 전부터 이집트에 정착한 시리아인 첩자는 다소 불안한 메시지를 보내왔다. 그에 따르면, 람세스는 단호한 성격과 불굴의 의지를 지닌 위대한 파라오라는 것이었다.

바두크는 경험 없는 왕이나 용병·겁쟁이·무능력자들로 구성된 군대에 대해 히타이트가 두려워할 것은 아무것도 없다고 반박했다. 세티에 의해 강제된 평화는, 무와탈리스가 자신의 권좌를 넘보는 야심적인 무리들을 제거하면서 자신의 권력을 확고히 다져놓을 시간이 필요한 동안에만 히타이트에게 유리한 것이었다. 이제 무와탈리스는 권력을 독점하게 되었다.

팽창정책이 다시 등장하게 되었다. 그리고 아나톨리아인들이 세상의 주인이 되기 위해서 차지해야 할 나라가 있다면, 그것은 바로 파라오의 이집트였다.

바두크 장군에 의하면 열매는 잘 익은 상태였다. 아무르와 가나안이 히타이트의 손에 들어와 있었고, 남은 일은, '왕의 성벽'을 구성하는 요새들을 붕괴시켜 다져놓은 후 델타를 치고 마지막으로 이집트를 전면 침공하는 것이었다.

히타이트의 사령부를 흥분시킨 굉장한 계획이었다.

하지만 그가 간과한 것이 하나 있었다. 바로 람세스였다.

히타이트의 수도 하투사*에서 사람들은 도대체 우리 제국이 신들에게 어떤 잘못을 저질렀는가 자문했다. 오로지 우리테슈프만 그러한 의문을 갖지 않았다. 그는 이번 실패의 원인을 바두크 장군의 무능함에 돌리고 있었다. 그는 단지 요새들을 시찰하기 위해서만이 아니라 수도로의 귀환이 늦어지고 있는 바두크를 찾기 위해 히타이

---

* 보가즈코이, 터키의 앙카라에서 동쪽으로 150킬로미터 떨어진 지점이다.

트 제국을 횡단하고 있었던 것이다.

그는 아나톨리아 고원의 기슭에 위치한 가부르 카레시* 요새에서 바두크를 만나게 되리라 생각했었다. 그런데 거기에 바두크 장군은 없었다.

무기를 들고 있는 세 명의 병사들의 거대한 형상이 히타이트 제국의 호전성을 잘 보여주고 있었다. 그 앞에서 적은 두 가지 선택밖엔 없었다. 복종하든가, 아니면 몰살당하는 것이었다.

길을 따라가면서 사방의 바위나 돌벽에서 발견하게 되는 것은 조각가들이 새겨넣은 호전적인 부조들이었다. 거기엔 오른손에 투창을 들고, 왼쪽 어깨에 활을 걸친 채 행군하는 병사들의 모습이 조각되어 있었다. 히타이트의 방방곡곡에 전쟁에 대한 예찬이 기승을 부리고 있었다.

우리테슈프는 습하고 비옥한 평원을 전속력으로 내달렸다. 그는 속도를 조금도 늦추지 않고, 늪지 사이의 단풍나무 숲을 통과했다. 사람과 말 모두를 지치게 만들면서 그는 가능한 한 빨리 마사트** 요새에 닿기 위해 악착같이 달렸다. 그곳은 바두크 장군이 피해 있을 만한 마지막 장소였다.

가혹한 훈련으로 단련된 히타이트 기병들이었지만, 마사트에 도착했을 때는 모두들 기진해버렸다. 마사트는 두 산맥 사이에 펼쳐진 평원의 한가운데 작은 구릉에 세워져 있었다. 그 위에서는 주위를 관찰하기가 쉬웠다. 낮이고 밤이고 궁수들은 감시탑의 감시구에 배치되어 있었다. 귀족가문에서 선출된 장교들은 무자비한 규율로 병사들을 다스렸다.

---

* 앙카라에서 남서쪽으로 60킬로미터 지점을 가리킨다.
** 마사트-호이우크, 하투사에서 북동쪽으로 116킬로미터 지점을 가리킨다.

우리테슈프는 요새 입구에서 백여 미터 떨어진 곳에 우뚝 멈추어 섰다. 그의 말 바로 앞에 투창 하나가 날아와 땅에 깊숙이 박혔던 것이다.

그는 말에서 뛰어내려 앞으로 나갔다. 그가 소리쳤다.

－문을 열어라! 내가 누군지 모르겠나?

마사트 요새의 성문이 열리자, 그 사이로 두 명의 보병이 그를 향해 창을 겨누었다.

우리테슈프는 그들을 옆으로 밀어버렸다.

－무와탈리스 대왕의 아들이 성주를 만나보고자 한다.

성주는 목이 부러지는 위험도 아랑곳없이 성벽에서 곧장 뛰어 내려왔다.

－왕자님! 이런 영광스러운 일이…….

병사들은 그들의 창을 다시 치켜들어 경의를 표했다.

－바두크 장군이 여기 있나?

－그렇습니다. 제 병영에 모시고 있습니다.

－나를 그가 있는 곳으로 안내하게.

두 사람은 계단이 높고 미끄러운 돌층계를 올라갔다.

요새의 정상에는 삭풍이 몰아치고 있었다. 성주의 처소는 거친 돌로 벽을 두르고 있었고, 기름 램프에서는 짙은 연기가 스며나와 온 천장을 시커멓게 그을려놓았다.

우리테슈프를 보는 순간, 체격이 당당한 50대의 남자가 몸을 일으켰다.

－우리테슈프 왕자님…….

－잘 지내셨소, 바두크 장군?

－제 계획이 실패로 끝난 것은 저로서도 이해할 수 없는 일이올시다. 만약 이집트 군이 그렇게 빨리 반격해오지만 않았다면, 가나안과 아무르의 현지 저항군들을 재정비할 시간이 있었을 겁니다.

하지만 완전히 글러버린 것은 아닙니다. 이집트인들의 지배는 표면적일 뿐입니다. 파라오에게 충성을 선언한 군주들도 다시 우리의 보호 하에 놓이기를 원하고 있지요.

─어째서 장군은 적군이 아무르를 침공했을 때 카데슈 부근에 주둔하고 있던 우리 군대에게 적을 공격하라는 명령을 내리지 않으셨소?

바두크 장군은 놀란 모습이었다.

─그러자면 제대로 된 선전포고가 있어야 하지요······ 그리고 그것은 제 소관이 아니올시다. 오로지 대왕께서만 그러한 결정을 내리실 수 있습니다.

왕년에는 우리테슈프 못지않게 괄괄하고 자신감 넘치던 바두크였지만, 지금은 지쳐빠진 늙은이에 지나지 않았다. 그의 머리와 수염은 하얗게 세었다.

─이번 작전의 손익을 뽑아보셨소?

─바로 그 때문에 저는 이곳에 잠시 머물고 있는 것이죠······ 아무 꾸밈 없는 정확한 보고서를 작성하는 중입니다.

총사령부만 다룰 수 있는 군사기밀을 듣고 있을 수가 없어서 요새의 성주가 물었다.

─저는 물러가도 되겠습니까?

우리테슈프가 대답했다.

─그냥 있어.

조국을 위해 헌신한 위대한 전사, 전설적인 영웅 바두크 장군이 이렇게 모욕당하는 것을 지켜보게 되다니, 성주로서는 가슴 아픈 일이었다. 하지만 명령에 복종하는 것은 히타이트 최고의 미덕이었다. 더구나 대왕의 아들이 요구하는 것이라면 다른 소리가 있을 수 없었다. 모든 불복종은 즉결처분을 당했다. 항시 전쟁준비 상태에 있는 군대의 단결을 유지하자면, 그것말고는 다른 방법이 없었던 것이다.

바두크가 말했다.

—가나안의 요새들은 이집트 군의 공격에 잘 버텨냈지요. 우리가 애써 훈련시킨 수비대들은 끝까지 항복하지 않았습니다.

우리테슈프가 말했다.

—그렇다고 결과가 달라지는 것은 아니오. 반도들은 전멸당했고, 가나안은 또다시 이집트의 지배를 받게 됐소. 메기도에서도 똑같은 실패였지.

—유감이지만, 그렇습니다. 그럼에도 불구하고 우리 고문관들은 동맹국들의 병사들을 훌륭히 훈련시켰지요. 그들은 대왕의 명령을 받들어 가나안과 아무르에 히타이트 군이 있었다는 어떠한 흔적도 남기지 않기 위해 카데슈로 되돌아왔습니다.

—아무르, 아무르 얘기를 해보시오! 장군은 걸핏하면 아무르의 군주가 장군을 주인처럼 따르고 있고, 따라서 더이상 람세스에게 복종하지 않을 거라고 말하지 않았소?

바두크가 인정했다.

—제 가장 큰 실수였지요. 이집트 군의 작전이 기막혔습니다. 그들은 우리의 동맹국이 함정을 파놓고 매복하고 있던 해안도로를 택하지 않고 내륙으로 돌아왔습니다. 전혀 예상할 수 없는 진군로입니다. 뒤에서 기습당한 아무르 군주는 항복하는 수밖에 다른 도리가 없었지요.

우리테슈프가 고함을 쳤다.

—항복! 항복! 장군은 항복이란 말을 입에 달고 다니는구만! 장군이 주장한 전략이라는 게 결국 이집트 군을 약화시키자는 것 아니었소? 적어도 보병부대와 전차부대 중 한둘은 궤멸시키겠다고 그랬었나? 그런데 보라구, 성공을 거두기는커녕 파라오의 병사들은 거의 손실을 입지 않았고, 이제는 오히려 자신만만해하고 있소. 결국

람세스의 승리라구!

　—저는 제가 실패했다는 것을 잘 알고 있습니다. 그리고 그것을 얼버무릴 생각도 없습니다. 싸우다 죽는 것보다는 치욕스럽게 살아남는 편을 택했던 아무르의 군주를 믿었던 건 제 잘못입니다.

　—히타이트 장군의 경력에 패배가 들어설 자리는 없소.

　—제 병사들이 패배한 것은 아니지 않습니까, 왕자님? 이집트 보호령에 소요를 일으키려던 계획이 차질을 빚은 것뿐이지요.

　—장군은 람세스가 두려웠소, 그렇지 않소?

　—그의 군사력은 우리가 생각했던 것보다 훨씬 강력했습니다. 어쨌거나 제 임무는 반란을 선동하는 것이었지, 이집트 군과 맞붙는 것은 아니었습니다.

　—이따금은 임기응변이 필요한 것이오, 장군.

　—저는 그저 한 사람의 군인에 불과합니다, 왕자님. 저는 명령에 복종할 뿐입니다.

　—왜 장군은 하투사로 돌아오지 않고 이곳에 피신해 있었소?

　—이미 말씀드렸습니다. 보고서를 작성하기 위해 잠시 물러나 있고 싶었다고. 그리고 한 가지 좋은 소식이 있습니다. 아무르의 우리 동지들 덕분에 반란이 다시 터지게 될 겁니다.

　—꿈에서 깨시오, 바두크.

　—아닙니다, 왕자님. 저한테 시간을 좀더 주십시오. 이번에는 성공할 수 있습니다.

　—당신은 이제 더이상 히타이트 군의 총사령관이 아니오. 대왕께서 결정하셨어. 내가 당신을 대신하게 됐소.

　바두크는 떡갈나무 둥치가 활활 타고 있는 벽난로 쪽으로 몇 걸음 옮겼다.

　—축하드립니다, 우리테슈프. 왕자님은 우리를 승리로 이끄실 겁니다.

—또다른 전갈이 있소, 바두크.

전 총사령관은 등을 우리테슈프 쪽으로 돌린 채 불에 손을 녹이고 있었다.

—말씀하십시오, 왕자님.

—당신은 겁쟁이요.

검을 뽑아든 우리테슈프는 그것을 바두크의 허리에 깊이 찔러넣었다. 바두크는 돌아서며 검이 박힌 자리에서 솟구치는 선혈을 이윽히 응시하더니, 고목이 무너지듯 천천히 뒤로 넘어졌다.

요새의 성주는 놀라서 바라만 보고 있었다.

우리테슈프가 말했다.

—이자는 겁쟁이일 뿐만 아니라 배신자였어. 그는 자신의 실패를 인정하지 않으려 했고 오히려 나를 공격했어. 자네가 그 증인일세.

성주는 허리를 굽혔다.

—시체를 끌어내게. 그리고 마당 한가운데로 가져가서 불태워버려. 장례는 전사들한테나 해당되는 거야. 싸움에 진 장수는 이처럼 끝장나는 거지.

수비대 병사들이 지켜보는 가운데 바두크의 시체가 불타는 동안, 우리테슈프는 전차의 굴대에 염소 기름을 바르고 있었다. 그는 쏜살같이 수도로 달려가 이집트와의 전면전을 역설할 생각이었다.

30

우리테슈프르는 이보다 더 아름다운 도시를 상상할 수 없었다.

대초원과 협곡이 잘 어울려 있는 중부 아나톨리아 고원. 그 위에 건설된 히타이트 제국의 심장 하투사. 여름엔 불타는 열기가, 겨울엔 살을 에는 추위가 지배하는 땅, 하투사는 1만8천 아르의 면적에 달하는 기복이 심한 지형에 자리잡고 있었다. 그러한 험준한 지형에 산악도시를 건설했다는 것은 하나의 기적이었다. 하투사는 낮고 높은 두 도시로 나뉘어 있었다. '높은 도시'에는 대왕의 궁전을 중심으로 거대한 성채가 우뚝 솟아 있다. 이곳을 처음 와보는 사람은 일견 무질서한 자연 지형과 잘 어우러져 있는 거대한 돌의 성채를 발견할 것이다. 하투사는 마치 바위투성이 산정 위에 거대한 돌들을 가지런히 배열해놓은 모습이었고, 그 주위를 둘러싼 산맥들은 적의 침공으로부터 히타이트의 수도를 보호해주었다. 돌은 도시 도처에서 이용되었다. 건물의 기초로 사용되었고, 목재와 더불어 벽을 쌓는 데에도 이용되었다.

거만하고 야생적인 도시 하투사. 무적의 전사 하투사. 바로 그곳에서 우리테슈프의 이름이 울려퍼질 날이 멀지 않았다. 그는 가슴을 열어젖힌 채 오연하게 도시를 바라보았다.

탑과 감시구가 연이어 늘어선 9킬로미터에 달하는 성벽은 병사의 영혼을 흥겹게 했다. 성벽은 가파른 지형을 따라 산봉우리를 기어오르기도 하고, 협곡 아래의 심연을 굽어보기도 했다. 험난한 자연의 비밀을 간파한 인간의 손이 결국 그 자연을 굴복시킨 것이다.

도시로 통하는 문은 '낮은 도시'의 성벽에 두 개, 그리고 '높은 도시'의 성벽에 세 개가 있었다. 우리테슈프는 '사자의 문'과 '왕의 문'을 무시한 채 가장 높은 곳에 위치한 '스핑크스의 문'으로 향했다. 그곳의 특징은 길이 45미터에 달하는 비밀통로가 외부로 나 있다는 점이었다.

'낮은 도시'에도 하나의 웅장한 건축물, 바로 뇌우(雷雨)의 신과 태양의 여신에 봉헌된 신전이 있었다. 그리고 온갖 크기의 기념물들이 성역을 장식하고 있었다. 하지만 우리테슈프는 왕궁이 있는 '높은 도시'를 선호했다. 그는 그곳 성채에서 돌을 층층이 겹쳐 쌓아올린 축대를 내려다보는 것을 좋아했다. 그 축대 위에는 비탈면을 따라 공공건물들과 귀족들의 주택들이 세워져 있었다.

도시 안으로 들어서면서 그는 바위 위에 포도주를 붓고, 세 덩어리의 빵을 바쳤다. 그는 '바위여 영원하라'는 제문을 외었다. 바위 곳곳에는 악마들의 갈증을 달래고자 기름과 꿀로 가득한 그릇들이 놓여 있었다.

왕궁은 세 개의 봉우리로 이루어진 위압적인 바위산 위에 군림하고 있었다. 정예병사들이 24시간 지키는 높은 탑을 갖춘 성벽이 대왕의 처소를 도시의 다른 부분과 분리시키고 있었다. 그로 인해 왕궁은 어떠한 공격으로부터도 안전했다.

신중하고 교활한 무와탈리스는 히타이트의 파란만장한 역사와 권력을 쟁취하기 위해 벌였던 악착스런 싸움을 기억하고 있었다. 말보다는 칼과 독약을 사용하는 것이 흔했다. 히타이트의 '대왕들' 가운데 자연사로 죽은 자는 거의 없었다. 그래서 백성들이 부르듯 '거대한 요새'는 세 방면의 통로를 막아버리는 것이 바람직했다. 나머지 한 방면의 좁은 입구도, 밤낮 없이 감시하는 위병들에 의해 철저한 몸수색을 거친 방문객들만을 왕궁 안으로 들여보냈다.

대왕의 아들도 그 철저한 검색에 예외가 아니었다. 우리테슈프는 위병들의 검색에 몸을 맡겼다. 다른 대부분의 병사들과 마찬가지로, 위병들도 대왕의 아들이 총사령관에 임명된 것을 환영하고 있었다. 젊고 용감한 왕자는 바두크 장군처럼 우유부단하지는 않을 것이다.

왕궁의 내부에는 여름철에 없어서는 안 될 물 저장고들이 여럿 있었다. 마구간, 무기공장, 위병소들이 포석이 깔린 안뜰 주위에 들어서 있었다. 대왕의 처소는 그 설계에서 크고 작은 히타이트의 다른 처소들과 다를 바가 없었다. 사각형의 공간을 중심으로, 다른 모든 방들이 그 주위를 둘러싸고 있는 것이다.

장교 하나가 우리테슈프에게 인사했다. 그는 대왕이 주로 방문객들을 만나는, 육중한 기둥들이 늘어서 있는 방으로 왕자를 안내했다. 돌로 된 사자와 스핑크스가 입구를 지키고 있었다. 히타이트 군의 승전 기록을 보관하고 있는 고문서관의 입구에도 똑같은 사자와 스핑크스가 지키고 있었다. 히타이트 제국이 천하무적임을 확인시켜주는 그곳에서 우리테슈프는 무한한 자부심과 힘을 느꼈다.

그가 방에 들어가 잠시 기다리자, 두 사람이 방으로 들어왔다.

보통 키에 가슴이 넓고 다리가 짧은 쉰 살가량의 대왕 무와탈리스는 추위를 많이 타서 늘 검붉은색의 기다란 양모외투를 두르고 있었다. 그의 갈색 눈은 끊임없이 주위를 두리번거렸다.

그를 뒤따라 들어온 작고 허약한 몸매의 사내는 대왕의 동생, 하투실이었다. 끈으로 머리를 묶고 은목걸이를 걸었으며 왼쪽 팔목에 팔찌를 찬 그는 어깨를 드러낸 알록달록한 천조각을 걸치고 있었다.

태양의 여신의 사제인 하투실은 푸투헤파와 결혼했다. 푸투헤파, 위대한 사제의 딸인 그녀는 아름답고 영리했으며, 사람들을 끌어들이는 능력이 뛰어났다.

우리테슈프는 그들 부부를 증오했다. 하지만 대왕은 기꺼이 그들 부부의 조언에 귀를 기울였다. 신임 총사령관이 보기에 하투실은 권력의 그림자 속에 숨어 있다가 적절한 시기가 오면 권력을 탈취하려는 음모가에 지나지 않았다.

우리테슈프는 아버지 앞에 무릎을 꿇고, 그의 손에 입 맞추었다.

―바두크 장군을 찾았느냐?

―예, 아버지. 그는 마사트 요새에 숨어 있었습니다.

―자기의 행동을 어떻게 설명하더냐?

―저를 공격했습니다. 그래서 제가 죽여버렸죠. 요새의 성주가 증인입니다.

무와탈리스는 동생을 돌아다보았다. 하투실이 말했다.

―끔찍한 비극입니다. 하지만 아무도 패전한 장군을 다시 살려낼 수는 없지요. 그의 죽음은 마치 신들이 내린 벌처럼 여겨지는군요.

우리테슈프는 놀라움을 감추지 못했다. 생전 처음 하투실이 자기를 편들고 있는 것이다!

대왕이 말했다.

―현명한 말이로고. 히타이트 백성은 패배를 좋아하지 않지.

우리테슈프가 한술 더 뜨고 나섰다.

-저는 당장 아무르와 가나안으로 진군하여, 이집트를 전면 공격할 것을 주장합니다.

하투실이 반박했다.

-'왕의 성벽'이 견고한 방어선을 구축하고 있는데…….

-착각입니다! 그 조그만 보루들은 서로 너무 떨어져 있습니다. 우리는 그것들을 격리시켜서 단 한 차례의 공격으로 모두 점령할 수 있습니다.

-그런 낙관론은 내가 보기에 좀 지나친 것 같네. 이집트는 바로 얼마 전에 그들 군대의 위력을 입증해 보이지 않았던가?

-이집트 군은 겁쟁이들만 상대했었지요. 히타이트 병사들과 부딪치면 다들 도망갈 겁니다.

-너도 람세스의 존재를 잊었느냐?

대왕의 질문에 아들은 입을 다물었다.

-네가 지휘하는 군대는 승리를 거둘 것이다, 우리테슈프. 하지만 그러한 승리는 사전에 준비돼야 한다. 우리 진영에서 너무 멀리 떨어진 곳까지 나가 전투를 벌이는 것은 실책이야.

-하지만…… 그러면 어디에서 공세를 취한단 말입니까?

-이집트 군들이 그들의 진영에서 멀리 떨어져 있게 되는 그런 장소지.

-그렇다면…….

-카데슈. 람세스의 패배를 보게 될 대전투가 벌어질 곳은, 바로 카데슈다.

-저는 그보다는 파라오의 보호령들을 공격하고 싶은데요.

-나는 우리 정보원들의 보고를 꼼꼼하게 살펴보았다. 그래서 바두크가 실패한 원인을 찾아내었지. 람세스는 생각했던 것보다 훨씬 더 무서운 무장이다. 오랜 준비가 있어야 할 게야.

-우리는 불필요하게 시간을 잃고 있습니다!

—아니다, 아들아. 우리는 강력하고 정확하게 공격해야 해.

—우리 군대는 용병들을 긁어모은 이집트의 오합지졸에 비해 훨씬 월등합니다. 강력하게요? 우리는 강력한 힘을 가지고 있어요. 정확하게요? 제가 세운 작전을 적용시키기만 한다면 얼마나 정확하게 적을 칠 수 있는가 보여드리죠. 제 머릿속에는 이미 모든 것이 준비돼 있습니다. 장황한 말이 뭔 소용입니까. 제가 명령만 내리면 우리 군대는 그대로 멤피스까지 돌진할 겁니다.

—히타이트를 지배하는 것은 나다, 우리테슈프. 너는 오로지 내 명령에 따라 행동해야 한다. 지금 당장 네가 할 일은 행사 준비다. 나는 한 시간 뒤에 궁신들을 만나겠다.

대왕은 방을 나갔다. 우리테슈프는 하투실을 붙잡고 시비를 걸었다.

—내 계획을 방해하고 나선 게 당신이지, 그렇지?

—나는 군대 일은 모른다.

—나를 놀리는 거요? 이따금 나는 제국을 지배하는 게 혹시 당신이 아닐까, 의심하는 때가 있어.

—네 아버지의 위대함을 모욕하지 말아라, 우리테슈프. 무와탈리스가 대왕이다. 나는 최선을 다해 그를 섬길 뿐이야.

—그가 죽을 때를 기다리면서 말이지!

—너는 지금 무슨 말인지도 모르면서 지껄이고 있어.

—이 왕궁은 음모투성이야. 그리고 그 모든 것을 뒤에서 조종하는 건 바로 당신이지. 하지만 그게 성공하리라고 생각하면 오산이야.

—너는 갖고 있지도 않은 의도를 내게 떠미는구나. 사람이 자신의 욕망에 한계를 둘 수도 있다는 것을 너는 믿지 못하느냐?

—당신한테는 해당되지 않는 말이지, 하투실.

—너를 설득하려고 노력해봤자 소용 없겠다.

─전혀 소용 없지.

─왕은 너를 총사령관에 임명했다. 그가 옳았다. 너는 훌륭한 군인이고, 네 군대는 너를 믿고 있다. 하지만 네 마음대로 행동하겠다는 생각을 해선 안 된다.

─당신은 중요한 사실 하나를 잊고 있어, 하투실. 히타이트 사람들한테는 바로 군대가 법이야.

─우리나라에서 대부분의 사람이 소중하게 여기는 것이 무엇인지 아느냐? 그건 자신의 집, 밭, 포도나무, 가축 머릿수…….

─평화를 설파할 참인가?

─전쟁이 선포된 것은 아니다. 내가 아는 한에선…….

─누구든지 이집트와의 평화를 주장하는 자는 배신자로 간주될 거야.

─내 말을 멋대로 해석하지 말아라.

─내 길에서 비켜나, 하투실. 아니면 후회하게 될 거야.

─협박은 약자들의 무기지, 그렇지 않으냐, 우리테슈프?

대왕의 아들은 칼자루에 손을 가져갔다. 하투실이 맞섰다.

─감히 대왕의 동생에게 무기를 들 작정인가?

격분을 참지 못한 우리테슈프는 고함을 내질렀다. 그는 성난 걸음으로 타일 바닥을 내리차며 방을 떠났다.

31

우리테슈프, 하투실, 푸투헤파, 뇌우의 신의 대사제, 태양의 여신
의 대사제, 직공들의 우두머리, 시장 조사관, 그리고 제국의 다른
모든 고관들이 대왕의 연설을 듣기 위해 모였다.

이집트 보호령에 소요를 일으키려던 계획이 수포로 돌아간 것은
사람들의 마음을 심란하게 했다. 비극적으로 죽은 바두크 장군이
이번 실패의 책임자라는 것은 아무도 의심치 않았다. 그렇다면 앞
으로 무와탈리스는 어떠한 정책을 펼칠 것인가?

혈기 넘치는 우리테슈프에 자극받은 군인계급은 당장 이집트와
전면적인 대결을 벌이기를 바라고 있었다. 재력이 상당한 상인계급
은 교역의 발전에 이로운 '전쟁도 아니고 평화도 아닌' 상태가 연
장되기를 원했다. 하투실은 그들의 대표단을 접견한 바 있었고, 대

왕에게도 그들의 견해를 무시하지 말기를 조언했었다.

히타이트는 대상들이 많이 통과하는 나라로서 그들은 히타이트 정부에 막대한 세금을 물고 있었고, 바로 그 돈이 군인계급을 먹여 살렸다. 보통 당나귀 한 마리가 이런저런 물품을 65킬로그램, 직물만이라면 80킬로그램까지 실어나르지 않던가? 도시에서건 촌락에서건 상인들은 완벽한 상업지구를 건설해놓고 있었고, 물품 내역서, 운송 지시서, 계약서, 차용증서 등을 이용한 효과적인 경제제도를 시행하고 있었다.

군인만이 아니라 상인들에게도 히타이트는 천국이었다. 히타이트에는 특이한 소송절차도 존재했는데, 예를 들면 어떤 상인이 살인죄로 기소되더라도 거액의 몸값만 치르면 법정과 감옥을 피할 수 있었다.

군과 상업, 이것이 대왕의 권력을 지탱하는 두 개의 지주였다. 대왕은 그 둘 중 하나라도 없으면 군림할 수 없었다. 우리테슈프가 군인들의 우상이라면, 하투실은 상인들의 불평불만을 무마시키는 데 신경을 썼다. 사제들은 히타이트 귀족 가운데 가장 부유한 가문 출신인 그의 아내 푸투헤파의 말에 절대적으로 복종했다.

무와탈리스는 자기 아들과 동생 사이의 치열한 암투를 눈치채지 못할 만큼 어리석지는 않았다. 그들에게 각기 제한된 영역에서 영향력을 행사하게 함으로써, 그는 그들의 야망을 충족시켜주었고 아울러 상황을 통제하고 있었다. 하지만 그게 언제까지 갈 것인가? 오래지 않아 그는 결단을 내려야 할 것이다.

하투실은 이집트 정복을 굳이 반대하지 않았다. 단, 그것이 우리테슈프를 영웅으로 또한 미래의 대왕으로 신성화시켜서는 곤란했다. 따라서 그는 군 내부에 더욱 많은 친구들을 만들어놓아야 했고, 우리테슈프의 권력에 조금씩 흠집을 내야 했다. 대왕의 아들이라면, 마땅히 전투에서 장렬히 전사하는 것이 가장 바람직한 운명 아니겠는가?

하투실은 무와탈리스의 통치방법을 높이 평가하고 있었고, 만일 우리테슈프가 제국의 권력균형에 위협이 되지만 않았다면 대왕을 섬기는 것으로 만족했을 터였다. 무와탈리스는 아들에게서 존경이나 감사를 기대할 수 없었고, 기대하지도 않았다.

히타이트인들에게는 가족관계의 중요성이 상대적일 뿐이었다. 법률에 의하면, 근친상간은 아무에게도 피해를 주지 않는 한에서, 인정받을 수 있는 행위였다. 강간은 범죄이긴 했지만 그렇게 엄한 처벌의 대상이 아니었고, 피해를 당한 여성 쪽에서 조금이라도 동의한 혐의가 있을 때에는 전혀 처벌받지 않았다. 아들이 권력을 차지하기 위해 아버지를 죽인다 하더라도, 그것이 윤리규범에 거슬릴 일은 거의 없었다.

군의 총사령관직을 우리테슈프에게 맡긴 것은 천재적인 발상이었다. 대왕의 아들은 자신의 명성을 드높이는 데 골몰하여 적어도 당분간은 아버지를 제거할 생각을 하지 않을 것이다. 하지만 결국 위험은 되살아날 것이다. 하투실로서는 지금 이 시기를 잘 이용해서 우리테슈프의 힘을 약화시켜놓아야 했다.

겨울이 일찍 다가온 것을 알리는, 살을 에는 듯한 북풍이 '높은 도시' 위를 휘몰아치고 있었다. 고관들은 화롯불이 피워진 접견실로 초대되었다.

무겁고 긴장된 분위기였다. 무와탈리스는 연설도 회의도 좋아하지 않았다. 요컨대 사람들의 말을 싫어했다. 그는 어둠 속에서 일하면서, 자기의 신하들을 하나하나씩 다루는 것을 좋아했다. 그럼으로써 그는 성가신 조언 따위를 피할 수 있었다.

첫째 열에 우리테슈프가 버티고 있었다. 그의 번쩍이는 새 갑옷은 하투실의 수수한 옷차림과 대조를 이루었다. 화려한 붉은 옷을 입은 하투실의 아내 푸투헤파는 여왕에 버금가는 위엄을 지니고 있었다. 그녀는 보석들로 온통 치장하고 있었는데, 황금 팔찌는 이집트로부터 가져온 것이었다.

무와탈리스는 아무런 장식도 없는 닳아빠진 돌로 만들어진 옥좌에 자리잡았다.

대왕이 모습을 드러내는 이런 드문 기회가 있을 때마다, 사람들은 저 평범하고 온순해 보이는 자가 이토록 호전적인 국가의 대왕이라는 것에 놀랐다. 하지만 주의 깊은 관찰자라면, 이내 그의 시선과 태도에서 언제라도 최악의 폭력으로 바뀔 수 있는 호전성을 감지해낼 수 있었다. 무와탈리스는 폭력과 술책을 동시에 쓸 줄 알았고, 마치 전갈처럼 공격할 줄 알았다.

대왕이 선언했다.

─나에게, 다른 누구도 아닌 오로지 나에게만 뇌우의 신과 태양의 여신은 이 나라와 수도와 마을들을 맡겼도다. 나, 대왕은 그것들을 보호할 것이다. 모든 힘과 모든 전차들이 내게, 다른 누구도 아닌 오로지 나에게 내려졌기 때문이다.

이러한 히타이트의 전통적인 표현을 사용함으로써, 무와탈리스는 그만이 결정권을 갖고 있고 그의 아들이나 동생은 비록 어느 정도의 영향력이 있다 할지라도 그에게 절대적으로 복종해야 한다는 사실을 환기시킨 셈이었다. 그들이 길을 잘못 들어선다면, 바로 그 순간 가차없이 제거될 것이고, 아무도 그의 결정을 반박할 수 없으리라.

무와탈리스는 말을 이었다.

─아나톨리아 고원은 동서남북 사방으로 산에 둘러싸여 있어 우리를 보호해준다. 우리의 국경은 침범할 수 없다. 하지만 우리 민족의 과업은 우리 영토 내에 갇혀 지내는 것이 아니다. 우리의 선왕들은 천명했었다. "히타이트의 영토는 한쪽 끝과 다른 한쪽 끝에서

바다와 접할 것이다." 나는 천명한다. 나일의 강둑은 우리 땅이 될 것이다!

무와탈리스는 자리에서 일어섰다. 그의 연설이 끝난 것이다.

단 몇 마디 말로 그는 전쟁을 선포했다.

우리테슈프가 자신의 총사령관 임명을 자축하기 위해 연 연회는 대성황이었다. 요새의 성주들과 고급장교들, 그리고 정예병사들은 그 동안의 전과와 미래의 승리에 대해 떠들어댔다. 대왕의 아들은 새로운 장비를 갖춘 전차부대를 직접 확대시키겠다고 밝혔다.

격렬한 전투의 냄새가 허공을 떠돌며 사람들을 도취시켰다.

우리테슈프가 그의 손님들에게 후식으로 제공하는 백여 명의 젊은 여자노예들이 연회장에 나타나자, 하투실과 푸투헤파는 자리를 떴다. 노예들은 손님들이 시키는 대로 따르라는 명령을 받고 있었다. 그렇지 않으면 채찍질을 당한 뒤 히타이트의 재산 가운데 하나인 소금광산으로 보내지게 되어 있었다.

대왕의 아들이 놀라 물었다.

—벌써 일어나시오, 친구들?

푸투헤파가 대답했다.

—우리는 내일 할 일이 많아요.

—하투실은 좀 피로를 푸는 게 좋을 텐데…… 여기 애들 중에는 암말처럼 예쁜 열여섯 살짜리 아시아 계집애들도 있소. 노예상인이 아주 기막힌 애들이라고 보장했지. 푸투헤파, 당신은 집에 돌아가시오. 하지만 남편한테는 좀 기분전환을 시켜드리시지.

그녀가 쏘아붙였다.

—모든 남자들이 다 돼지새끼들은 아니에요. 앞으로 이런 초대는 사양합니다.

우리테슈프의 요란한 웃음소리를 뒤로 하고, 하투실과 푸투헤파는 그들의 처소로 돌아왔다. 화려한 장식이라고는 요란한 색깔의 양털 융단이 전부인 수수한 방이었다. 벽은 박제한 곰의 머리와 엇걸어놓은 창들 따위로 장식되어 있었다.

화가 난 푸투헤파는 하녀들을 내보내고, 신경질적으로 화장을 지우며 말했다.

—저 우리테슈프는 위험한 미치광이예요.

—그는 대왕의 아들이야.

—당신은 대왕의 동생이에요.

—사람들의 눈에는 우리테슈프가 무와탈리스의 후계자로 지명된 것이나 다름없어.

—지명이라뇨…… 대왕이 정말 그런 실수를 범했을까요?

—아직은 떠도는 말일 뿐이야.

—왜 그런 소문이 퍼지는 것을 가만히 놔둬요?

—그렇게 불안해할 것 없는 소문이니까.

—공연히 침착한 척하지 마세요.

—아니오, 여보. 나는 상황에 대한 논리적인 분석을 바탕으로 말하는 것이오.

—그 논리적인 분석으로, 저도 좀 깨우쳐주시죠.

—우리테슈프는 그가 꿈꾸던 자리를 차지했소. 그는 더이상 대왕을 모반할 필요가 없어졌어.

—순진해지셨네요. 그가 원하는 것은 왕좌예요.

—그건 명백하오, 푸투헤파. 하지만 그게 가능한 일일까?

여사제는 남편을 바라보며 곰곰이 생각했다. 허약하고 잘생기지도 못한 하투실이 결국 그녀를 정복하게 된 것은 그의 지혜와 통찰력 때문이었다. 그는 위대한 군주의 자질을 갖추고 있었다.

하투실이 말했다.

—우리테슈프는 머리가 부족해. 자기가 맡은 일이 얼마나 엄청난

일인지 깨닫지도 못하지. 히타이트 군을 지휘한다는 것은 그에게는 어림없는 능력을 요구하는 일이오.

─그는 두려움을 모르는 훌륭한 전사가 아니던가요?

─물론. 하지만 총사령관이란 여러 방향들, 거의 모순되는 방향들 사이에서 결단을 내릴 줄 알아야 하오. 그러한 일은 많은 경험과 끈기를 요구하지.

─우리테슈프로선 어림없는 일이겠군요.

─재미있지 않소? 그 녀석은 곧 장군들 가운데 누군가를 노하게 해서 커다란 잘못을 범하게 될 것이오. 군 내부에 반목이 생기고, 현재의 파벌들이 더욱더 강화될 거요. 반대파들도 나타날 거고, 필경 이빨을 드러낸 야수들이 무능력한 폭군을 집어삼키려 할 거야.

─대왕은 전쟁을 선포했어요…… 그리고 제일 중요한 역할을 우리테슈프에게 맡겼는데…….

─형식적일 뿐이오. 오로지 형식이야.

─확실한가요?

─다시 말하지만, 우리테슈프는 자신의 능력을 과대평가하고 있어. 그는 복잡하고 잔인한 세상을 발견하게 될 거요. 전사의 꿈은 보병들의 방패에 부딪혀 산산이 부서지고, 광폭한 전차들의 바퀴 아래 짓밟힐 거야. 하지만 그게 다는 아니지…….

─저를 애태우게 할 건가요, 여보?

─무와탈리스는 위대한 왕이오.

─그가 자기 아들의 결점을 악용할 거란 말인가요?

하투실은 빙긋 웃었다.

─히타이트 제국은 튼튼하면서 동시에 취약한 면을 갖고 있소. 튼튼한 것은 제국의 군사력이 막강하기 때문이오. 취약한 것은 제국이 야심 많은 이웃들에게 둘러싸여 있기 때문이지. 그들은 우리의 조그마한 약점도 놓치지 않고 이용하려 들 거요. 이집트를 공격

해서 차지한다는 것은 좋은 계획이오. 하지만 즉흥적인 공격은 파탄을 불러올 거요. 독수리들은 그 틈을 이용해 우리의 시체를 포식하려 들겠지.

ㅡ무와탈리스가 우리테슈프 같은 전쟁광을 통제할 수 있겠어요?

ㅡ우리테슈프는 아버지의 진짜 계획이 뭔지, 또한 그가 그것을 어떻게 실행시킬 생각인지, 감도 잡지 못하고 있소. 대왕은 아들이 믿게끔 그것에 대해 얘기는 많이 했지. 하지만 본질적인 것은 밝히지 않았어.

ㅡ당신에게는…… 말해줬나요?

ㅡ영광스럽게도 그렇소, 푸투헤파. 그리고 대왕은 내게 하나의 임무를 맡기기도 했지. 그의 작전계획을 그의 아들에게 알리지 않고 실행하는 것이 바로 나의 임무요.

'높은 도시'의 관저 테라스에서 우리테슈프는 신월을 바라보고 있었다. 그 달 속에 미래, 그의 미래의 비밀이 있었다. 그는 달에게 오랫동안 말을 건넸고, 자기의 앞길을 막는 모든 적을 짓밟으며 히타이트 군을 승리로 이끌고픈 욕망을 털어놓았다.

대왕의 아들은 밤의 천체를 향해 물이 담긴 잔을 들어올렸다. 이 거울 덕분에 그는 하늘의 비밀을 간파하고자 했다. 히타이트인들은 누구나 점성술을 신봉했다. 하지만 달에게 직접 말을 건넨다는 것은, 누구도 무릅쓰고 싶어하지 않는 위험을 내포하고 있었다.

침묵을 방해받은 달은 날카롭게 휘어진 검이 되어 자신을 공격한 자의 목을 벨 것이고, 사람들은 산산이 흩어진 그의 시체를 성벽 아래에서 발견하게 될 것이다. 그와는 반대로 달은 자기의 연인들에겐 전투에서의 행운을 가져다주었다. 우리테슈프는 죽음을 두려워하지 않았다. 달의 연인이 될 수 없다면 차라리 달의 검을 받기를 원했다.

우리테슈프는 오만하고 제멋대로인 밤의 여왕을 경배했다.

달은 아무 대답이 없었다. 그렇게 한 시간이 지났다. 우리테슈프는 포기하지 않았다. 그는 오래도록 달을 향해 물잔을 들어올리고 기다렸다.

이윽고 물에 잔물결이 일더니 부글거리며 끓기 시작했다. 잔은 불타듯 뜨거워졌지만, 우리테슈프는 잔을 놓지 않았다.

물이 잔잔해졌다. 편편한 수면 위에 상 이집트와 하 이집트의 이중관을 머리에 쓴 한 남자의 얼굴이 떠올랐다.

람세스!

그것이 우리테슈프에게 예고된 거대한 운명이었다. 그는 람세스를 죽이게 될 것이고, 이집트를 순한 노예로 만들 것이었다.

32

짧은 턱수염을 깔끔하게 다듬고 두터운 옷을 걸친 시리아 상인 라이아가 아메니의 사무실에 나타났다. 파라오의 개인비서는 곧바로 그를 맞아들였다.

라이아가 불안한 목소리로 말했다.

—사람들 말로는 당신이 온 도시를 뒤지며 저를 찾고 있다고 하던데요.

—그렇습니다. 세라마나가 당신을 강제로라도 이곳으로 데려오는 임무를 맡았었죠.

—강제라…… 하지만 이유가 무엇입니까?

—당신은 중대한 혐의를 받고 있습니다.

시리아인은 몹시 절망한 것처럼 보였다.

─혐의……? 나한테……?

─어디 숨어 있었나요?

─아니…… 저는 숨어 있지 않았어요! 전 항구의 제 창고에 있었어요. 고급 통조림의 발송을 준비하고 있었죠. 이 믿기지 않는 소문을 듣자마자 달려온 겁니다. 저는 정직한 장사꾼입니다. 수년 전부터 이집트에 살고 있고 그 동안 어떤 위법행위도 저지르지 않았어요. 제 주위 사람들, 고객들한테 물어보세요. 그리고 저는 지금 사업을 확장하는 중이고, 새로운 운송선을 한 척 구입할 참이라는 것도 참고해주십쇼. 제 통조림들은 귀족들의 식탁에 오르고, 제 귀한 화병들은 테베, 멤피스, 피-람세스의 화려한 저택들을 장식하는 걸 작품들입니다. 저는 궁전에도 물건을 대고 있어요!

라이아는 신경질적인 목소리로 장광설을 늘어놓았다. 아메니가 말했다.

─나는 당신의 장사를 문제삼는 게 아닙니다.

─그럼 뭣 때문에 저를 심문하는 겁니까?

─네노파르라는 이름의 여자를 아십니까? 피-람세스에 거주하는 창녀인데.

─아뇨.

─결혼하셨나요?

─사업 때문에 결혼해서 가정을 꾸릴 만한 틈이 없었죠.

─여자관계가 있으실 텐데.

─사생활이라서…….

─당신 자신을 위해서라도 대답하시죠.

라이아는 주저했다.

─여기저기에 여자친구들이 있기는 합니다만…… 솔직히 말씀드리면 저는 일을 너무 많이 하기 때문에, 잠을 푹 자는 것이 유일한 낙입니다.

―그렇다면 네노파르를 만난 적이 없다고 주장하시는 겁니까?

―그렇습니다.

―피‐람세스에 창고가 하나 있다는 건 인정하시겠습니까?

―물론이죠! 저는 부두에 커다란 창고를 하나 세내고 있지요. 하지만 곧 너무 비좁게 될 겁니다. 그래서 도시 내에 다른 하나를 빌리기로 결정했지요. 다음달부터 그것을 이용할 생각입니다.

―그 창고의 소유주는 누굽니까?

―레누프라고, 이집트 동료입니다. 좋은 사람이고 정직한 상인이지요. 사업을 확장할 작정으로 그 건물을 사들였는데, 지금 쓰고 있지 않기 때문에 저한테 적당한 가격에 세를 들지 않겠냐고 제안해왔지요.

―그럼 현재 그 건물은 비어 있겠군요?

―비었지요.

―거기 자주 들르십니까?

―딱 한 번 갔었지요. 레누프와 함께 임대계약을 맺기 위해서 말입니다.

―바로 그 건물에서 네노파르의 시체가 발견되었어요, 라이아.

상인은 큰 충격을 받은 것 같았다. 아메니가 말을 이었다.

―그 불쌍한 처녀는 목이 졸려 죽었지요. 자기한테 거짓 증언을 하도록 강요한 사람의 이름을 밝히기로 작정했기 때문이었죠.

라이아의 두 손이 덜덜 떨렸다. 그의 입술이 하얗게 질렸다.

―살인…… 살인이라니, 이곳 수도에서 말입니까! 그런 흉악한…… 충격적인 일입니다.

―어디 출신이신가요?

―시리아입니다.

―우리 조사에 따르면 범인은 시리아인이 확실합니다.

―시리아 사람은 이집트에 수천 명이나 있어요!

—당신은 시리아인이고, 네노파르가 살해된 것은 당신의 건물에서였습니다. 우연의 일치치곤 뭔가 이상하지 않습니까?

—말 그대로 우연의 일치에 불과합니다. 다른 건 없어요!

—그 범죄는 아주 중대한 또다른 범죄와 연결되어 있습니다. 바로 그 때문에 폐하께서 신속하게 해결하라고 지시하셨지요.

—저는 그저 장사꾼에 불과합니다. 열심히 일한 대가로 재산이 불어나는 게 결국 이런 질투와 중상모략을 불러일으켰단 말인가? 만일 제가 돈을 많이 벌었다면 그것은 악착같이 일한 덕분입니다. 저는 그 누구한테서 그 무엇도 훔친 적이 없어요.

아메니는 생각했다. 이 사람이 정녕 우리가 찾고 있는 자라면, 이 라이아란 사람의 연기는 정말 대단했다.

아메니가 말했다.

—이것을 읽어보십쇼.

그는 네노파르의 살인사건에 관련된 조서를 시리아인에게 내주었다. 거기에는 범죄가 일어난 날짜가 적혀 있었다.

—이날 밤에 어디에 있었습니까?

—생각 좀 하게 해주십쇼. 정신이 없어서…… 게다가 여행을 워낙 많이 다니니까 잘 알 수가 없군요…… 아, 알았습니다. 부바스티스의 제 상점에서 물건 목록을 작성하고 있었어요.

부바스티스, 고양이 여신 바스테트에 봉헌된 아름다운 도시 부바스티스는 피-람세스에서 80킬로미터 떨어진 지점이었다. 빠른 배와 강한 물결이 도와준다면 수도로부터 불과 대여섯 시간이면 닿을 수 있었다.

—거기서 당신을 본 사람이 있습니까?

—그럼요. 제 창고 책임자와 그 지역을 관할하는 판매 담당자가 있습니다.

—부바스티스에는 얼마 동안 머물렀습니까?

—사건이 있기 전날에 거기에 도착해서 그 이튿날 멤피스로 다시 출발했지요.

—완벽한 알리바이군요, 라이아.

—알리바이라니요…… 나는 사실을 말하고 있는 겁니다.

—그 두 사람의 이름은?

라이아는 낡은 파피루스 조각에 그 이름을 적었다. 아메니가 말했다.

—확인해보겠습니다.

—제가 무고하다는 것을 아시게 될 겁니다.

—피-람세스를 떠나지 마시기 바랍니다.

—나…… 나를 체포하는 겁니까?

—당신을 심문하는 일이 다시 필요할지 몰라서 그렇습니다.

—하지만…… 내 장사! 나는 화병을 팔기 위해 지방으로 가야만 합니다.

—당신의 고객들은 좀 기다려야 할 겁니다.

상인은 눈물을 흘리기 직전이었다.

—저는 부유한 귀족들의 신뢰를 잃게 될 겁니다. 항상 약속한 날짜에 물건을 배달했으니까요.

—우리로서도 어쩔 수 없습니다. 지금 어디에 거주하십니까?

—조그만 주택입니다. 부두에 있는 내 창고들 뒤편이지요…… 이런 피해를 언제까지 당해야 하나요?

—곧 끝날 겁니다. 걱정하지 마십시오.

부바스티스에 번개처럼 다녀온 사르디니아 거인의 화를 달래기 위해서는 세 잔의 독한 맥주가 필요했다. 그가 아메니에게 말했다.

—라이아의 고용인들을 심문해봤네.

—그들이 라이아의 알리바이를 확인해주던가?

—확인하더군.

—재판정 앞에서 선서하겠다던가?

—그것들은 시리아인들이야, 아메니! 그들한테 저승세계의 저울 따위가 뭐 대수겠나? 그들은 돈만 받는다면 아무 거리낌 없이 거짓 말을 할 거야. 그들한텐 규범이 중요하지 않아. 내가 해적이었을 때처럼, 그자들을 내 식대로 심문하는 게 허락된다면…….

—자네는 이제 해적이 아닐세. 그리고 정의는 이집트의 가장 소중한 재산이야. 사람을 학대하는 것도 하나의 위법일세.

—그러면 첩자인 데다 살인까지 저지른 놈을 자유롭게 놔두는 것은 위법행위가 아닌가?

전령 한 명이 들어와 그들의 논쟁을 중단시켰다. 아메니와 세라마나는 람세스의 넓은 집무실로 호출되었다.

왕이 물었다.

—어떻게 됐나?

—세라마나는 시리아 상인 라이아가 첩자요 살인자라고 확신하고 있습니다.

—그러는 자네는?

—나 역시 그렇지요.

사르디니아인은 감사의 눈빛으로 서기관을 바라보았다. 그들 사이에 모든 불화의 흔적은 사라져버렸다.

—증거는?

사르디니아인이 털어놨다.

—전혀 없습니다. 폐하.

—만일 단순한 추측만으로 그를 체포한다면, 라이아는 재판을 받겠다고 주장할 거고 결국 무죄석방될 거야.

아메니가 말했다.

—알고 있습니다.

세라마나가 간청했다.

—제가 처리할 수 있게 해주십쇼, 폐하.

—내 친위대장에게, 혐의자의 신상에 가해지는 모든 폭력에 대해서는, 그 가해자에게 엄중한 처벌이 뒤따른다는 것을 다시 환기시켜줘야 하는가?

세라마나는 한숨을 내쉬었다. 아메니가 말했다.

—우리는 궁지에 몰려 있어요. 그 라이아란 자는 십중팔구 히타이트 간첩조직의 일원일 겁니다. 어쩌면 그 수뇌일 가능성도 있지요. 그자는 영리하고 교활한 데다가 연기도 잘해요. 그는 자신의 반응을 통제할 줄 압니다. 눈물을 찔끔거릴 줄도 알고, 화를 낼 줄도 알지요. 일에 인생을 바친 정직하고 근면한 상인처럼 행세하면서, 이 도시에서 저 도시로 이집트 전역을 돌아다니며 많은 사람과 만난다는 건 사실입니다. 적에게 정확한 정보를 전달해주기 위해 우리나라에서 일어나는 일들을 관찰하는 데 그보다 더 좋은 방법이 어디 있겠습니까?

세라마나가 말했다.

—라이아는 분명히 네노파르와 같이 잤다구요. 그는 그녀가 거짓말을 하게 돈을 주었죠. 그는 그녀가 입을 다물 거라고 믿었겠지요. 그게 실수였죠. 그녀는 그를 협박하려 했고, 그래서 그녀를 죽인 겁니다.

람세스가 말했다.

—자네들 보고서에 의하면, 시리아인은 자기가 세든 창고 안에서 그 여자를 목졸라 죽인 것으로 되어 있는데, 왜 그렇게 부주의하게 일을 처리했을까?

아메니가 상기시켰다.

—그 건물은 그자의 명의로 올라 있지 않아요. 따라서 아무 연관이 없는 건물주까지 추적하고, 그리고 나서 다시 라이아한테까지

추적해가는 일은 쉽지 않았지요.

세라마나가 덧붙였다.

—라이아는 분명히 소유주를 제거할 생각이었을 겁니다. 그가 자기 이름을 밝힐까봐 겁나서 말입니다. 하지만 우리가 먼저 개입했지요. 그렇지 않았다면 그 시리아인은 아직도 어둠 속에 머물러 있었을 겁니다. 제 생각으로는 네노파르를 죽이겠다고 라이아가 사전에 계획한 것은 아닐 겁니다. 아무도 자기를 아는 사람이 없는 구역의 그런 은밀한 장소에서 그녀를 만나는 것은, 그에게 전혀 위험할 게 없었겠죠. 그자는 엄하게 경고하는 정도로 그녀의 입을 다물게 할 수 있다고 생각했을 겁니다. 하지만 상황이 악화됐어요. 여자는 침묵하는 대신 그에게서 돈을 뜯어낼 생각이었겠죠. 그렇지 않으면 경찰에 다 불어버리겠다고 협박했을 거구요. 당황한 라이아는 그녀를 죽였고, 시체를 다른 데로 옮길 겨를도 없어 그냥 도망쳐버린 겁니다. 그리고 시리아인 공범들 덕분에 알리바이를 조작한 것이죠.

람세스가 말했다.

—만일 우리가 히타이트 족의 대규모 전쟁 직전에 있다면, 우리 영토 내에 간첩망이 존재한다는 것은 아주 불리한 조건이야. 두 사람이 보여준 사건의 재구성은 설득력이 있네. 하지만 가장 중요한 것은 라이아가 어떤 방법으로 그의 메시지를 히타이트 족에게 전달하느냐를 알아내는 일이야.

세라마나가 암시했다.

—심문을 제대로 하면…….

—첩자라면 말하지 않을 걸세.

서기관이 물었다.

—폐하께서는 어떤 제안을 하시겠습니까?

—그를 다시 불러 심문하게. 그리고 풀어주게. 더이상 아무런 혐

의도 받고 있지 않다고 믿게끔 해보는 거야.

　―속지 않을 겁니다!

　왕이 인정했다.

　―물론. 하지만 그물이 자기를 조여오는 걸 느끼면, 그는 부득이 히타이트와 접촉할 도리밖에 없을 걸세. 나는 그가 어떤 행동을 보일지 알고 싶네.

33

11월 말, 곡식이 싹을 틔우기 시작하는 계절이 왔다. 땅에 뿌려진 씨앗들은 어둠과의 싸움에서 승리를 선언하며, 그들 속에 품고 있던 생명을 이집트 백성에게 베풀었다.

람세스는 호메로스가 가마에서 내려 의자에 앉는 것을 도왔다. 그들은 음식이 가득 차려진 탁자 앞에 자리를 잡았다. 곁에는 시냇물이 흐르고 있었다. 초겨울의 따사로운 햇볕이 늙은 시인의 이마를 어루만졌다.

왕이 물었다.

―마음에 드십니까?

―신들은 이집트에 커다란 은총을 베풀었군요.

―파라오는 신들에게 그들이 경배받는 처소를 세워주지 않았습

니까?

—이 땅은 하나의 신비입니다, 폐하. 그리고 폐하 자신이 바로 신비입니다. 이 고요함, 이 평온한 삶, 저 아름다운 종려나무들, 저 빛나는 대기의 투명함, 이 맛있는 음식…… 이 모든 것에는 초자연적인 것이 깃들여 있어요. 당신네 이집트 사람들은 하나의 기적을 이루었고, 그 마법 속에서 살고 있어요. 하지만 그것이 앞으로 몇 세기나 더 계속될까요?

—우리가 마아트의 규범을 지키는 만큼 오래 계속될 것입니다.

—폐하는 바깥 세계를 잊고 있어요. 그 세계는 규범 따위는 우습게 여깁니다. 마아트가 히타이트 군을 멈추게 하리라고 믿습니까?

—그것은 재난으로부터 우리를 지켜주는 가장 훌륭한 성벽일 겁니다.

—나는 내 두 눈으로 전쟁을 보았지요. 사람들의 잔인함을 보았고, 분노가 날뛰는 것을 보았고, 죽음의 광기가 사람들을 사로잡는 것을 보았지요. 전쟁, 그것은 인간의 핏속에 숨어 있는 악덕입니다. 그것은 모든 형태의 문명을 파괴할 겁니다. 이집트라고 그러한 규칙에서 예외일 수는 없을 겁니다.

—틀리셨습니다, 호메로스선생. 이집트가 하나의 기적이라…… 선생 말씀이 맞습니다. 하지만 그 기적은 우리가 매일같이 쌓아올려 만든 것입니다. 그리고 나는 그것을 위협하는 어떤 침략도 물리칠 겁니다.

시인은 눈을 감았다.

—저는 더이상 망명객이 아닙니다, 폐하. 저는 결코 그리스, 그 거칠고도 아름다운 땅을 잊지 못할 겁니다. 하지만 이곳, 이 검고 비옥한 땅에서 나의 정신은 하늘과 교감하게 되었습니다. 전쟁으로 곧 갈가리 찢길 저 하늘 말입니다.

—왜 그렇게 비관적이십니까?

—히타이트 족은 정복만을 꿈꾸고 있습니다. 수많은 그리스인들

이 그랬던 것처럼 아귀같이 서로 싸우는 것만이 그들의 존재이유입니다. 폐하가 거둔 최근의 승리가 그들을 단념시키진 못할 겁니다.

─내 군대는 언제라도 싸울 준비가 되어 있습니다.

─폐하는 거대한 야수와 같군요. 폐하를 생각하면서 이런 시구를 지어봤습니다. "사냥꾼과 맞선 표범은 떨지 않는다, 차분할 따름이다. 사냥개들이 짖는 소리가 들려오더라도, 투창에 맞아 다치더라도, 표범은 싸우기를 그치지 않는다. 표범은 공격한다. 살거나, 혹은 죽기 위해서."

네페르타리는 방금 세나르가 가져다준 놀라운 편지를 다시 읽었다. 말을 탄 전령들이 그것을 히타이트로부터 남부 시리아까지 가져왔고, 또다른 전령들이 그것을 이집트까지 가져와 외무대신에게 전달해주었다.

나의 자매, 친애하는 이집트의 왕비 네페르타리에게.

나, 히타이트 제국 대왕의 동생인 하투실의 아내 푸투헤파가 인사를 전합니다. 우리는 서로 멀리 떨어져 있고, 우리의 백성은 서로 다릅니다만 그들은 똑같이 평화를 바라고 있지 않습니까? 만일 그대와 내가 힘을 합해 우리 백성들의 우호관계를 발전시킨다면, 그것은 아름다운 일 아니겠습니까? 이쪽에선 평화를 위해 힘쓸 터이니 존경하는 자매께서도 그와 같이 해주시기를 바라 마지않습니다.

그대가 손수 답장을 보내준다면 큰 기쁨이고 영광이겠습니다. 신들의 가호가 있기를 빕니다.

왕비는 람세스에게 물었다.

─이 야릇한 편지는 뭘 의미하는 걸까요?

─진흙을 바른 봉인을 보나 필체를 보나 편지가 진짜라는 것에는 의심의 여지가 없소.

─제가 푸투헤파에게 답장을 해야 하나요?

─그녀는 왕비가 아니오. 하지만 무와탈리스의 아내가 죽은 뒤로는 히타이트 제국을 대표하는 여자로 간주해야겠지.

─그의 남편인 하투실이 다음번 왕이 될까요?

─무와탈리스는, 이집트와의 전쟁을 악착같이 주장하는 그의 아들 우리테슈프 쪽으로 기울 것이오.

─그렇다면 이 편지는 별 의미가 없겠군요.

─하지만 이 편지는 사제계급이나 상인계급의 지지를 받는 또다른 세력이 존재한다는 사실을 보여주고 있소. 아샤에 의하면, 히타이트 내에서 상인들의 영향력은 무시할 수 없다던데. 분쟁이 일어나면 자신들의 사업규모가 줄어들지 않을까 두려워하고 있지.

─그들의 영향력이 전쟁을 막을 만큼 클까요?

─물론 아니오.

─만일 푸투헤파가 진정이라면, 그녀를 돕지 않을 까닭이 뭐겠어요? 수천, 수만 명의 죽음을 피할 수 있는 가느다란 희망이 있는데 말이에요.

시리아 상인 라이아는 신경질적으로 턱수염을 어루만졌다.

아메니가 말했다.

─우리는 당신의 알리바이가 사실이라는 것을 확인했습니다.

─다행이군요!

─당신한테는 다행한 일이죠. 고용인들이 당신 말을 확인해주었습니다.

─저는 사실을 말했고, 아무것도 감출 게 없어요.

아메니는 계속 붓을 놀리고 있었다.

―솔직히 얘기해서…… 우리가 잘못 생각했을지도 모르겠군요.

―드디어 이성의 소리를 듣게 되는군요!

―상황이 당신한테 아주 불리했다는 점은 인정하셔야죠. 어쨌거나 사과드리겠습니다.

―이집트의 정의라는 것이 빈말은 아니었군요.

―고마운 말씀입니다.

―어디든 가고 싶은 곳에 갈 수 있는 겁니까?

―당신은 완전히 자유롭게 다시 일을 하실 수 있습니다.

―제가 모든 혐의를 벗은 겁니까?

―그렇습니다, 라이아.

―귀하의 공정한 처사에 감사드리고, 그 가엾은 처녀를 살해한 범인을 속히 붙잡게 되기를 바라겠습니다.

라이아는 생각은 딴 데 가 있는 채 배달 명세서에 열중하는 척했다. 그는 창고와 배 사이의 부두를 성큼성큼 걸어갔다.

그는 아메니의 연기에 단 한순간도 속지 않았다. 왕의 개인비서처럼 집요한 사람이 두 시리아인의 증언만 믿고, 그렇게 빨리 포기할 리는 없었다. 서기관은 협박 대신 함정을 파놓고 있었다. 라이아가 혐의를 벗었다고 믿고 비밀공작을 재개하여, 미행하는 세라마나를 자기 조직의 구성원들에게 데려가줄 거라고 기대하고 있었다.

가만히 생각해보면, 상황은 그가 생각했던 것보다 훨씬 더 심각했다. 그가 어떻게 하든 간에 그의 조직은 궤멸을 면할 수 없었다. 아메니는 그의 고용인들 가운데 상당수가 히타이트를 위해 일하고 있으며, 무섭게 능률적인 그림자 군대를 이루고 있다는 사실을 곧 알게 될 것이다. 동료와 부하들이 줄줄이 체포될 것이고, 조직은 이내 파괴될 것이다.

평소 하던 대로 장사일을 하면서 눈을 속인다…… 이런 임시방

편은 그리 오래 가지 못하리라.

한시라도 빨리 셰나르에게 이 일을 알려야 했다. 물론 셰나르에게는 어떤 조그마한 혐의라도 걸리지 않아야 했다.

라이아는 피-람세스의 몇몇 귀족들에게 귀한 화병들을 배달했다. 단골인 셰나르 역시 목록에 올라 있었다. 시리아인은 셰나르의 별장에 들러 그의 집사를 만났다.

―셰나르 나리는 집에 없습니다.

―아…… 곧 돌아오십니까?

―모르겠는데요.

―유감스럽게도 기다릴 시간이 없습니다. 멤피스로 곧 떠나야 하기 때문이죠. 요 며칠 동안 일이 좀 있어서 무척 늦어졌지요. 수고스럽지만 이 물건을 셰나르 나리께 좀 전해주시겠습니까?

―물론이죠.

―제가 안부를 여쭙더라고 전해주십쇼. 아, 잊을 뻔했네…… 값이 꽤 비쌉니다. 하지만 이 작은 걸작품은 그만한 가치가 있죠. 사소한 문제는 제가 돌아오는 대로 해결할 수 있을 겁니다.

라이아는 다른 세 명의 단골고객을 방문한 뒤, 멤피스로 떠나는 그의 배에 올랐다.

그는 결정을 내렸다. 상황이 긴급한 만큼, 그는 미행하고 있던 세라마나의 부하들을 따돌린 뒤 조직의 책임자와 접선해서 조언을 구할 필요가 있었다.

급송 공문서의 처리를 맡고 있는 외무성의 서기관은 가발 쓰는 것도 잊은 채 동료들의 의아한 시선을 느끼며 셰나르의 사무실까지 뛰어갔다.

셰나르는 자리에 없었다.

고약한 상황이었다…… 대신이 돌아오기를 기다려야 하나, 아니면 절차를 무시하고 빨리 왕한테 편지를 전해야 하나? 나중에 경을 칠게 분명하지만, 관리는 후자를 택했다.

그의 동료들은 그가 여전히 가발을 쓰지 않은 채 근무시간중에 외무성을 떠나는 것을 멍하니 바라보았다. 그는 관용마차에 뛰어올라 몇 분 만에 왕궁에 도착했다.

관리를 만난 아메니는 그의 흥분을 이해했다.

남부 시리아의 외교부가 전달해온 편지는 히타이트 제국의 대왕인 무와탈리스의 봉인이 찍혀 있었다.

―대신께서 부재중이시라…… 긴급을 요하는 내용일지 몰라서…… 저는 곧장…….

―잘하셨소. 당신의 경력에 대해서는 아무 걱정 마시오. 폐하께서는 그런 결단력을 높이 사실 거요.

아메니는 편지를 들고 무게를 가늠해보았다. 나무로 된 서판은 천에 싸여 있었는데, 그 천에는 히타이트 문자로 된 마른 진흙의 봉인이 여러 개 붙어 있었다.

서기관은 눈을 감았다. 그는 이게 그저 악몽이기를 바랐다. 하지만 그가 눈을 떴을 때 편지는 사라지지 않았고, 계속해서 그의 손바닥을 뜨겁게 태우고 있었다.

그는 지친 걸음으로 람세스의 집무실로 향했다. 농무대신 및 관개 책임자들과 함께 한나절을 보낸 왕은 혼자 강둑의 관리를 개선하기 위한 법령을 준비하고 있었다.

―자네 왜 그렇게 창백한가, 아메니?

아메니가 내민 손에는 히타이트의 왕이 파라오에게 보내는 공식 서한이 들려 있었다.

람세스가 중얼거렸다.

―선전포고로군.

34

람세스는 전혀 서두르지 않고 천천히 봉인을 부수고 서판을 감싸고 있는 천을 뜯어냈다. 그는 편지를 훑어보았다.

아메니는 눈을 감았다. 그는 지옥에 떨어지기 직전 몇 초 동안의 마지막 평화를 음미하고 있었다. 이제 곧 파라오는 그에게 답장을 받아적게 할 것이고, 그것으로 이집트는 히타이트와 전쟁에 돌입하게 될 것이다.

－자네 여전히 술을 안 하는가, 아메니?

왕의 질문은 서기관을 놀라게 했다.

－술을 안 하느냐고? 물론이지요!

－유감일세. 함께 좋은 포도주를 한잔하면 좋을 텐데. 읽어보게.

아메니는 서판의 글을 해독했다.

히타이트의 왕 무와탈리스가 이집트의 파라오요 빛의 아들인, 형제 람세스에게.

어떻게 지내시오? 그대의 어머니 투야, 그대의 아내 네페르타리, 그리고 그대의 아이들도 잘 지내고 있기를 바라오. 그대와 그대 아내의 명성은 계속 커져가고만 있더이다. 그대의 용맹함을 이곳 히타이트의 사람들도 다들 알고 있소.

그대 말들은 건강한지? 여기선 말들에게 무척 신경을 쓰고 있소. 말들은 굉장한 동물이오. 천지만물 가운데 가장 아름다운 동물이라오.

히타이트와 이집트에 신의 가호가 있기를 비오.

아메니의 얼굴에 환한 미소가 번졌다.

—이거…… 이거 신나는군!

—나는 믿기지 않네.

—이건 흔히 있는 외교적인 서신입니다. 선전포고 따위와는 전혀 관계가 없어요!

—아샤만이 정확한 것을 말해줄 수 있을 거야.

—폐하께서는 무와탈리스를 전혀 신용하지 않으시는군요.

—그는 폭력과 술책으로 권력을 쟁취했네. 그의 눈에 외교라는 것은 또다른 무기에 불과하지, 결코 평화로 가는 길은 아니야.

—하지만 혹시 그가 전쟁에 지친 것은 아닐까? 혹은 이집트의 파라오가 가나안과 아무르를 전격 탈환한 일로 이제 이집트 군을 심각하게 받아들이게 된 것은 아닐까요?

—무와탈리스도 그 사실을 무시하지 않네. 바로 그렇기 때문에 그는 전쟁에 대비하고 있고, 동시에 몇몇 우호적인 몸짓을 보이며 우리의 불안감을 무마하려 하는 것일세. 호메로스는 지속적인 평화

를 믿고 있지 않네. 그는 멀리 볼 줄 아는 시인이지.

─하지만 만일 그가 틀린 것이라면, 만일 무와탈리스가 변했고 상인계급이 전사계급의 우위에 서게 된 것이라면? 푸투헤파의 편지도 그와 같은 맥락에 있지 않겠습니까?

─히타이트 제국의 경제는 정복 위에 건설된 것이네. 그들 백성의 영혼은 폭력을 사랑하지. 상인들은 군대를 지지하고 있고, 대규모 전쟁이 발발하면 그것을 기회로 새로운 이익을 챙기려 달려들걸세.

─폐하 생각엔 대결이 불가피한 것이군요.

─내가 틀렸기를 바라네. 만일 아샤가 어떤 대규모 기동훈련이나 특별한 무력증강, 총동원 따위가 없다는 것만 확인한다면 나는 다시 희망을 가질 걸세.

아메니는 혼란스러웠다. 괴이한 생각이 그의 머리를 스쳐갔다.

─아샤의 공식적인 임무는 우리 보호령들의 방어체제를 재정비하는 것이지요. 혹시 폐하가 말씀하신 정보를 얻기 위해 그가 히타이트 영토로 들어가야 하는 것은 아닌가요?

람세스가 인정했다.

─바로 맞았네.

─그건 미친 짓입니다! 만일 붙잡히면…….

─아샤 자신이 선택했네. 아샤는 받아들이건 거절하건 자유롭게 결정할 수 있었어.

─그는 우리 친구요, 람세스. 어릴 적부터의 친구라구요. 그는 내가 그렇듯 폐하께 충실했어. 그는…….

─나도 아네, 아메니. 그리고 나는 그의 용기를 높이 사네.

─그가 살아 돌아올 가능성은 전혀 없어! 설령 메시지 몇 개 전달하는 데 성공하더라도 그 자신은 붙잡히고 말 거요.

처음으로 서기관은 람세스에게 원망을 느꼈다. 이집트의 이익을 최우선에 놓은 파라오는 결코 잘못을 범한 것은 아니었다. 하지만 그는 자기의 친구를 희생시켰다. 현자들처럼 백열 살까지 살 자격이 있는 그런 친구를.

—답장을 받아 적어주게나, 아메니. 우리 형제인 히타이트의 왕에게 내 가족들과 말들의 안부를 전해주세나.

사과 한 알을 잘게 깨물어먹으면서 셰나르는 집사가 가져온 화병을 바라보고 있었다.

—자네한테 이걸 가져온 게 분명히 라이아 본인이란 말이지.

—그럼요, 나리.

—그가 자네한테 한 말을 다시 말해보게.

—그는 이 걸작품의 값이 무척 비싸다고 하면서, 그가 수도로 돌아오면 두 분이서 그 문제를 해결할 것이라고 했습죠.

—사과 하나 더 갖다주고, 아무도 방해하지 않도록 해주게.

—나리, 젊은 여자분이 와 계시는데…….

—들여보내.

셰나르는 화병에서 눈을 떼지 않고 있었다.

복제품이야. 샌들 한 켤레 값도 못 되는 조잡하고 추한 복제품. 촌구석에 사는 하층민들도 이런 것은 자기 집에 갖다놓지 않을 거야.

라이아의 전언은 명료했다. 그의 정체가 탄로났고, 이제는 셰나르와 어떤 접촉도 할 수 없다는 것이다. 셰나르가 세워놓은 전략의 한 면이 그대로 무너져내리고 있었다. 히타이트인들과 연락이 끊긴다면 어떻게 움직여야 하는가?

두 가지 요소가 그를 안심시켰다.

우선 히타이트인들은 이러한 중대한 시기에 이집트 땅에 심어놓은 간첩조직을 포기할 수 없을 것이다. 그들은 라이아를 교체할 것이고, 그 후임이 셰나르와 접촉할 것이다.

두번째는 아샤가 차지하고 있는 특권적인 위치였다. 보호령 내의 방어체제를 와해시키면서 그는 틀림없이 히타이트인들과 선이 닿을 것이고, 셰나르에게도 알려올 것이다.

마법사 오피르도 있다. 그의 흑마술은 필경 효과가 있을 것이다.

결국 라이아의 불운이 그를 불리하게 할 것은 없었다. 시리아 첩자도 나름대로 궁지에서 벗어날 방도가 있을 것이다.

황갈색의 따사로운 햇빛이 피-람세스의 신전에 내려앉고 있었다. 석양의 제의를 거행한 후에 람세스와 네페르타리는 건축중인 아몬 신전 앞에서 다시 만났다. 날이 갈수록 아름다워지는 수도는 그들에게 평화와 행복을 약속하는 것 같았다.

국왕 부처는 성소 앞의 정원에서 산책했다. 월계수들이 밀집한 곳에 무화과와 대추나무들이 자라나고 있었다. 정원사들은 어린 나무들에게 부드러운 말을 건네면서 물을 주었다. 그들은 그러한 애정어린 말들이 나무들에게 물만큼이나 필요하다는 것을 잘 알고 있었다.

—우리가 받은 편지에 대해 어떻게 생각하오?

네페르타리가 대답했다.

—불안해요. 히타이트 사람들은 평화의 환상으로 우리를 현혹하려는 것 같아요.

—나는 좀더 안심이 되는 대답을 기대했었는데.

—당신을 속이는 건 우리의 사랑을 배반하는 거예요. 저는 당신께 제가 생각하는 그대로 말씀드려야 해요. 비록 그것이 천둥과 번개가 갈라놓은 하늘처럼 불안한 색깔을 띠고 있다 할지라도요.

—내 군대가 히타이트의 공격에 버텨낼 수 있을까? 고참병들은 퇴역만을 생각하고 있고, 신병들은 경험이 너무 없고, 용병들은 봉

급에만 신경을 쓰고 있소. 적은 우리의 약점을 너무나 잘 알고 있소.

―우리는 그들의 약점을 모르나요?

―우리 정보부는 제대로 조직되어 있지 못하오. 그것을 효과적으로 기능하게 하려면 몇 년은 필요할 거요. 우리는 무와탈리스가 아버님이 카데슈의 문 앞에서 정하신 국경을 존중하리라고 믿었소. 하지만 그의 선임자들과 마찬가지로 히타이트의 왕은 확장을 꿈꾸고 있소. 그에게 이집트보다 더 좋은 먹이는 없을 거요.

―아샤가 보고를 보내왔나요?

―전혀 소식이 없소.

―그의 생명이 걱정되시죠, 그렇죠?

―나는 그에게 위험한 임무를 맡겼소. 적의 영토 안으로 숨어들어가 가능한 한 많은 정보를 수집하는 일이지. 아메니는 나를 용서하지 않고 있소.

―그건 누구의 생각이었나요?

―당신에겐 거짓말하지 않을 거요, 네페르타리. 그건 나였소. 아샤가 아니었소.

―그는 거절할 수도 있었을 텐데요.

―사람들이 파라오의 제안을 거절하는 걸 봤소?

―아샤는 자기 운명을 스스로 선택할 수 있는 강한 자아를 가졌어요.

―만일 일이 잘못되어 그가 체포되어 죽는다면, 그 책임은 나한테 있소.

―아샤는 당신과 마찬가지로 이집트를 위해 살고 있는 거예요. 그가 히타이트로 떠난 것은 우리나라를 재난으로부터 구할 수 있다는 희망 때문이었겠죠.

―우리는 그것에 대해 밤새 얘기했소. 만일 그가 히타이트 군사

력에 대한 중요한 정보를 내게 알려준다면, 우리는 아마도 침략자들을 물리칠 수 있을 것이오.

—만일 당신이 선제공격을 한다면요?

—그것도 생각하고 있소…… 하지만 아직은 아샤한테 맡겨놔야 하오.

—우리가 받은 편지들은 히타이트인들이 시간을 벌고자 한다는 것을 입증하고 있어요. 아마도 내부의 불화 때문이겠죠. 이런 적절한 시기를 놓쳐서는 안 될 거예요.

네페르타리는 그 부드럽고 율동적인 목소리로 이집트 왕비의 엄격함과 불굴의 의지를 표현하고 있었다. 투야가 세티의 곁에서 그랬던 것처럼, 그녀는 왕의 영혼을 도야시키고 있었고 그의 힘을 확대하고 있었다.

—자주 모세 생각이 나오. '두 개의 땅'이 끊임없이 위협받고 있는 오늘날 그가 있다면 어떻게 반응했을까? 나는 확신하오. 그의 머릿속을 떠나지 않는 괴이한 이념에도 불구하고 그가 파라오의 나라를 구하기 위해 우리와 함께 싸울 것이라고…….

해가 졌다. 네페르타리는 몸을 떨었다.

—제 낡은 솔이 그립군요. 참 따뜻했는데…….

35

아카바 만(灣)의 동쪽과 에돔의 남쪽에 위치한 마디안 지방은 평온한 삶을 누리고 있었다. 이따금 시나이 반도를 지나는 유목민들을 맞아들이는 것이 외부와의 유일한 접촉이었다. 마디안 사람들은 양치는 일에만 몰두할 뿐, 모압 지방의 아랍 부족들이 서로 치고받는 일과는 거리를 두고 있었다.

일곱 명의 딸을 가진 어느 늙은 사제가 자신들의 가난이나 가혹한 기후에 대해 전혀 불평할 줄 모르는 이들 마디안 사람들의 조그마한 마을을 다스리고 있었다.

노인이 암양 한 마리의 다리 상처를 돌봐주고 있을 때였다. 갑자기 낯선 소리가 귀에 들려왔다.

말들이었다.

전속력으로 달리는 말들과 전차들의 소리였다.

이집트 순찰대인가…… 하지만 그들이 마디안에 들르는 일은 거의 없었다. 주민들은 어떤 무기도 갖고 있지 않았고, 싸울 줄도 몰랐다. 그들은 너무 헐벗었기 때문에 세금도 물지 않았고, 또한 사막 경찰대도 그들이 오아시스가 파괴당하거나 혹은 강제이주를 당하게 되는 위험을 무릅쓰고 베두인 도적들을 숨겨줄 까닭이 없다는 것을 잘 알고 있었다.

이집트 전차들이 야영지에 들이닥치자, 사람들은 아이들을 거두어 천막 안으로 도망쳐버렸다. 늙은 사제가 몸을 일으켜 방문객들을 맞았다.

순찰대장은 거만해 보이는 젊은 장교였다.

—당신 누구야?

—마디안의 사제올시다.

—당신이 이 거지떼의 두목인가?

—그렇소이다.

—여기서 뭘로 먹고 살아?

—양을 치기도 하고, 대추야자를 따기도 하오. 물은 우물에서 길어오고, 조그만 밭에서 약간의 채소도 키우고 있지요.

—무기를 갖고 있나?

—우리 관습이 아니오.

—당신네 천막을 뒤지라는 명령을 받았어.

—천막은 열려 있소이다. 우리는 아무것도 감출 게 없소.

—들리는 말에 의하면, 베두인 범죄자들을 숨겨주고 있다던데.

—우리가 일부러 파라오의 분노를 살 만큼 어리석겠소? 비록 이 조그만 땅뙈기가 헐벗고 버려진 땅이지만, 이건 우리의 소유요. 법을 위반한다면 우리는 이 땅마저 잃게 될 게요.

—현명한 노인이구만. 하지만 그래도 수색은 해야겠어.

―다시 말하지만 천막은 열려 있소. 그 전에 차린 건 없지만 우리 잔치에 같이 어울리지 않겠소? 내 딸들 중 하나가 방금 아들을 낳았소. 양고기와 포도주가 있소.

이집트 장교는 망설였다.

―규칙에서 벗어나는 일인데…….

―병사들에게 수색하라고 시키고, 당신은 우리와 같이 불가로 가서 앉읍시다.

겁에 질린 마디안 사람들은 늙은 사제 주위로 다시 몰려들었다. 그는 주민들을 안심시키면서, 이집트인들이 수색하기 쉽게 거들라고 말했다.

순찰대장은 자리에 앉아 잔치 음식을 나눠 먹었다. 산모는 아직 자리에 누워 있었지만 애 아버지는 쭈그리고 앉은 채 아기를 품에 안아 달래고 있었다. 고생으로 찌든 듯한 얼굴에 수염이 많은 사내였다.

늙은 사제가 설명했다.

―아이를 못 갖게 될까봐 걱정하던 목동이올시다. 저 아이는 그의 노년에 빛을 던져줄 게요.

병사들은 무기도 베두인 족도 찾아내지 못했다. 장교가 마디안의 사제에게 충고했다.

―계속해서 법을 준수하시오. 그러면 당신네 백성은 아무 걱정도 없을 거요.

전차들과 말들이 사막으로 멀어져갔다.

먼지구름이 다시 가라앉았을 때, 아기 아버지는 자리에서 일어났다. 장교가 아직 그 자리에 있었다면, 왜소한 목동이 떡 벌어진 어깨의 거인으로 변하는 것을 보고 놀랐을 것이다.

늙은 사제가 그의 사위에게 말했다.

―살았네, 모세. 저들은 다시 오지 않을거야.

건축가들과 석수들, 조각가들은 테베 서안에 빛의 아들의 영원의 신전, 라메세움을 짓는 데 그들의 수고를 아끼지 않고 있었다. 규범에 따라, 그들은 아무도 그 형상을 본 적 없는 숨은 신 아몬을 모시게 될 성상 안치소부터 짓기 시작했다. 엄청난 양의 사암과 화강암, 현무암 등이 빈틈없이 조직되어 있는 공사장에 쌓였다. 벌써 회랑의 벽이 올라가기 시작했고, 미래의 신전이 지어지기 시작했다. 람세스가 요구했던 것처럼 그의 신전은 세기를 가로지를 전설적인 건축물이 될 것이었다. 바로 그곳에서 그의 아버지를 추념하게 될 것이고, 그의 어머니와 아내를 찬양할 것이며, 마아트의 규범을 실행하는 데 없어서는 안 될 보이지 않는 힘이 전달될 것이다.

카르낙의 대사제인 네부는 미소짓고 있었다. 관절염으로 고생하고 있는 이 노인은 이집트의 성소들 가운데 가장 방대하고 화려한 카르낙 신전을 관리하는 책임을 맡고 있었다. 사람들은 모두 람세스의 선택이 냉소적이고 전략적이라고 평가했었다. 노쇠한 네부는 허수아비에 불과하며, 오래지 않아 역시 나이들고 부리기 편한 왕의 또다른 앞잡이가 그를 교체하게 될 것이라고.

아무도 네부가 화강암처럼 늙어가리라고는 예상하지 못했다. 거동이 힘들고 말이 적은 그는 신전 내에선 권력을 독점했다.

하지만 오늘, 네부는 거대한 신전과 거기에 딸린 무수한 사람들, 그 땅과 마을들을 모두 잊고 작은 나무 하나에 몸을 기울이고 있었다. 람세스가 즉위 2년째 되던 해에 영원의 신전 터에 심었던 아카시아였다. 대사제는 이 나무의 성장을 돌보겠다고 왕에게 약속했었다. 나무의 기운은 엄청났다. 성스런 곳의 신력을 입었는지, 나무는 비슷한 다른 나무들보다 훨씬 빨리 하늘을 향해 자라났다.

—내 아카시아가 만족스럽소, 네부?

대사제는 천천히 몸을 돌렸다.

—폐하…… 이 늙은이는 폐하가 오신다는 전갈을 받지 못했습니다.

—아무도 꾸짖지 마시오. 내가 여행한다는 걸 궁에서 알리지 않았소. 나무가 굉장합니다.

—이렇게 놀라운 것은 이 늙은이도 본 적이 없는 것 같습니다. 폐하께서 그 기운을 옮겨주신 것이 아닙니까? 제가 정성을 다해 돌보고 있으니, 폐하께선 훌륭하게 자란 모습을 보시게 될 겁니다.

—폭풍 속으로 들어가기 전에 테베를 다시 보고 싶었소. 나의 영원의 신전과 내 무덤과 그리고 이 아카시아 나무를 말이오.

—전쟁이 불가피합니까, 폐하?

—히타이트 족은 그게 아니라고 우리를 납득시키려 하지만, 누가 그들의 사탕발림에 넘어가겠소?

—이곳은 모든 게 잘 되어가고 있습니다. 카르낙의 부는 폐하의 것입니다. 저는 폐하께서 제게 맡기신 땅을 번성하게 할 따름이지요.

—건강은 어떠신지요?

—심장의 혈관이 막히지 않는 한 제 직분을 다할 것입니다. 그렇지만 만일 폐하께서 이 늙은이를 쉬게 할 의향이시라면 고마운 일이지요. 신성한 호수 가까이에서 제비들이 나는 것을 바라보며 사는 것이 제 가장 커다란 욕심이랍니다.

—실망시켜드려 안됐소만, 나는 현재의 위계질서를 바꿀 필요를 느끼지 못하오.

—저는 다리에 기운이 없고, 귀도 잘 안 들리며 뼈마디가 쑤신답니다.

—하지만 대사제의 생각은 매가 날듯이 힘차고, 따오기가 날듯이 정확하지 않습니까? 계속 그렇게 일해주시오, 네부. 그리고 이 아카시아를 잘 돌봐주시오. 만일 내가 돌아오지 않으면 그대가 그 나무

의 보호자가 될 것이오.

—돌아오실 겁니다. 폐하는 돌아오셔야만 합니다.

람세스는 공사현장을 방문했다. 그는 석공들과 함께 머물렀던 기억이 떠올랐다. 그는 하루하루 이집트를 건설하고 있었고, 그들은 신전들과 영원의 거처들을 짓고 있었다. 그것들이 없으면 상하 이집트는 인류가 타고난 무질서와 비천함 속에 함몰되어버릴 것이었다. 빛의 힘을 찬양하고 마아트의 규범을 지키는 것은 인간에게 올바름을 깨우쳐주는 것이었고, 인간을 그 이기심과 허영으로부터 벗어나게 해주는 것이었다.

왕의 꿈은 현실화되고 있었다. 영원의 신전이 그 모습을 드러내기 시작했다. 그 엄청난 주술적인 힘의 산실은 성소의 벽에 조각된 신성문자들과 그림들의 존재만으로 벌써 스스로 기능하기 시작했다. 윤곽이 잡히기 시작한 방들을 둘러보고 미래의 제단 앞에서 묵상하면서, 람세스는 하늘과 땅의 결합으로부터 태어난 '카'의 힘을 길어냈다. 그는 그 힘을 제 것으로 동화시켰다. 자기 자신을 위해서가 아니라, 히타이트 족이 신들의 땅에 드리우려 하는 저 암흑과 싸울 수 있기 위해서였다.

람세스는 모든 왕조들, 이집트를 우주의 형상으로 가꾸었던 역대 파라오들이 자신 속에 함께 있는 느낌을 받았다.

한순간, 스물일곱 살의 젊은 파라오는 몸을 비틀거렸다. 하지만 과거는 곧 짐이 아니라 힘으로 변했다. 영원의 신전 안에서 그의 조상들은 그에게 길을 보여주었다.

라이아는 멤피스의 귀족들에게 화병을 배달했다. 만일 미행자들이 그의 고용인들에게 캐묻는다면, 그들은 라이아가 계속해서 그의 고객들을 만족시키고 있으며, 귀족들이 즐겨 찾는 납품업자로 남을 생각이라는 것을 알게 될 것이다. 그렇게 라이아는 평상시와 다름 없이 고객들과 직접 접촉해서 약간의 아첨을 곁들여 흥정을 벌이는 방법으로 장사를 계속했다.

그는 발길을 끊은 지가 2년이 넘는 메르-우르의 대하렘으로 향했다. 이 방문은 아메니와 세라마나의 부하들을 당황하게 할 것이 분명했다. 그들은 저 고귀하고 유서 깊은 학교에 첩자의 공범이 있다고 믿을 것이고, 엉뚱한 단서를 추적하는 데 시간과 정력을 낭비할 것이다.

라이아는 그들에게 한방 더 먹였다. 그는 하렘 근처의 어느 작은 마을에 잠시 들러 거기에서 알지도 못하는 농부들과 얘기를 나누었다. 이집트 수사관들의 시각에서 보자면, 그들은 또다른 공범들임에 분명했다.

당황해하는 미행자들을 그대로 내버려둔 채, 상인은 일부는 피-람세스로, 다른 일부는 테베로 보내는 고급 통조림 화물의 운송상태를 점검하기 위해 멤피스로 돌아왔다.

세라마나는 노발대발이었다.

―그 첩자놈이 우리를 놀리고 있어! 우리가 미행한다는 걸 알고, 우리를 여기저기 끌고 다니면서 즐기고 있는 거야.

아메니가 말했다

―진정하게. 그는 반드시 실수를 저지를 거야.

―어떤 실수?

―그가 히타이트로부터 받는 메시지는 통조림 안이나 혹은 화병 안에 숨겨져 있을 거야. 나라면 두번째에 내기를 걸겠네. 화병들은 대부분 남부 시리아와 아시아에서 들여오니까 말일세.

―그럼 그것들을 조사하자구!

―그건 칼로 물 베는 격이야. 중요한 것은 그가 어떤 방법으로

메시지를 발송하는가와 어떤 조직을 이용하는가를 알아내는 일이지. 상황을 고려하건대 그는 더이상 활동이 불가능하다는 것을 히타이트 족에게 알리지 않을 수 없을 거야. 그가 어떤 물건이든 간에 시리아로 발송하는 순간을 기다리자구.

세라마나가 좋은 생각이 떠올랐다는 듯이 눈을 빛내며 말했다.

─나한테 다른 생각이 있네.

─바라건대, 합법적인 것이겠지?

─만일 내가 어떤 말썽도 일으키지 않고 라이아를 합법적으로 체포할 수 있는 방법이 있다면, 나한테 기회를 주겠나?

아메니는 붓을 내려놓고 잠시 생각에 잠겼다.

─시간이 얼마나 걸리겠나?

─내일까지면 돼.

36

부바스티스는 축제가 한창이었다. 일 주일 동안 처녀 총각들은 삶의 즐거움을 상징하는 고양이 여신 바스테트의 너그러운 시선 아래 사랑의 첫 감동을 맛보게 될 것이다. 시골에선 씨름판이 벌어져, 소년들에게는 자신들의 힘을 과시하고 그들의 씩씩함에 반한 예쁜 소녀들을 유혹할 수 있는 기회가 되었다.

라이아의 고용인들도 이틀간의 휴가를 받았다. 마르고 등이 흰 시리아인 창고 담당자는 값이 중간쯤 .나가는 화병들이 열 개쯤 보관된 창고의 문에 빗장을 질렀다. 군중 속에 함께 섞이는 데 불만이 있을 리 없었다. 쾌활한 처녀 하나쯤 골라 자기 운을 시험해볼 작정이었다. 나이가 좀 든 여자라 해도 상관없었다. 이런 기회를 놓친다면 언제 또 즐길 수 있겠는가.

상상만 해도 입에 침이 고였다. 그는 벌써 축제에 참가하려는 사람들이 모여드는 작은 광장으로 통하는 골목길을 콧노래를 흥얼거리며 들어섰다.

커다란 손이 그의 머리끄덩이를 움켜쥐고 뒤로 잡아당겼다. 다른 손은 그의 입을 눌러 소리도 지를 수 없었다.

―가만 있어. 아니면 죽여버린다.

공포에 질린 시리아인은 나무 세공품들이 쌓여 있는 헛간 안으로 순순히 끌려갔다. 사르디니아인이 물었다.

―라이아를 위해서 일한 게 얼마나 됐나?

―4년이오.

―봉급을 많이 주나?

―후한 편이죠.

―라이아가 무서워?

―글쎄요…….

세라마나가 말했다.

―라이아는 곧 체포될 거다. 그리고 히타이트를 위해 간첩질을 한 죄로 사형선고를 받을 거야. 공범들도 같은 벌을 받게 될 거다.

―저는 고용인일 뿐입니다!

―거짓말은 큰 죄악이지.

―그는 저를 창고지기로 고용한 것이지, 간첩은 아니에요.

―너는 거짓말을 하는 잘못을 범했어. 라이아는 실제로 피-람세스에서 살인을 저질렀는데, 너는 그가 여기 부바스티스에 있었다고 말했지.

―살인이요…… 아니, 그럴 리가…… 저는 몰랐어요.

―이젠 알았지. 네가 한 진술을 고집할 건가?

―아뇨…… 아니, 예. 안 그러면 그가 보복할 겁니다!

―이봐 친구, 나를 외딴 길로 몰고 가는구만. 네가 계속 진실을

감추면 나는 네 머리를 벽에다 부숴버리는 수밖에 없어.

—감히 그러지 못할 걸요!

—너 같은 겁쟁이들은 열 명도 넘게 죽였다.

—라이아가…… 보복할 거예요.

—다시는 그를 보지 못할 거야.

—확실한가요?

—물론.

—그럼 좋아요…… 그는 자기가 여기 있었다고 말하라고 돈을 줬어요.

—글쓸 줄 알아?

—잘 몰라요.

—우리는 함께 대서소에 간다. 서사가 네 진술을 받아 기록할 거다. 그러고 나서 계집애들 꽁무니를 쫓아다녀도 좋다.

자극적인 푸른 눈에 섬세하게 화장한 우아한 입술, 카의 어머니 이제트는 젊음을 잃지 않았다. 그 선선한 겨울 저녁, 그녀는 양모 숄을 어깨에 덮고 있었다.

테베의 벌판에 바람은 강하게 불었다. 이제트는 이상한 편지가 정해놓은 약속장소에 가는 중이었다.

'갈대 오두막. 멤피스와 똑같은 것을 찾아. 서안. 룩소르 신전 앞. 밀밭에 인접한 곳.'

그의 필체다…… 그녀는 틀릴 수 없었다. 하지만 왜 이런 이상한 방식으로 초대를? 그리고 그토록 은밀한 옛일을 상기시키는 걸까?

이제트는 관개수로를 따라갔다. 그녀는 석양에 황금빛으로 물든 밀밭을 찾아냈고 오두막을 발견했다. 그녀가 서둘러 들어가려는데 그녀의 옷자락이 갑자기 불어온 바람에 날려 덤불에 걸리고 말았다.

그녀는 옷이 찢기는 것을 막기 위해 몸을 숙였다. 그때 누군가의 손이 덤불에 걸린 옷을 떼어내고 그녀를 일으켜 세웠다.

—람세스……

—여전히 아름답군, 이제트. 와줘서 고마워.

—당신 편지 때문에 무척 당황했어요.

—궁전에서 멀리 떨어진 곳에서 당신을 보고 싶었어.

왕은 그녀의 마음을 사로잡았다.

탄탄한 몸과 당당한 태도, 그리고 그 강한 시선은 그녀에게서 옛날과 같은 욕망을 불러일으켰다. 그녀는 비록 네페르타리의 자리를 넘볼 생각이 없었지만, 그에 대한 사랑을 포기한 적은 결코 없었다. 왕비는 람세스의 마음을 온통 차지하며 그를 독점하고 있었다. 이제트는 시기도 질투도 하지 않았다. 그녀는 운명을 받아들였고, 왕에게 그 비범한 자질이 벌써 드러나기 시작한 아들을 낳아준 것을 자랑스럽게 여기고 있었다.

그래, 람세스가 네페르타리와 결혼했을 때 이제트는 그를 증오했었다. 어떻게 그러지 않을 수 있겠는가. 하지만 그 격렬한 감정은 그녀가 느끼는 사랑의 고통스러운 변형에 불과할 따름이었다. 어둠의 세력들이 왕을 위협하는 음모에 그녀를 끌어들이려 했을 때, 그녀는 마침내는 그에 대항했다. 자신의 마음과 몸에 빛을 던져주며 그토록 큰 행복을 안겨주었던 남자를 그녀는 결코 배반할 수 없었던 것이다.

—왜 이렇게 몰래……? 그리고 이런 오두막에서 우리가 만났던 옛일은 왜 새삼스레…….

—이것을 원한 것은 네페르타리였소.

—네페르타리……? 이해할 수 없어요.

—그녀는 만일 카한테 무슨 일이 생기는 경우 왕국의 영속을 보장하기 위해서 우리가 두번째 아들을 갖기를 요구했소.

이제트는 충격으로 람세스의 팔에 쓰러졌다.

그녀는 중얼거렸다.

—이건 꿈이에요. 놀라운 꿈. 당신은 왕이 아니고 나는 이제트가 아니에요. 우리는 테베에 있지 않고, 카에게 동생을 만들어주려고 사랑하지도 않을 거예요. 이건 꿈일 뿐이에요. 하지만 내 가장 깊은 곳에서 이 꿈을 원해요. 이 꿈을 영원히 간직하고 싶어요.

람세스는 옷을 벗어 바닥에 놓았다. 열에 들뜬 이제트는 그가 옷을 벗기도록 몸을 맡겼다. 그녀의 몸이 람세스를 위해 하나의 아이를 탄생시키는 한순간의 희열, 그녀가 다시는 기대하지 못했던 그러한 환희의 섬광이, 그의 손끝과 그녀의 몸 사이를 슬프게 스쳐갔다.

피-람세스로 돌아오는 배 위에서 왕은 고독에 잠긴 채 나일 강을 바라보았다. 네페르타리의 얼굴이 그의 머리에서 떠나지 않았다.

이제트의 사랑은 진실하고 그녀의 아름다움도 변치 않았다. 하지만 네페르타리와 처음 만난 순간부터 그의 존재를 사로잡았던, 태양처럼 거역할 수 없고 사막처럼 광막한 그런 감정을 이제트에게선 느끼지 못했다. 날이 갈수록 그 강렬함이 더욱더 커져만 가는 그런 사랑. 이집트의 수도와 라메세움이 인부들의 부단한 노동 덕분에 점점 더 커져가고 있듯이, 람세스가 아내에게 느끼는 열정은 하루하루 더 넓어지고 더 깊어져만 갈 뿐이었다.

왕은 이제트에게 네페르타리의 진정한 요구를 털어놓지 않았다. 왕비는 이제트가 진정으로 두번째 아내의 역할을 다하기를 원했다. 왕은 그 힘과 위압적인 성격 때문에 잠정적인 후계자들의 기를 꺾어놓을 위험이 있었다. 네페르타리는 그런 왕에게 이제트가 되도록 이면 많은 자식을 낳아주기를 원했다.

이집트에는 심각한 전례가 있었다. 페피2세는 자기 자식들보다 더 오래 살았다. 백여 살을 넘기고 마침내 그가 죽었을 때, 나라의 권력은 진공상태나 다름없었다. 그것은 곧 심각한 위기로 변했다. 람세스가 오래 장수한다면? 만일 카나 메리타몬이 어떤 이유로건 그의 뒤를 잇지 못하게 된다면?

파라오는 보통 사람의 삶을 살아가는 것이 불가능했다. 그의 사랑과 그의 가족마저도 그가 구현하고 있는 제도의 영속성을 위해 봉사해야 했다. 하지만 그에게는 여인 중의 여인 네페르타리가 있었고, 그녀가 베푸는 숭고한 사랑이 있었다. 람세스는 자신의 직분을 저버리는 것도, 그렇다고 자신의 사랑을 다른 여인과 나누는 것도 원치 않았다. 그 다른 여인이 이제트일지라도.

나일 강이 그에게 대답해주었다. 나일 강이 범람할 때 그 힘은 그 끝없는 너그러움으로 양쪽 강가 모두를 비옥하게 하지 않던가.

조신들이 피-람세스의 대접견실에 모두 모여 있었다. 소문이 나돌았다. 아버지를 본받은 람세스는 이런 종류의 행사에 인색한 편이었다. 그는 아첨할 생각밖에 없는 사람들을 모아놓고 쓸데없는 말을 주고받는 것보다는 신뢰할 만한 몇몇 대신들과 머리를 맞대고 일하는 쪽을 선호했다.

파라오가 둘레에 밧줄이 감긴 지팡이 하나를 오른손에 들고 나타나자, 많은 사람들은 한순간 숨을 멈췄다. 그것은 람세스가 즉각적으로 법의 힘을 갖는 칙령을 발표하리라는 것을 가리키는 표지였다. 지팡이는 말씀을 상징했으며, 밧줄은 왕이 오랜 생각 끝에 내린 결정을 발표하는 순간 그것이 곧 현실과 연결된다는 것을 의미했다.

감동과 불안이 조신들 사이에 번졌다. 아무도 의심하지 않았다. 람세스는 히타이트 족과의 전쟁을 선언할 것이다. 대사가 히타이트에 파견될 것이고, 전쟁이 시작되는 날을 명시한 파라오의 메시지를 히타이트의 왕에게 전달할 것이다.

람세스가 선언했다.

—이제 내가 말하는 것은 왕의 칙령이오. 이는 석비에 새겨질 것이고, 군사(軍使)들은 이를 도시와 마을에 공포하여 '두 개의 땅'의 모든 주민들로 하여금 알게 할 것이오. 오늘부터 내가 마지막 숨을 거두는 순간까지, 나는 궁의 학교에 다니는 모든 아이들을 '왕자'와 '공주'에 버금가게 키울 것이오. 그들은 내 아들 카나 내 딸 메리타몬과 똑같은 교육을 받게 될 것이오. 아이들의 수에는 제한을 두지 않을 것이며, 바로 그들 가운데서 내 후계자를 고를 것이오. 다만 적절한 때가 오기 전까지는 아무도 내 결정을 알지 못할 것이오.

사람들은 몹시 놀라고 기뻐했다. 자기 아이들도 그러한 교육을 받게 되리라는 은밀한 희망을 품었다. 벌써부터 몇몇 사람들은 람세스와 네페르타리의 선택에 영향을 끼치기 위해 자기 새끼들의 칭찬을 늘어놓을 생각에 골몰했다.

람세스는 네페르타리의 어깨를 커다란 숄로 감싸주었다. 그녀는 곧 한기에서 벗어났다.

—사이스의 최고 공방에서 나온 거요. 신전의 수석 직공이 직접 짠 것이지.

왕비의 미소가 델타의 음산한 하늘을 밝게 했다.

—남쪽으로 갔으면 정말 좋겠어요. 하지만 그게 불가능하다는 것을 알아요.

—안타깝소, 네페르타리. 하지만 나는 병사들의 훈련을 지켜봐야 하오.

—이제트가 당신께 새 아들을 낳아주겠죠, 그렇죠?

-신들이 결정할 것이오.

-아무렴요. 언제 다시 그녀를 보실 거예요?

-모르겠소.

-하지만…… 약속하셨잖아요…….

-나는 지금 막 칙령 하나를 발표했소.

-그것이 이제트와 무슨 상관이죠?

-당신의 소원이 이루어졌소, 네페르타리. 우리는 수백 명의 아들 딸을 갖게 될 게요. 그리고 내 후계도 보장될 것이오.

37

세라마나가 신이 나서 말했다.

─라이아가 거짓말을 했다는 증거가 있네.

아메니는 아무 반응이 없었다.

─내 말 들었나?

왕의 개인비서가 대답했다.

─응, 그럼.

세라마나는 아메니가 무기력한 이유를 이해했다. 서기는 또 두어 시간밖에 잠을 자지 않았고, 그래서 정신이 들려면 시간이 좀 필요한 모양이었다.

─나한테 라이아의 창고지기가 쓴 진술서가 있네. 증인들이 확인하고 서명한 거야. 자기 주인은 네노파르가 살해되던 날 부바스티

스에 있지 않았고 자기한테 거짓 증언을 시키기 위해 돈을 줬다고 명확하게 진술했네.

―축하하네, 세라마나. 일을 잘했군. 그래, 자네의 그 창고지기는 …… 온전한가?

―대서소를 떠날 때 그는 마을의 축제에 참가해서 나긋나긋한 처녀들과 어울리고 싶어 안달이 난 모습이었네.

―잘했어, 정말…….

―무슨 얘긴지 이해가 안 되나? 라이아의 알리바이가 깨졌고, 우리는 그를 잡아다가 심문할 수 있게 됐단 말이야!

―불가능해.

―불가능하다구? 누가 걸리적거리는…….

―라이아는 미행자들을 따돌리고 멤피스의 어느 뒷골목으로 사라져버렸네.

세나르에겐 경고했으니 안전할 터였다. 라이아는 이제 잠적해야 했다. 아메니가 남부 시리아로 발송되는 것이라면 통조림 단지 하나에 이르기까지 이 잡듯 뒤질 것이 뻔한 마당에, 그는 더이상 히타이트인들에게 연락을 취할 방도가 없었다. 조직원들 가운데 한 명에게 메시지를 맡기는 것은 너무 위험하게 느껴졌다. 파라오의 경찰에 쫓겨 도망중인 사람은 쉽게 배반당하기 마련이다. 그가 혐의를 받게 된 순간부터 염두에 두고 있던 유일한 해결책이 남아 있었다. 원칙상 금지된 것이지만, 조직의 책임자와 직접 접선하는 수밖에 없었다.

그를 끊임없이 쫓아다니던 경찰들을 따돌리는 일은 결코 간단한 일이 아니었다. 날이 저물 무렵 멤피스에 들이닥친 뇌우의 신 덕분에 그는 문이 이중으로 있는 어느 공방을 이용해서 그들을 떼버리는 데 성공했다.

번개가 하늘을 가르고 거센 바람이 인적이 끊긴 거리에 먼지구름을 일으키고 있을 때, 그는 지붕을 통해 그의 조직의 책임자가 사는 집으로 숨어들었다.

집안은 어둠 속에 잠겨 있었고, 마치 버려진 것 같았다. 라이아는 어둠에 눈이 익을 때까지 기다렸다. 전혀 소리내지 않고 조심스런 걸음으로 거실까지 더듬어 갔다. 그때 신음소리가 그의 귀를 찔렀다. 불안해진 상인은 한 걸음 앞으로 나아갔다.

다시 신음소리가 들렸다. 강렬한, 그러나 억제된 고통을 드러내는 소리였다. 좀 떨어진 곳의 문 아래로 빛이 새어나왔다.

조직의 책임자가 붙잡혀서 고문당하고 있는 것인가? 아냐, 그럴 리가 없다. 그를 아는 사람은 라이아뿐이었다.

문이 열렸다. 쏟아지는 불빛이 시리아인의 눈을 잠시 멀게 했다. 그는 두 손으로 눈을 가린 채 뒷걸음질쳤다.

—라이아…… 여기서 뭘 하는 건가?

—용서하십쇼. 하지만 어쩔 수 없었어요.

시리아 상인이 조직의 책임자를 본 것은 단 한 번, 무와탈리스의 궁전에서였다. 하지만 라이아는 그의 모습을 잊지 않았다. 크고 마른 체격에 광대뼈가 튀어나오고 검푸른 눈을 가진 맹금의 얼굴이었다.

갑자기 라이아는 오피르가 자기를 그 즉시 제거하는 것이 아닌가 두려워졌다. 하지만 리비아인은 침묵하고만 있었다.

실험실 안에서는 금발의 리타가 계속 신음소리를 내고 있었다.

오피르가 문을 닫으며 말했다.

—어떤 실험을 하기 위해 준비시키는 중이었지. 이제 조용히 얘기할 수 있을 게야. 자네는 명령을 어겼군.

—저도 압니다. 하지만 저는 세라마나의 부하들한테 붙잡힐 판입니다.

—그들이 아직 이 도시에 있겠군.

—예. 하지만 제가 따돌렸습니다.

—그들이 자네를 따라왔다면 이내 들이닥칠 게야. 그땐 부득이 자네를 죽일 수밖에 없고, 그들에겐 강도가 들었다고 말할 수밖에 없어.

수면제에 취해 같은 층에서 자고 있던 돌렌테가 오피르의 말을 확인해줄 터였다.

—저는 제 일을 잘 압니다. 그들은 저를 따라오지 않았어요.

—그러길 바라세, 라이아. 무슨 일이 있었나?

—불운의 연속이었죠.

—실수의 연속은 아니었는가?

시리아인은 사소한 사실 하나도 빠뜨리지 않고 상황을 설명했다. 오피르 앞에선 말을 돌리지 않는 것이 바람직했다. 마법사는 사람의 마음을 읽어내는 능력을 갖고 있지 않던가.

라이아의 보고에 오랜 침묵이 뒤따랐다. 오피르는 판단을 내리기 전에 곰곰이 생각하는 중이었다.

—자네가 운이 없었던 건 사실이군. 하지만 자네 조직은 이제 파괴됐다고 인정할 수밖에 없네.

—내 상점들, 내 물건들, 내가 긁어모은 재산들…….

—히타이트가 이집트를 정복하고 나면 다시 되찾게 될 게야.

—전쟁의 악마들이여, 우리의 말을 들어주소서!

—우리의 최후의 승리를 의심하는 건가?

—천만에요! 이집트 군은 준비가 안 돼 있습니다. 제가 마지막으로 얻은 정보에 따르면 그들의 군비계획에 차질이 생겼어요. 장교들은 히타이트 군과의 직접 대결을 두려워하고 있어요. 겁먹은 군인은 이미 싸움에서 진 거나 다름없지요.

오피르가 반박했다.

―지나친 과신은 실패를 가져올 수 있네. 람세스를 심연 속에 빠뜨리기 위해선 그 무엇도 소홀히 해서는 안 돼.

―셰나르는 계속 써먹을 생각이십니까?

―파라오가 그를 의심하는가?

―그는 자기 형을 믿지는 않지만 셰나르가 우리와 동맹을 맺었다고는 미처 생각지 못할 겁니다. 외무대신이요 왕가의 일원인 이집트인이 자기 나라를 배신하리라고 누가 상상이나 하겠습니까? 제 생각엔 셰나르는 여전히 중요한 장기말입니다. 누가 저를 대체하게 됩니까?

―자네는 알 필요 없어.

―저에 대해 보고를 올려야 할 텐데요, 오피르…….

―자네 칭찬을 많이 해주겠네. 자네는 히타이트를 위해 충실하게 봉사했네. 대왕은 그 사실을 참작하여 자네에게 보상할 게야.

―제 새로운 임무는 뭐겠습니까?

―무와탈리스에게 한 가지 계획을 올리겠네. 그가 결정하겠지.

―저 아톤 교도들은…… 진짭니까?

―나는 아톤의 신봉자들이건 뭐건 관심 없어. 하지만 그들은 도살장에 끌고 가기 쉬운 양떼들이지. 그들이 나를 주인처럼 믿고 따르는데, 굳이 내버릴 필요는 없겠지.

―당신과 함께 있는 저 처녀는…….

―정신나간 바보 같은 애지. 하지만 훌륭한 영매야. 나에게 귀중한 정보들을 얻게 해주지. 저애의 도움 없이는 내 손이 미치지 않는 그런 것들이야. 덕분에 내가 람세스의 보호력을 많이 약화시켰기를 기대하네.

오피르는 그의 동지가 될 수도 있었던 모세를 생각했다. 그가 도주하여 행방불명됐다는 것은 유감스러운 일이었다. 최면상태에 든 리타에게 모세의 일을 물어본 오피르는 그가 아직 살아 있다는 확신을 갖게 됐다.

시리아인이 물었다.

—여기서 며칠만이라도 묵을 수는 없을까요? 너무 힘든 시간들이었어요.

—너무 위험해. 지금 당장 항구로 가게. 남쪽 끝으로 가면 피-람세스로 떠나는 짐배가 있을 게야.

오피르는 시리아인에게 암호를 일러주었고, 이집트에서 벗어나 가나안과 시리아 남부를 가로질러 히타이트 세력권에 닿기 위해서 매번 누구와 접선해야 하는지 알려주었다.

라이아가 떠나는 즉시 마법사는 리타가 깊이 잠들어 있음을 확인한 다음 별장을 떠났다.

계속되는 궂은 날씨가 그에게 딱 좋았다. 아무도 그를 볼 수 없을 것이다. 그는 라이아를 대신하게 될 자에게 무대에 등장하라는 명령을 내린 다음, 서둘러 자신의 소굴로 되돌아올 것이었다.

셰나르는 먹어댔다. 곰곰이 생각해보면 크게 걱정하지 않아도 될 일이었지만, 그래도 불안을 달래기 위해서는 무엇이든 먹어야만 했다. 그가 구운 메추라기 한 마리를 삼키고 있을 때, 집사가 메바의 방문을 알렸다.

—친애하는 메바! 당신을 수도에서 다시 보게 되다니 무척 기쁘오…… 내일 저녁 나의 연회에 참석해준다면 영광이겠소.

—기꺼이 참석하지요.

—나도 지금이 여흥을 즐기기에 적합한 시기가 아니라는 건 알고 있소만, 그렇다고 우울증에 빠져 있어서야 되나. 왕 자신도 궁전의 평소 습관은 그 무엇도 바꾸지 말라고 말한 바 있소.

넓적하고 믿음직한 얼굴의 메바는 여전히 그 차분한 목소리와 우아한 동작을 잃지 않고 있었다.

―지금 계신 자리는 마음에 드십니까, 셰나르 공?

　―편한 자리는 아니오. 하지만 이집트의 영광을 위해 내 최선을 다하고 있지.

　―라이아라는 시리아 상인을 아시지요?

　셰나르는 몸이 굳었다.

　―화병을 파는 자 아니오. 물건의 질은 기가 막히게 좋은데, 값이 좀 비싼 게 흠이지.

　―두 분이 만났을 때, 다른 얘기는 없었나요?

　―무슨 일이오, 메바?

　―저에 대해서는 전혀 염려할 게 없습니다, 셰나르 공. 그 반대지요.

　―염려하다니…… 그게 도대체 무슨 뜻인가?

　―공께서는 라이아의 후임을 기다리고 있었죠, 그렇지 않습니까? 제가 바로 그 후임입니다.

　―메바 당신이……?

　―저는 가만히 놀고 먹는 걸 잘 견디지 못합니다. 히타이트의 조직이 제게 접선해왔을 때, 저는 람세스에게 복수할 기회를 잡았지요. 히타이트가 그의 후계자로 공을 선택했다는 것도 제게는 거슬릴 게 없습니다. 단, 한 가지 조건이 있습니다. 공께서 권력을 잡게 되면 제게 외무대신 자리를 돌려주셔야 한다는 겁니다.

　왕의 형은 한 대 크게 얻어맞은 모습이었다.

　―약속하시는 겁니까, 셰나르 공?

　―약속…… 하지, 약속하오, 메바…….

　―제가 우리 친구들의 명령을 공께 전달하겠습니다. 만일 그들에게 보낼 메시지가 있다면 저를 통하십시오. 오늘부터 제가 아샤 대신에 공의 보좌관으로 임명될 테니, 우리는 앞으로 자주 만날 기회가 있을 겁니다. 아무도 저한테 의심을 품지 않을 거예요.

38

차디찬 비가 히타이트 제국의 수도 하투사에 내리고 있었다. 기온은 빙점 이하로 떨어졌고, 사람들은 몸을 덥히기 위해 토탄이나 나무를 땠다. 수많은 아이들이 죽어가는 시기였다. 살아남은 사내아이들은 훌륭한 전사가 될 것이다. 상속권이 없는 계집애들은 좋은 자리에 시집가는 것말고는 다른 희망이 없었다.

혹독한 기후에도 불구하고 우리테슈프는 훈련의 강도를 높였다. 보병들의 체력에 불만을 가진 그는 그들로 하여금 무기와 식량을 짊어지고 몇 시간 동안 행군하도록 명령했다. 병사들은 마치 먼 원정길에 나서는 것과 같았다. 기운이 다한 몇 사람은 도중에 죽었다. 우리테슈프는 무능력자들은 묻어줄 가치도 없다며, 그들을 길가에 그대로 내버려두었다. 독수리들이 포식하게 될 것이다.

대왕의 아들은 전차부대 병사들을 더욱더 가혹하게 다루었다. 그는 말들과 전차들을 그 능력의 극한에까지 밀어붙이라고 명령했다. 무수한 사고가 발생했고, 인명피해가 났다. 그것은 우리테슈프에게, 전차병들이 최신 장비를 제대로 다루지 못하고 있으며 평화로운 시기가 너무 오래 지속되어 돼지들이 다 되었다고 확신하게 했다.

병사들은 어떠한 항의도 제기하지 않았다. 그들은 우리테슈프가 군대를 전투에 대비시키고 있으며, 승패 여부가 그의 엄격함에 달려 있다는 것을 느끼고 있었다. 차츰 커져가는 자신의 인기에 만족했지만, 그는 군의 최고 지휘자는 여전히 무와탈리스라는 사실을 잊지 않았다. 조정으로부터 이렇게 멀리 떨어진 아나톨리아의 외진 구석에서 훈련을 지휘한다는 것은 하나의 위험요소를 안고 있었다. 그 보완책으로 우리테슈프는 궁신들에게 많은 돈을 먹여 그에게 그의 아버지와 하투실의 거동에 대해 최대한의 정보를 알려주도록 조처했다.

하투실이 히타이트 영향력 하에 있는 인접국들로 시찰을 떠났다는 소식을 듣고, 우리테슈프는 한편 놀랐고 한편 안심이 됐다. 대왕의 아우가 수도 밖으로 나가는 경우는 거의 없었기 때문에, 그것은 놀라운 사실이었다. 또한 그가 부재중이라면 상인계급을 위한 엉터리 조언을 은근히 퍼뜨려 해를 끼칠 염려도 없을 것이니 다행한 일이었다.

우리테슈프는 상인들을 증오했다. 람세스를 무찌르고 나면 그는 무와탈리스를 내쫓고 히타이트의 왕좌에 오를 생각이었다. 하투실은 소금광산에 보내 죽게 만들 것이고, 오만한 그의 아내 푸투헤파는 지방의 사창가에 넘겨버릴 것이다. 상인들은 군대에 강제 징집당하게 되리라.

히타이트의 미래는 결정되었다. 우리테슈프가 절대군주가 되는 철저한 군사독재, 바로 그것이었다.

수년간에 걸친 노련하고 잔인한 지배에도 그 위세가 여전한 대왕을 공격한다는 것은 아직은 시기상조였다. 그 격한 성격에도 불구하고 우리테슈프는 그의 아버지가 실수를 저지르는 순간이 올 때까지 참을성 있게 기다릴 것이다. 무와탈리스가 양위에 동의하든가, 아니면 아들의 손에 제거되리라.

　양털 외투 속에 깊숙이 감싸인 대왕은 열기가 거의 몸에 느껴지지 않는 벽난로 근처에 서 있었다. 나이를 먹어갈수록 그는 점점 더 겨울철의 혹독한 기후를 견디기가 힘들었다. 하지만 그는 눈 덮인 산들의 웅대한 장관을 바라보지 않고는 지낼 수 없었다. 이따금 그는 정복정책을 포기하고 나라 안의 천연자원을 개발하며 사는 것에 만족하고픈 생각이 들기도 했다. 그러나 그러한 환상은 이내 사라졌다. 영토 확장은 그의 백성들의 생존에 필요불가결한 것이었기 때문이다. 이집트의 정복은 풍요의 뿔을 얻는 것과 다름없었다. 그는 이집트를 정복하면 일단은 민심을 안정시키기 위해 파라오의 형인 욕심 많은 셰나르에게 그 경영을 맡길 생각이었다. 그 이후엔 그 배신자를 치워버리고 '두 개의 땅'을 히타이트식으로 통치할 것이다. 모든 반란의 기운은 이내 잠재워지리라.

　가장 위험한 것은 아들인 우리테슈프였다. 대왕은 병사들에게 새로운 기운과 전투의지를 불러일으키기 위해 아들이 필요했다. 하지만 아들이 승전의 열매를 자기 자신의 이익으로 돌리는 것은 막아야 했다. 우리테슈프는 용감한 전사이긴 했지만, 국가라는 체제에 대한 의식은 없었다. 그는 한심한 위정자가 될 것이었다.

　하투실은 달랐다. 허약하고 건강도 좋지 않았지만, 아우는 통치가로서의 자질을 갖추고 있었고 그림자 속에 머물며 자신의 실제적인 영향력을 감출 줄도 알았다. 그가 정말 바라는 것은 뭘까? 무와탈리스는 그 질문에 대답할 수 없었다. 더욱더 경계할 수밖에.

하투실이 대왕 앞에 나타났다.

—여행은 괜찮았나, 아우?

—우리가 바라던 만큼의 결과를 얻었습니다.

하투실은 몇 차례 재채기를 했다.

—오한인가?

—역참들의 난방이 시원찮았습니다. 아내가 따뜻한 포도주를 준비해놨죠. 그리고 뜨거운 물에 발을 담그고 있으면, 이 고약한 감기는 곧 떨어질 겁니다.

—동맹국들은 잘 대접해주더냐?

—제 방문에 놀라더군요. 그들은 제가 추가 세금을 징수하러 온 줄 알고 두려워했습니다.

—우리 속국들에 공포 분위기를 조성해놓는 것도 그리 나쁘진 않지. 등골이 잘 휘지 않는 놈은 이내 대들게 되느니…….

—바로 그 때문에 저는 현안에 들어가기 전에 이러저러한 왕들의 지난 과오와 그에 대한 대왕의 관용을 환기시켰습니다.

—협박은 외교에서 여전히 가장 좋은 무기야, 하투실. 자네는 그걸 아주 능란하게 사용할 줄 알지.

—결코 완벽하게 다루지는 못합니다. 하지만 그 효과는 확실하지요. 우리의 모든 속국들은 예외없이 우리의 초대에 응했습니다.

—아주 흡족하구먼. 언제 그들의 준비가 끝나겠는가?

—석 달 내지 넉 달 안입니다.

—공식 문서를 작성해놓는 것이 필요할까?

하투실이 말했다.

—그러지 않는 편이 나을 겁니다. 우리는 적의 영토에 첩자들을 침투시켰습니다. 이집트인들도 마찬가지라고 봐야지요.

—그럴 가능성은 거의 없지만, 그래도 신중을 기하는 게 좋겠지.

—우리 동맹국들에게는 이집트의 붕괴가 무엇보다 중요한 일입

니다. 히타이트의 공식적인 대표에게 약속함으로써, 그들은 대왕에게 약속한 것이나 다름없습니다. 그들은 작전이 개시되는 순간까지 침묵을 지킬 겁니다.

열 때문에 눈이 충혈된 하투실에겐 천을 감싼 널빤지로 창문을 봉해버린 방안의 열기가 기분좋게 느껴졌다.

─우리 군대의 준비는 어떻게 진행돼갑니까?

무와탈리스가 대답했다.

─우리테슈프가 자기 일을 완벽하게 해내고 있네. 우리 병사들의 능률은 곧 최고조에 달할 게야.

─형님과 제 아내가 보낸 편지가 이집트 왕과 왕비의 경계심을 누그러뜨릴 것이라고 보십니까?

─람세스와 네페르타리는 아주 친절한 답장을 보내왔다. 그리고 우리는 계속 편지를 보낼 게다. 적어도 그들을 어리둥절하게 만드는 효과는 있겠지. 그런데 우리 정보망에 무슨 일이 생긴 건가?

─시리아 상인 라이아의 조직은 무너졌습니다. 그리고 그의 조직원들은 사방으로 흩어졌지요. 하지만 우리의 책임자인 오피르는 계속해서 귀중한 정보를 보내올 겁니다.

─라이아는 어쩐다?

─냉정하게 제거하는 편이 좋을 듯합니다만, 오피르에게 더 좋은 생각이 있는 모양입니다.

─그런가…… 됐다. 이제 네 상냥한 아내한테로 가서 푹 쉬도록 하라.

따뜻한 포도주가 하투실의 열을 가라앉혔다. 뜨거운 물에 발을 담그고 있자니 편안하기 그지없었다. 아시아의 여행길에서 오랜 시간 고생한 것을 보상해주는 것 같았다. 푸투헤파가 지켜보는 가운데 시녀 하나가 그의 어깨와 목을 안마했고, 면도사가 그의 수염을 깎아주었다.

그들이 나가자, 푸투헤파가 물었다.

─당신 일은 잘 끝났나요?

─그런 것 같소, 여보.

─저도 제 일을 잘 끝냈어요.

─당신 일…… 그게 무슨 소리요?

─가만히 앉아만 있는 것은 제 기질에 맞지 않아요.

─도대체 무슨 소리요? 자세히 좀 말해보오!

─그렇게 머리가 좋으신 분이 아직 이해를 못 하셨어요?

─설마…….

─아뇨, 바로 맞았어요, 친애하는 외교관 나리! 당신이 대왕의 명을 수행하는 동안에 저는 당신의 적수, 유일한 적수를 맡고 있었지요.

─우리테슈프?

─그럼 누가 당신의 상승에 제동을 걸고 당신의 세력을 꺾으려 하겠어요? 그는 총사령관이 되더니 머리가 돌아버렸어요. 벌써 왕이 된 줄 아나봐요!

─칼자루를 쥔 것은 무와탈리스요, 우리테슈프가 아니야.

─왕이나 당신은 위험을 너무 과소평가하고 있어요.

─당신이 틀렸소, 푸투헤파. 왕은 똑똑하오. 그가 아들한테 그 자리를 맡긴 것은 군에 힘을 불어넣어 전투가 벌어질 때 최대의 효과를 발휘하게끔 하기 위한 것이야. 하지만 무와탈리스는 우리테슈프가 히타이트를 통치할 수 있다고는 생각지 않고 있어.

─당신께 그런 말을 하던가요?

─내 느낌이 그렇단 말이오.

─그것만으론 부족해요! 우리테슈프는 잔인하고 위험해요. 그는 당신과 나, 우리를 증오해요. 그는 우리를 권력에서 젖혀놓으려고

해요. 당신이 왕의 동생이기 때문에 감히 정면에서 당신을 공격하지는 못하겠지만 등뒤에서 당신을 칠 거예요.

—참을성을 가져요. 우리테슈프는 스스로 무너질 테니.

—너무 늦었어요.

—뭐? 너무 늦었다니?

—저는 제가 해야 할 일을 했어요.

하투실은 더 물어보기가 두려웠다. 푸투헤파가 사실을 밝혔다.

—상인계급을 대표하는 사람 하나가 우리테슈프의 사령부로 향하는 중이에요. 상인은 그에게 면담을 요청할 것이고, 그를 안심시키기 위해 몇몇 거상들이 무와탈리스의 종말과 그의 아들의 즉위를 기꺼운 눈으로 바라볼 것이라고 털어놓을 거예요. 상인은 틈을 노려 우리테슈프를 찔러 죽일 것이고, 우리는 마침내 그 괴물한테서 벗어나게 될 거예요.

—히타이트는 그가 필요해…… 아직 너무 일러, 이르단 말야. 우리 군대가 전투에 대비하려면 절대적으로 우리테슈프가 필요하단 말이오.

푸투헤파가 빈정거리듯 물었다.

—그의 목숨을 구할 작정인가요?

신열이 나고 무릎이 뻣뻣했지만, 하투실은 몸을 일으켰다.

—곧 출발해야겠어.

39

낡고 투박한 외투를 걸치고 시리아 북부의 길을 달리고 있는 파
발꾼에게서 섬세하고 우아한 아샤의 모습을 찾아낸다는 것은 불가
능했다. 당나귀에 올라탄 아샤는 각기 60여 킬로그램의 각종 서류
를 등에 실은 두 마리의 당나귀들을 뒤에 이끌고 히타이트의 영향
권 안으로 들어서고 있었다.

그는 두 군데 보호령의 방어체제를 가까이서 살피기 위해 가나안
과 아무르에서 수주일을 보냈었다. 그는 히타이트가 밀고 내려올
경우, 그에 대한 저항을 조직하는 임무를 맡고 있는 이집트 고문관
들과 만났고, 그 사이 애인목록에 열 명은 족히 넘는 젊은 여인들
의 이름을 추가하기도 했다.

아무르 군주 벤테쉬나는 아샤의 행동이 무척 마음에 들었다. 호

색가인 이 세련된 이집트인은 어떤 불쾌한 요구도 해오지 않았다. 단지 히타이트 군의 움직임에서 공격의 조짐이 느껴지는 대로 람세스에게 알릴 것을 당부했을 뿐이었다.

그 이후 아샤는 다시 이집트로 향했다. 적어도 사람들로 하여금 그렇게 믿게끔 했다. 그의 수행원들은 아샤의 명령에 따라 해안로를 타고 남쪽으로 향했다. 그 동안 외교관은 파발꾼 복장으로 갈아입고, 완벽하게 모조된 히타이트의 신용장을 지닌 채 북쪽을 향해 떠났다.

내용이 불명확한 서로 상반되는 정보들만 가지고, 어떻게 히타이트의 진정한 의도에 대해 정확한 판단을 내릴 수 있겠는가? 현지를 직접 답사하는 것만이 유일한 방법이었다. 람세스의 바람도 그와 같았다. 아샤는 마다하지 않고 임무를 받아들였다. 남의 손을 거치지 않고 직접 정보를 손에 쥠으로써, 그는 자기 뜻대로 일을 이끌어갈 수 있을 것이었다.

히타이트 족의 위대한 힘이라는 것은, 그들이 무적이라는 것과 언제라도 세상을 정복할 준비가 되어 있다는 것을 사람들에게 믿게 하는 데 있는 것은 아닐까? 이것이야말로 가장 중요한 질문이었고, 그에 대한 답을 아샤는 구체적인 사실들로부터 찾아내야만 했다.

히타이트의 국경 초소에는 무장한 30여 명의 병사들이 지키고 있었다. 모두 흉악한 얼굴들이었다. 네 명의 보병들이 아샤와 세 마리의 당나귀 주위를 한동안 맴돌았다. 잔뜩 겁먹은 가짜 파발꾼은 꼼짝도 하지 않았다.

창 끝의 차가운 감촉이 아샤의 왼쪽 뺨에 느껴졌다.

－신용장은?

아샤는 외투 안에서 히타이트 문자로 씌어진 서판을 하나 꺼냈다. 병사는 그것을 읽고, 다른 동료에게 건네주어 그로 하여금 다시 읽게 했다.

―어디 가는 중이야?

―하투사의 상인들에게 편지와 송장(送狀)을 가져가는 중입니다.

―내놔봐.

―비밀인데요.

―군대 앞에선 비밀이란 게 없어.

―수취인들과 문제가 생기면 저만 곤란해집니다.

―시키는 대로 안 하면 더 큰 문제가 생길 거다.

아샤는 추위로 곱은 손가락을 놀려 서판들이 들어 있는 자루의 끈을 풀었다.

서판을 들여다보던 병사가 말했다.

―뭐야, 봐도 뭔 말인지 알 수가 있나. 너 수색해야겠다.

파발꾼은 무기를 갖고 있지 않았다. 히타이트 병사들은 공연히 심술이 났지만 아샤에게 아무것도 뒤집어씌울 게 없었다.

―마을로 들어가기 전에 검문소에 신고해라.

―그건 처음 듣는 얘긴데요.

―시키는 대로만 하면 돼. 만일 지나는 마을마다 매번 검문소에 출두하지 않으면 너는 적으로 간주되어 처형될 거다.

―히타이트 영토에 무슨 적이 있습니까!

―하라는 대로 해. 그게 다야.

―예, 그러죠…….

―꺼져. 이젠 보기도 싫다.

아샤는 불법은 전혀 저지르지 않은 얌전한 사람처럼 천천히 그곳을 떠났다. 그는 맨 앞의 당나귀 옆에 서서 그 차분한 발걸음에 보조를 맞추며 아나톨리아의 심장 하투사로 향하는 길에 들어섰다.

몇 번이나 그의 시선은 나일 강을 찾았다. 나일 강 유역의 단조로운 모습과 너무 동떨어진, 이렇듯 기복이 심한 풍경에 익숙해지는 것이 그에게는 쉽지 않았다. 그는 경작지와 사막, 푸르른 전원과 황금빛 모래 사이의 뚜렷한 구분이 그리웠고, 온갖 색으로 물드는 석양을 보고 싶었다. 하지만 아샤는 그 모든 것을 잠시 잊어야 했다. 오로지 그가 그 비밀을 간파하고야 말 이 춥고 적대적인 땅, 히타이트에 모든 생각을 집중시켜야만 했다.

하늘이 낮아지더니 거센 소나기가 쏟아지기 시작했다. 당나귀들은 웅덩이를 피하기도 하고 저희들 마음대로 멈춰 서서 비에 젖은 풀을 뜯어먹기도 했다.

이곳의 풍경은 평화와는 너무도 거리가 멀었다. 이 땅의 지맥 속에는 어떤 잔인함이 흐르고 있었다. 그것이 사람들로 하여금 삶을 하나의 투쟁으로 바라보도록 강요하고 있었고, 오로지 타인의 종말에서만 자신들의 앞날을 찾게 만들고 있었다. 가파른 산들에 의해 감시당하는 듯한 저 황량한 계곡들이 비옥한 땅으로 변하기 위해선, 병사들이 농사꾼으로 되돌아가기 위해선, 얼마나 많은 세월이 필요할 것인가? 이 땅의 사람들은 싸우기 위해 태어났고, 그리고 언제까지고 싸우기만 했다.

아샤는 마을 어귀마다 검문소가 설치되어 있다는 사실에 호기심을 느꼈다. 아무러면 히타이트인들이 평소 그들의 군대가 철통처럼 지키고 있는 자기네 영토 내에 적의 첩자가 잠입할까 두려워한다는 말인가? 이 예외적인 조치엔 뭔가 의심스런 구석이 있었다. 혹시 히타이트 군이 사람들의 눈을 피해서 대규모 훈련에 들어간 것은 아닐까?

아샤는 순찰대에 의해 두 번 불심 검문을 당했다. 그들은 아샤가 운반하고 있던 서류들을 검사했고, 그에게 목적지를 물었다. 그의 대답이 만족스럽다고 판단했는지 그들은 계속해서 길을 갈 수 있게 놔주었다. 그가 지나게 된 첫번째 마을의 검문소에서 파발꾼은 다시 한번 철저한 수색을 당했다. 병사들은 신경이 곤두서 있었고 신경질적이었다. 아샤는 아무런 항의도 하지 않았다.

외양간에서 하룻밤을 보낸 그는 빵과 치즈로 허기를 때우고 여행을 계속했다. 아무도 그의 신분을 의심하지 않는다는 사실에, 그는 무척 만족했다. 한낮에 그는 조그만 산길을 따라 올라가 협곡을 굽어보고 있는 어느 나무 아래로 갔다. 거기서 그는 세상에 존재하지도 않는 상인들에게 가져다주어야 할 서판들 가운데 몇 개를 내버릴 작정이었다. 차츰 수도에 가까워질수록 조금씩 짐을 덜어버릴 생각이었다.

당나귀에 실려 있던 자루들 가운데 하나를 여는 순간, 아샤는 누군가가 자신을 엿보고 있다는 느낌을 받았다. 당나귀들이 불안해했고 무엇인가에 놀란 울새들이 후다닥 날아올랐다.

아샤는 정말 누가 공격해온다면 우스꽝스런 무기가 될 돌멩이 하나와 마른 나뭇가지를 주워들었다. 말굽소리가 뚜렷이 들려왔다. 아샤는 나무 그루터기 뒤편에 배를 깔고 숨었다.

말을 탄 네 명의 사내들이 숲에서 나와 아샤의 당나귀들을 둘러쌌다. 군인들은 아니었다. 그들은 활과 단도로 무장한 산적들이었다. 히타이트에서도 역시 대상들을 털어먹는 자들이 설치고 있었다. 그들은 체포되면 현장에서 처형당했다.

아샤는 진창 속으로 더욱더 몸을 낮추었다. 만일 저 산적들이 그를 발견하게 된다면 아샤는 목이 잘릴 판이었다. 두목처럼 보이는, 얼굴이 얽은 털보가 사냥개처럼 코를 킁킁거리며 냄새를 맡았다.

그가 부하 하나에게 말했다.

─이거 별 게 없네. 서판들뿐이야. 야, 너 읽을 줄 알아?

─배울 시간이 없었어.

─값 좀 나가는 물건인가?

─우리한텐 아냐.

화가 난 산적은 서판을 박살내어 협곡 아래로 던져버렸다.

―이 당나귀들 주인…… 멀리 가진 못했을 거다. 필경 그놈한테
뭐 값나가는 게 있을 테지.

그가 명령했다.

―흩어져서 찾아보자.

추위와 공포로 덜덜 떨고 있긴 했지만, 아샤는 정신을 잃지는 않
았다. 산적 가운데 하나가 그가 있는 쪽으로 다가오고 있었다. 아샤
는 나무 뿌리 하나를 붙잡고 기었다. 산적은 그를 알아채지 못하고
지나갔다.

아샤는 굵은 돌멩이로 그의 목덜미를 내리찍었다. 앞으로 고꾸라
진 산적은 입을 진흙탕에 처박았다. 그 장면을 목격한 그의 패거리
들 가운데 한 명이 외쳤다.

―저기다!

아샤는 쓰러진 자의 단도를 빼앗아 힘차고 정확하게 던졌다. 단
도는 산적의 가슴에 꽂혔다. 남은 두 사내들이 활을 당겼다.

아샤는 도망치는 수밖에 없었다. 협곡 아래의 비탈을 구르듯 달
려 내려가고 있을 때 화살 하나가 그의 귓가를 스쳤다. 그는 죽을
힘을 다해 가시덤불이 있는 곳까지 달려야 했다. 거기선 화살을 피
할 수 있을 것이다.

또 하나의 화살이 그의 오른쪽 장딴지를 살짝 스치며 상처를 입
혔다. 순간 그는 임시 피난처 안으로 뛰어들 수 있었다. 다리에 상
처를 입고 두 손은 피에 물든 채 그는 거대한 가시덤불 속으로 몸
을 던졌다. 몇 번을 쓰러졌다가 다시 일어나 뛰었는지 모른다.

숨이 턱까지 차오른 그는 더이상 뛰기가 힘들었다. 산적들이 그
를 덮친다 해도 더이상 맞서 싸울 힘조차 남아 있지 않았다. 협곡
엔 침묵만이 흘렀다. 검은 구름 아래 날고 있는 한 떼의 까마귀들
울음소리만이 들려올 따름이었다.

조심스러운 아샤는 밤이 될 때까지 그 자리에서 움직이지 않았

다. 이윽고 어둠이 깊어지자 그는 비탈을 기어올라 당나귀들을 버려뒀던 장소까지 되돌아갔다. 당나귀들은 사라지고 없었다. 남아 있는 것은 두 구의 시체뿐이었다.

상처는 깊지 않았지만 무척 아팠다. 그는 샘물에 몸을 씻고 뭔지도 모르는 세 개의 풀잎을 뜯어 상처에 문질렀다. 그는 단단한 떡갈나무 꼭대기에 기어올라가 거의 나란히 뻗은 두 개의 굵은 가지에 몸을 걸치고 잤다.

아샤는 자신의 협력에 대한 대가로 셰나르가 제공했던 사치스런 별장들 가운데 하나를 꿈꾸었다. 그는 편안한 침대와 종려나무들로 둘러싸인 연못과 질 좋은 포도주 한 잔을 꿈꾸었고, 아름다운 몸을 제공하기 전에 그의 귀를 먼저 흥겹게 해주었던 예쁜 류트 연주자를 꿈꿨다.

차가운 비에 잠을 깼다. 아직 새벽이 오지 않았는지 주위는 어두웠다. 그는 빗속을 걸어 북쪽으로 나아갔다.

당나귀와 서판을 잃었기 때문에 더이상 파발꾼 행세를 할 수가 없었다. 우편물과 운송수단으로서의 동물이 없는 파발꾼은 당연히 수상하게 여겨질 것이고 체포당할 것이 분명했다. 그는 마을 입구의 검문소에 신고할 수 없었고, 마을에 들어갈 수도 없었다.

숲속을 지나면 순찰대를 피할 수 있을 것이다. 하지만 곰이나 스라소니, 혹은 거기 숨어 있을지도 모르는 산적들은 어떻게 피한단 말인가? 물은 풍부하겠지만, 식량은 찾기 힘들 것이다. 그에게 운이 좀 따른다면, 지나가는 행상인이라도 털어서 상인으로 행세할 수 있게 될지도 모르지만.

상황은 전혀 좋을 게 없었다. 하지만 돌아설 수도 없었다. 아샤는 기필코 하투사에 당도해 히타이트의 진정한 군사력이 어떤 것인지 밝혀내고 싶었다.

40

말을 탄 채로 전차부대의 기동훈련을 지휘하며 한나절을 보낸 우리테슈프는 찬물에 몸을 씻었다. 점점 더 강도 높게 밀어붙인 결과로 훈련은 좋은 성과를 낳고 있었지만, 아직도 만족스럽지는 못했다. 히타이트 군은 이집트 군대에 어떤 기회도 주어서는 안 되었다. 공격의 여러 국면에서 조금의 망설임도 보여서는 안 된다.

그가 바람에 몸을 말리고 있을 때, 부관이 하투사에서 온 어떤 상인이 총사령관을 만나고 싶어한다는 것을 알려왔다.

우리테슈프가 말했다.

—기다리라고 해. 내일 새벽에 만나보겠다. 상인들이란 복종하기 위해 태어난 놈들이야. 그래, 어떤 놈 같아?

—차림새로 보면 중요한 사람 같습니다.

—그래도 기다리라고 해. 제일 불편한 막사에서 자게 하구.

—불평하면 어쩌죠?

—그냥 놔둬.

하투실과 그의 수행원들은 쉬지 않고 말을 달렸다. 대왕의 아우에겐 감기나 열 따위는 문제가 되지 않았다. 그의 머릿속엔 단 한 가지 생각밖에 없었다. 돌이킬 수 없는 일이 벌어지기 전에 우리테슈프의 사령부에 도착해야만 했다.

야영지가 시야에 들어온 것은 한밤중이었다. 모든 것이 조용해 보였다. 하투실이 보초병들 앞에 나서자 그들은 나무문을 열어주었다. 경호를 책임진 장교를 뒤따라 대왕의 아우는 우리테슈프의 막사로 들어섰다.

잠에서 깬 우리테슈프는 좋은 기분이 아니었다. 그는 하투실을 만나는 것이 전혀 즐거울 게 없었다.

—뭣 때문에 이렇게 느닷없이 찾아온 거요?

—네 목숨 때문이지.

—그게 뭔 소리요?

—네 신상에 대해 모종의 음모가 있다. 누군가가 널 죽이려 해.

—농담하는 거 아니요?

—나는 피곤한 여행에서 막 돌아왔다. 신열이 나고, 쉬고 싶은 생각밖엔 없어. 농담하자고 이렇게 급히 달려왔겠나?

—누가 날 죽이려 한다는 거요?

—내가 상인계급과 어떤 관계인지 너도 잘 알겠지…… 내가 없는 동안 그들의 대표자들 가운데 하나가 내 아내에게 말했다더구나. 어떤 미친 자가 이집트와의 전쟁을 막고 자신의 이익을 보전하고자 너를 제거하기로 결심했다고 말야.

—그자 이름은?

—나도 모른다. 하지만 지체 없이 너한테 경고해주어야 한다고 생각했지.

—당신 역시 그 전쟁을 피하고 싶을 텐데…….

—틀렸어, 우리테슈프. 내가 보기엔 필요한 전쟁일세. 너의 승리 덕분에 우리 제국의 영토 확장은 계속될 거야. 대왕이 너를 군의 총사령관으로 임명한 것은 너의 전사로서의 능력과 지휘관으로서의 자질을 믿었기 때문이지.

하투실의 말은 우리테슈프를 놀라게 했다. 물론 그렇다고 그에 대한 불신이 사라진 것은 아니었다. 하투실은 아첨하는 데에도 능란하기 그지없었다. 하지만 면담을 요청했던 것은 분명 어떤 상인이었다지 않은가. 만일 우리테슈프가 그를 곧장 만났더라면 그는 지금쯤 이 세상 사람이 아닐지도 몰랐다. 진실을 밝히고 하투실의 진심을 알아낼 수 있는 간단한 방법이 있었다.

상인은 그가 해야 할 행동을 머릿속으로 끊임없이 반복하면서 온 밤을 뜬눈으로 새웠다. 그는 우리테슈프가 소리도 지르지 못하게 정확히 그의 목에 단도를 꽂을 것이고, 아무 일도 없는 것처럼 태평한 모습으로 총사령관의 막사에서 나와 말에 올라타고 천천히 야영지에서 빠져나올 것이다. 그런 연후에 전속력으로 말을 몰아, 중간에 작은 숲에 숨겨놓은 다른 말로 바꿔 탈 것이었다.

위험은 결코 적지 않았다. 하지만 상인은 우리테슈프를 증오했다. 일 년 전 그자는 무모한 훈련으로 이십여 명의 젊은이들을 기진하여 죽게 만들었는데, 거기에 상인의 아들이 둘이나 끼여 있었다. 푸투헤파가 그를 꼬드겼을 때 상인은 열광적으로 그 계획을 받아들였다. 하투실의 아내가 약속한 돈 따위는 그에게 전혀 중요하지 않았다. 비록 그가 붙잡혀 처형당하더라도 두 아들의 원수를 갚게 되는 것이고, 또한 괴물 같은 놈을 하나 처치하게 되는 것이다.

새벽이 되자, 우리테슈프의 부관이 그를 찾아왔다. 부관은 상인을 총사령관의 막사로 안내했다. 상인은 감정을 잘 다스려야 했다. 자기 동료들이 대왕을 쫓아내고자 하며 우리테슈프가 권력을 잡는 것을 돕고자 한다는 사실을 열성적으로 떠들어야 할 것이다.

부관이 그의 몸을 수색했지만 어떤 무기도 발견하지 못했다. 양쪽에 날이 선 짧은 단도는 추운 계절에 상인들이 흔히 쓰고 다니는 양털 모자 속에 숨겨져 있었다.

—들어가십쇼. 장군이 기다리고 계십니다.

우리테슈프는 방문객에게 등을 보인 채 지도 위에 몸을 숙이고 있었다.

—저를 만나주셔서 감사합니다, 장군님.

—간단히 끝내시오.

—상인계급이 둘로 나뉘었습니다. 한쪽은 평화를 주장하지만, 다른 쪽은 그렇지 않습니다. 저는 이집트를 정복하자는 쪽입니다.

—계속하시오.

천우신조의 기회였다. 우리테슈프는 지도 위에 작은 원을 그리느라 몸을 돌리지 않고 있었다. 상인은 모자를 벗었다. 그는 짧은 칼자루를 쥐고 말을 멈추지 않은 채 장군에게 다가갔다.

—무와탈리스는 우리가 바라는 승리를 가져다주지 못할 것이라고 저와 제 동료들은 확신하고 있습니다. 반대로 장군께선, 혁혁한 전사인 장군은…… 죽어라, 죽어! 내 아들을 네놈이 죽였지!

상인이 찌르는 순간, 장군은 몸을 뒤로 돌렸다. 그 역시 왼손에 칼자루를 쥐고 있었다. 상인의 칼날이 장군의 목에 박혔고, 장군의 검은 상인의 심장에 꽂혔다. 그들은 한덩어리가 되어 쓰러져 사지가 서로 얽힌 채 죽었다.

우리테슈프가 막사 자락을 들치고 나타났다.

진실을 알기 위해서 그는 자기와 덩치가 비슷한 병사 한 명의 목숨을 희생시켜야 했다. 심문하고 싶었는데, 멍청한 상인놈은 죽어버리고 말았다. 하지만 그는 하투실이 거짓말하지 않았다는 것은 충분히 알 수 있었다.

그렇다면 이건 뭘 뜻하는가? 신중하고 현실적인 하투실이 그의 밑으로 들어온 것인가? 전쟁에서 승리를 거둬 미래에 히타이트의 주인이 될 우리테슈프가 그에게 배은망덕하지는 않으리라는 희망을 갖고서?

그렇다면 하투실은 잘못 생각한 것이다. 우리테슈프는 빙긋 미소 지었다.

아샤는 상인도 여행자도 털지 않았다. 훨씬 더 나은 것을 찾았기 때문이다. 스무 살쯤 된 젊고 가난한 과부였다. 카데슈의 보병으로 징집당한 그녀의 남편은 물이 불은 오론테스 강을 건너다가 사고로 죽었다 한다. 아이도 없이 혼자가 된 그녀는 메마른 불모의 땅을 힘겹게 경작하고 있었다.

피로에 지친 아샤는 그녀가 사는 농가의 문 앞에 쓰러졌었다. 아샤는 산적들에게 가진 것을 모두 털렸고, 그들을 피해 도망치느라 가시덤불에 찔렸다고 설명했다. 그는 하룻밤만이라도 재워줄 수 없겠느냐고 간청했다.

벽난로에 놓인 솥에 물을 덥혀 그가 몸을 씻고 있을 때, 촌아낙의 감정에 갑작스런 변화가 일었다. 그녀의 조심스런 태도는 기품 있는 남자의 몸을 어루만지고 싶은 억누를 수 없는 열정으로 바뀌어버렸다. 여러 달 동안 사랑에 굶주린 여인은 서둘러 옷을 벗었다. 활짝 피어오른 몸의 아낙이 아샤의 목에 팔을 감고 젖가슴을 그의 등에 갖다댔을 때, 이집트인은 달아나지 않았다.

이틀 동안 연인들은 집 밖으로 나오지 않았다. 아낙은 경험은 많지 않았지만, 열정적이고 섬세했다. 그녀는 아샤의 기억에 또렷이 남을 몇 명 안 되는 애인들 가운데 하나가 되리라.

밖에는 비가 내리고 있었다.

아샤와 여인은 벌거벗은 채 벽난로 근처에 있었다. 외교관의 손이 만족스런 신음소리를 내는 젊은 여인네의 젖은 고랑과 계곡을 샅샅이 훑고 있었다.

—당신…… 진짜 누구예요?

—말했잖아, 산적들한테 털려서 빈털터리가 된 장사꾼이라구.

—그 말 안 믿어요.

—왜?

—너무 세련되고 우아해요. 당신의 동작, 말하는 걸 보면 절대로 장사꾼이 아녜요.

아샤는 아낙이 준 교훈을 간직했다. 캅과 외무성에서 보낸 숱한 세월이 그에게 지울 수 없는 흔적을 남긴 것이다.

—당신은 히타이트 사람이 아녜요. 전혀 거칠지가 않거든요. 당신은 사랑할 때 상대방을 생각해줘요. 내 남편은 자기 욕심만 채웠는데요. 당신 누구예요?

—비밀을 지키겠다고 약속하겠어?

—뇌우의 신의 이름으로 맹세해요!

아낙의 눈이 흥분으로 반짝였다.

—곤란하구만…….

—날 믿어요! 당신께 내 사랑의 증거를 보여주지 않았던가요?

아샤는 여인의 젖꼭지에 입을 맞추었다. 그는 건강한 여인만이 가진 풋풋한 몸을 더듬으면서 천천히 설명했다.

—나는 어느 시리아 귀족의 아들이야. 히타이트 군에 들어가기를 꿈꾸었지. 근데 아버지는 훈련이 너무 엄하다고 못 하게 하셨어. 나는 집에서 도망쳤고, 수행원 없이 혼자서 히타이트에 왔지. 군대에 지원해 내 능력을 증명하고 싶었지.

—그건 미친 짓이에요. 군인들은 잔인해요.

─나는 이집트인들과 싸우고 싶어. 내가 나서지 않으면 그들은 내 땅을 차지할 것이고, 내게서 모든 재산을 빼앗아갈 거야.

그녀는 그의 가슴 위에 머리를 얹었다.

─나는 전쟁을 증오해요.

─불가피한 것이 아닌가?

─모든 사람들이 전쟁이 일어나리라고 믿고 있지요.

─군인들이 어디서 훈련하고 있는지 알아?

─그건 비밀이에요.

─이 부근에서 군대가 움직이는 걸 본 적이 있어?

─아뇨. 여긴 아무도 오지 않는 외진 곳이에요.

─나하고 같이 하투사에 가지 않겠어?

─나도요? 수도에…… 한번도 가본 적이 없는데!

─이번이 좋은 기회잖소. 거기 가면 나는 장교들을 만날 거고, 군에 지원할 수 있을 거야.

─그러지 말아요! 제발. 그렇게 죽고 싶어요?

─만일 내가 나서지 않으면 우리 지방은 파괴될 거야. 악과 싸워야 해. 이집트, 바로 그게 악이야.

─너무 멀어요, 수도는…….

─헛간에 진흙으로 구운 항아리들이 꽤 있던데, 당신 남편이 만든 건가?

─강제로 징집당하기 전엔 도공이었지요.

─그걸 판 돈으로 하투사에 머물 수 있을 거야. 우리는 평생 그 도시를 잊지 못하게 될 거라구.

─내 밭은 어떡하구요…….

─겨울이잖아. 땅은 쉬고 있다구. 우리 내일 떠나자.

이미 아샤의 손길에 달아오른 그녀는 그의 말엔 아랑곳없이 연인을 향해 팔을 내밀었다.

41

이집트에서 가장 오래 된 헬리오폴리스의 생명의 집은 평상시와
같은 리듬으로 돌아가고 있었다. 제관들은 오시리스의 비밀 제의에
사용될 제문들을 점검했고, 신전 마법사들은 악운과 해로운 힘을
억누르기 위해 애썼으며, 점성가들은 다가올 달들에 대한 그들의
예측을 가다듬었다. 치료사들은 물약을 준비했다. 한 가지 이상한
일이 있다면, '피라미드의 글'의 원판과 파라오의 부활의식 등이
포함된 수천의 파피루스들을 소장하고 있는 도서관이 이튿날까지
입장 금지라는 것이었다.

도서관에는 특별한 열람자, 람세스가 자리잡고 있었다.

밤중에 도착한 왕은 돌벽으로 된 거대한 도서관에 파묻혔다. 그
곳의 함들은 보이는 것과 보이지 않는 것에 관한 이집트 지혜의 정

수를 담고 있었다. 람세스는 네페르타리의 건강상태 때문에 고문헌들을 참조해야 할 필요를 느꼈던 것이다.

왕비가 쇠약해져가고 있었다. 전의도 세타우도 병의 원인을 밝혀내지 못했다. 투야는 불길한 진단을 내렸다. 악마들이 공격하고 있다는 것이었다. 그것에 대항하기 위해선 보통 의술로는 충분치 않았다. 바로 그 때문에 왕은 그에 앞서 많은 선왕들도 참조한 바 있는 고문헌들을 뒤지고 있었다.

십여 시간을 조사한 끝에, 그는 하나의 해결책을 어렴풋이 보았다. 그는 즉시 피-람세스로 떠났다.

네페르타리는 이집트의 모든 신전으로부터 온 직조공들의 회의를 주재하고 다음 범람기까지 제복(祭服)의 생산에 필요한 사항들을 지시했다. 왕비는 신들에게 붉은색, 흰색, 초록색, 푸른색 등의 천으로 된 띠를 바쳤다. 그녀는 두 여사제들에게 몸을 의지하여 신전에서 나와, 간신히 가마에 올라타고 궁전으로 돌아왔다.

수석 전의 파리아마쿠는 왕비의 침대맡으로 황급히 뛰어가 그녀에게 흥분제의 일종인 물약을 마시게 했다. 하지만 날이 갈수록 더 심하게 그녀를 짓누르고 있는 피로감이 사라질 것이라는 희망은 별로 없었다. 람세스가 왕비의 침실에 들어오자 의사는 곧 물러갔다.

왕은 네페르타리의 이마와 손에 입 맞추었다.

—피곤해요.

—당신의 공식행사를 좀 줄여야겠소.

—쉰다고 저절로 나아질 것 같지가 않아요…… 제 몸에서 마치 가느다란 물줄기가 흘러나가듯 생명이 빠져나가는 게 느껴져요.

—어머님은 흔히 있는 병이 아니라고 하시더군.

—그 말씀이 맞아요.

—누군가가 어둠 속에서 우리를 공격하고 있소.

—제 솥…… 제가 가장 아끼던 솥! 어떤 마법사가 그걸 이용해서 저를 해치려 하는 거예요.

—나도 같은 결론에 도달했소. 나는 세라마나에게 모든 수단을 다해서 범인의 정체를 밝혀내라고 했소.

—서두르라고 하세요, 람세스. 서둘러주셔야 해요…….

—우리에겐 달리 싸우는 방법이 있소, 네페르타리. 하지만 그러자면 우리는 내일 당장 피-람세스를 떠나야 하오.

—저를 어디로 데려가시게요?

—보이지 않는 적으로부터 당신이 안전할 수 있는 그런 곳이오.

람세스는 아메니와 오랜 시간을 함께 보냈다. 파라오의 개인비서는 국가적으로 특기할 만한 어떠한 큰 사건도 없다고 알렸다. 왕이 자리를 비우는 시간이 연장된다는 생각에 서기관은 몹시 불안해했다. 람세스는 아메니가 정말 부지런하게 모든 서류들을 살피고 있으며, 그의 예민한 분류감각으로 중요한 정보를 잘 간추리고 있다고 평가했다.

왕은 수많은 결정을 내렸고, 그것을 대신들로 하여금 집행하게 하라고 아메니에게 지시했다. 세라마나는 자기가 맡은 여러 가지 임무들을 다시 한번 확인받았다. 그 가운데는 피-람세스에 주둔해 있는 정예부대의 훈련을 감독하는 일도 있었다.

왕은 어머니 투야와 함께 그녀가 즐겨 명상에 빠지곤 하는 정원을 산책했다. 주름진 망토를 어깨에 걸친 그녀는 엄격한 얼굴을 조금은 부드럽게 해주는 연꽃 모양의 귀걸이와 자수정 목걸이를 하고 있었다.

—저는 네페르타리와 함께 남쪽으로 떠납니다, 어머니. 여기는 그녀한테 너무 위험해요.

—파라오의 말씀이 옳소. 어둠 속에 숨어 있는 악마의 행동을 우리가 막아내지 못하는 한 왕비를 멀리 보내는 편이 안전할 겁니다.

―왕국을 지켜주세요. 위급한 상황이 닥치면, 아메니는 어머니의 명령에 따를 겁니다.

―전쟁의 위협은 어느 정도나 되오?

―모든 게 조용합니다. 이상할 정도예요…… 히타이트인들은 반응이 없습니다. 무와탈리스는 내용이 없는 의례적인 편지를 쓰는 것에 만족하고 있습니다.

―그것은 저들 내부에 불화가 있다는 것을 의미하는 것 아니오? 무와탈리스는 권력을 잡기 전에 많은 적수들을 제거했지요. 아직도 원한을 가진 자가 있을 겁니다.

람세스가 말했다.

―그것도 전혀 마음이 놓이는 얘기는 아니군요. 국내적인 갈등을 해소하고 다시 하나로 단결하기 위해 전쟁만큼 효과적인 것이 또 어디 있겠습니까?

―만약 그렇다면, 히타이트인들은 대규모의 공격을 준비하고 있겠군요.

―제가 틀렸기를 바랍니다…… 어쩌면 무와탈리스가 피를 뿌리는 전투에 진력이 났을 수도 있겠지요.

―이집트식으로 생각하지 마시오, 람세스. 평화는 히타이트인들이 추구하는 가치가 아니라오. 만일 그가 정복과 팽창을 주장하지 않는다면, 히타이트 왕은 권좌를 잃게 될 거요.

―혹시 제가 없는 동안에 적의 공격이 시작되면, 제가 돌아올 때까지 기다리지 마시고 바로 군대를 출정시키세요.

투야의 작은 턱이 굳어졌다.

―히타이트인들은 단 한 명도 델타의 경계를 넘지 못할 것이오.

무트 여신의 신전인 '어머니'에는 세크메트라 불리는 암사자 여신의 신상이 매일 아침 의식을 거행하기 위해 365개, 또 저녁 의식을 위해 365개가 보관되어 있었다. 바로 그곳에 나라 안의 위대한 의사들은 병과 치료의 비밀을 깨닫기 위해 몰려들었다.

네페르타리는 암사자의 살인적인 분노를 창조의 힘으로 변화시키는 제문을 나직이 읊조리고 있었다. 암사자의 통제된 폭력으로부터 삶을 구성하는 요소들을 제어할 수 있는 능력이 태어난다. 세크메트의 일곱 여사제단은, 그 자신을 제물로 바쳐 무서운 여신이 지배하는 성소의 암흑 속에 빛을 탄생시키려는 왕비의 정신과 교감하고 있었다.

대여사제는 단단하고 반들반들한 섬록암에 조각된 암사자의 머리에 성수를 부었다. 물은 여신의 몸을 타고 흘러내려 보좌 여사제가 들고 있던 잔 속에 다시 모였다.

네페르타리는 치유의 물을 마셨다. 그녀는 세크메트의 마력을 흡수했다. 그 어마어마한 힘이 그녀가 자기의 혈관 속에 스며든 무기력과 싸우는 데 도움을 줄 것이다. 그런 다음, 왕비는 여인의 형상을 한 암사자와 함께 한 낮과 한 밤을 침묵과 어둠 속에 홀로 남았다.

람세스의 어깨에 가볍게 몸을 기대고 나일 강을 건너면서 네페르타리는 지난 몇 주일보다는 다소 몸이 가뿐해진 것을 느꼈다. 왕의 사랑으로부터 여신의 힘만큼이나 강력한 또다른 힘이 태어나고 있었다. 마차가 그들을 '숭고 중의 숭고'로 데려갔다. 그곳은 절벽에 기대어 세워진 계단식 사원으로서, 여 파라오 하첩수트의 작품이었다. 신전에 이르기 전에 정원이 하나 있었는데, 그곳에서 가장 아름다운 꽃나무는 푼트 지방에서 수입된 향기 나는 나무들이었다. 이곳을 지배하는 여신은 별들과 아름다움과 사랑을 주재하는 신, 하토르였다. 그녀는 바로 세크메트의 또다른 현현이 아니던가?

신전의 건물들 중에는 환자들이 하루에 여러 차례 목욕하거나 이따금 수면요법을 취하는 회복관이 있었다. 미지근한 물이 든 커다란 통의 받침돌 위에 병을 쫓는 글이 신성문자로 새겨져 있었다.

─휴식기간이 절대로 필요하오, 네페르타리.

─하지만 왕비로서 제가 해야 할 일들이⋯⋯.

─당신의 첫번째 일은 왕과 왕비가 이집트의 주춧돌로 남을 수 있게 살아 있는 일이오. 우리를 해치려는 자들은 우리를 갈라놓아 나라를 약화시키려 하고 있소.

데이르 엘-바하리 신전의 정원은 다른 세상에 속한 것처럼 보였다. 향기 나는 나무들의 잎들이 부드러운 겨울 햇살 아래 빛나고 있었다. 땅속 얕은 곳에 묻힌 도관이 항시 물을 대고 있었고, 열기의 정도에 따라 물의 양을 조절했다.

네페르타리는 람세스에 대한 자신의 사랑이 더욱더 깊어지고 끝없는 하늘처럼 넓어져가고 있음을 느꼈다. 왕의 시선 역시 그러한 황홀감을 공유하고 있다는 것을 보여주었다. 하지만 그것은 너무도 불안한 행복이었다.

─저를 위해서 이집트를 희생하지 마세요, 람세스. 만일 제가 죽게 되면 이제트를 왕비로 삼으세요.

─당신은 죽지 않아, 네페르타리. 그리고 내가 사랑하는 것은 당신이야.

─약속해줘요, 람세스! 오직 이집트만이 당신의 행동을 규정할 것이라고 약속해줘요. 당신은 어떤 한 사람이 아니에요. 이집트에 삶을 바친 존재예요. 당신의 약속에 한 민족의 삶이 달려 있고, 우리 조상들이 이룬 문명이 달려 있어요. 이집트가 없다면 세상은 어떻게 될까요? 야만의 무리들이 군림하고, 욕심과 불의가 지배하는 세상이 되겠지요. 저는 당신을 제 온 힘을 다해 사랑해요. 제가 그 무엇보다 소중하게 생각하는 것도 그 사랑일 거예요. 하지만 저는 당신을 얽맬 수는 없어요. 당신은 파라오이기 때문이지요.

그들은 돌로 된 의자에 앉았다. 람세스는 네페르타리를 부드럽게 껴안았다.

그는 최초의 왕조 이래 왕비에게 적용되어온 제문을 인용하며, 그녀에게 상기시켰다.

—그대는 호루스와 세트를 같은 존재 안에서 보는 여인이요. 파라오가 존재하고, 그가 빛을 받아 모으며 그 빛을 통일된 '두 개의 땅' 위에 고루 퍼뜨리는 것은 바로 당신의 시선을 통해서요. 선왕들의 통치는 모두 마아트의 규범에 따라 이루어졌소. 하지만 그 통치들은 어느 것도 서로 같지 않았소. 인간들이란 끊임없이 새로운 결점을 만들어내기 때문이오. 하지만 당신의 시선은 하나요, 네페르타리. 이집트와 파라오에겐 당신이 필요하오.

시련의 한가운데서 그녀는 새로운 사랑을 발견했다.

—헬리오폴리스의 생명의 집의 고문서들을 뒤지다가 나는 눈에 보이지 않는 적의 공격을 어떻게 물리쳐야 할지 그 방법을 알아냈소. 세크메트와 하토르, 두 여신의 도움으로, 그리고 당신이 이 신전에서 취하게 될 휴식으로 당신의 힘은 더이상 줄어들지 않을 것이오. 하지만 그것만으론 충분치 않소.

—피-람세스로 돌아가실 건가요?

—아니오, 네페르타리. 아마도 당신을 완치시킬 수 있는 약이 있을 것이오.

—그게 무엇인가요?

—고문헌들에 의하면, 그것은 하토르 여신이 보호하는 누비아의 어떤 돌이라 했소. 그리고 그 돌은 몇 세기 전에 잊혀진 어느 외진 땅에 있다고 했소.

—그곳이 어딘지 아세요?

—찾아내게 될 거요.

—긴 여행이 되겠군요…….

—강의 흐름이 거센 덕분에 돌아오는 길은 금방일 것이오. 만일

운좋게 그 장소를 빨리 발견하게 된다면, 내가 떠나 있는 기간은 그만큼 짧아질 거고.

ㅡ히타이트인들은…….

ㅡ어머님이 나라를 맡고 있소. 공격해오면 어머님이 당신한테 알려올 테니, 함께 대처하도록 하오.

그들은 향기 나는 나무들 아래서 오래도록 포옹했다. 그녀는 그를 붙잡고 싶었으리라. 그리하여 자기에게 얼마 남지 않은 시간을 그와 함께 신전의 정적 속에서 보내고 싶었으리라.

하지만 그녀는 왕비였고, 그는 이집트의 파라오였다.

42

리타는 애원하는 눈길로 마법사 오피르를 쳐다보았다.

—해야만 해, 리타.

—싫어요. 너무 아파…….

—그건 바로 마법이 효과가 있다는 증거야. 우리는 계속해야만
해.

—내 살갖이…….

—왕의 누이가 당신을 잘 치료해줄 거야. 어떤 화상자국도 남지
않을 거야.

아케나톤의 후예는 마법사에게 등을 돌렸다.

—싫어요. 이젠 더이상 그런 고통을 못 견디겠어.

오피르는 그녀의 머리끄덩이를 잡아당겼다.

―그만하면 됐다, 이 변덕쟁이야! 내가 시키는 대로 안 하면 지하실에 가둬버릴 테다.

―싫어! 제발 그것만은 안 돼!

폐소공포증이 있는 금발의 영매는 무엇보다도 그 벌을 무서워했다.

―실험실로 돌아가라. 가슴을 내놓고 드러누워 있어.

람세스의 누이 돌렌테는 마법사의 거친 행동을 한탄했지만, 그가 옳다는 것을 알았다. 궁전의 최근 소식은 놀라웠다. 알 수 없는 불치병으로 신음하던 네페르타리가 테베로 떠났다는 것이다. 그녀는 하토르 여신의 성역인 데이르 엘-바하리에서 죽어갈 것이다. 서서히 진행되는 죽음의 고통은 람세스의 가슴을 찢어놓을 것이고, 그역시 상심 끝에 무너질 것이다.

세나르에게는 왕좌로의 길이 활짝 열리게 될 것이다.

람세스가 떠나는 즉시, 세라마나는 피-람세스의 네 군데 병영에 각기 들러 고급장교들에게 훈련의 강화를 요구했다. 용병들은 즉각 봉급 인상을 요구하고 나섰고, 그것은 이집트 병사들에게도 똑같은 요구를 불러일으켰다.

자신의 소관을 뛰어넘는 일에 부닥친 세라마나는 그에 관해 아메니에게 문의했다. 아메니가 투야에게 보고하자, 대비의 대답은 명료했다. 병사들과 용병들이 명령에 복종하지 않으면, 그들을 젊은 신병들로 교체하겠다는 것이었다. 만일 세라마나가 기동훈련 과정에서 실제적인 발전이 있다고 판단한다면, 특별수당을 고려해볼 수도 있을 것이었다.

군인들은 굴복했다. 세라마나는 다른 임무에 전념했다. 로메에게 네페르타리의 숄을 훔치게 한 마법사를 찾는 일이었다. 람세스의 생각에 로메의 기괴한 죽음은 역시 왕비의 기이한 병과 무관하지 않았다. 그는 자신의 짐작을 세라마나에게 숨기지 않고 말해주었다.

만일 저주받을 집사장이 아직 살아 있었다면, 왕년의 해적은 그의 입을 떼게 하는 데 아무런 어려움도 없었을 것이다. 물론 이집트에선 고문이 금지되어 있었다. 하지만 국왕 부처에 대한 저주야말로 일반적인 법을 벗어나는 것이 아닌가?

로메는 죽었다. 자신의 비밀도 마귀들로 가득한 저승으로 함께 가져가버렸다. 그의 배후인물에까지 거슬러오르는 길은 끊겼다고 봐야 했다. 하지만 그것이 겉으로만 그렇게 보이는 것이라면? 로메는 감정을 잘 드러내는 자였고, 말이 많았다. 어쩌면 그를 도와준 사내가, 혹은 계집이 있을지도 모른다.

그의 친지나 아랫사람들을 심문한다면, 어떤 단서를 얻을 수 있을지도 모른다. 물론 그들에게 던지는 질문이 상당한 설득력을 지니고 있어야만 했다…… 세라마나는 서둘러 아메니를 찾아갔다. 그는 서기관에게 자기의 계획을 채택하라고 설득할 작정이었다.

왕궁의 모든 시종과 시녀들이 북쪽에 위치한 병영에 불려갔다. 옷이나 침실을 맡은 시녀들, 머리나 화장을 담당하는 시녀들, 요리사들이나 청소부들, 그 밖에 여러 업무를 담당할 하인들이 모두 세라마나의 궁수들이 굳은 얼굴로 지키고 있는 무기창 안에 모여 있었다.

세라마나가 투구를 쓰고 갑옷을 입은 채 나타나자, 사람들은 가슴을 졸였다. 그가 말했다.

─궁전 안에서 또다시 도난사건이 발생했다. 우리는 범인이 천벌을 받아 죽은 저 야비하고 비열한 집사장 로메의 공범이라는 것을 알고 있다. 지금부터 너희들을 하나하나 심문하겠다. 만일 여기서 진실이 밝혀지지 않는다면, 너희들 모두는 카르게흐 오아시스로 유

배당할 것이다. 거기서라면 범인이 입을 열고야 말 테니까.

세라마나는 도난사건이 있었다는 거짓말과 전혀 법적인 근거가 없는 위협을 늘어놓기 위해 상당한 기운을 소모하며 아메니를 설득해야만 했다. 시종들 가운데 누구라도 세라마나의 행동에 항의할 수 있었고, 법정에 호소할 수 있었다. 그럴 경우 세라마나는 벌을 받게 될 판이었다.

하지만 왕의 친위대장의 무시무시한 모습과 그의 위압적인 말투, 그리고 살벌한 분위기 때문에 누구도 항의하지 못했다.

세라마나는 운이 좋았다. 그가 심문을 진행하는 방으로 들어온 세번째 여자는 무척 수다스러웠다. 그녀가 말했다.

─제가 하는 일은 시든 꽃을 치우고 갓 꺾은 꽃을 갖다놓는 일이에요. 저는 그 로메란 자를 증오했어요.

─무슨 이유로?

─그가 저를 자기 침대에 끌어넣었어요. 만일 제가 거절했다면, 일자리를 잃고 말았을 거예요.

─만일 당신이 고발했다면, 그자가 쫓겨났을 텐데.

─말만 그렇죠, 말뿐이에요…… 게다가 로메는 만일 자기와 결혼해준다면 돈도 주겠다고 약속했거든요.

─그가 어떻게 돈을 모았을까?

─거기에 대해선 별로 말하려 하지 않았어요. 하지만 저는 침대 위에서 입을 좀 열게 하는 데 성공했지요.

─그가 어떤 말을 했소?

─어떤 귀중한 물건을 금값에 팔 거라고 했어요.

─그 물건이 어디서 난 거라고 합디까?

─임시로 고용된 어떤 하녀 덕분에 그 물건을 얻게 될 거라고 했어요.

─그 물건이란 게 뭐였소?

―저도 몰라요. 하지만 그 뚱뚱이 로메가 나한테는 아무것도 주지 않았다는 건 확실해요. 그 흔하디흔한 부적 하나 없었어요! 전부 말씀드렸으니까, 무슨 보상 같은 게 없을까요?

임시로 고용된 하녀라…… 세라마나는 아메니의 사무실로 달려 갔다. 서기관은 왕비의 숄이 도난당했던 주에 해당하는 업무일지를 가져오게 했다.

실제로 왕비의 시녀들 가운데 한 사람의 책임 하에 나니라는 여자가 의복 담당 하녀로 대리근무한 것으로 기록되어 있었다. 왕비의 시녀는 나니의 인상착의를 설명해주었고, 그녀가 왕비의 방에 접근할 수 있었으며 따라서 숄을 훔쳤을 수도 있었을 것이라고 확인해주었다.

시녀는 나니가 고용될 때 제시한 그녀의 주소를 알려주었다.

아메니가 세라마나에게 말했다.

―그녀를 심문해보게. 하지만 절대로 폭력을 사용하면 안 되고, 법을 준수해야만 하네.

세라마나가 진지하게 대답했다.

―나도 그럴 작정일세.

수도의 동쪽 구역, 어느 집 문간에 노파 하나가 졸고 있었다. 세라마나는 그녀의 어깨를 살짝 건드렸다.

―할멈, 일어나요.

그녀는 한쪽 눈을 떴다. 그리고는 굳은 살이 박힌 손으로 파리를 쫓았다.

―누구야?

―세라마나요. 파라오의 친위대장이지.

―자네 얘기는 많이 들었지…… 옛날에 해적이었다지?

─사람의 천성은 잘 변하지 않지, 할멈. 나는 예전이나 다름없이 잔인한 사람이오. 특히나 누가 나한테 거짓말할 때는 말이오.

─내가 뭣 땜에 자네한테 거짓말을 하나?

─왜냐하면 내가 할멈한테 질문을 할 테니까…….

─말이 많은 것도 죄짓는 것이네.

─상황에 달렸지. 지금은 말하는 게 할멈의 의무요.

─자네 갈 길이나 가보게, 해적양반. 내 나이쯤 되면 의무란 게 더이상 없다네.

─나니의 할머니가 맞소?

─내가 왜 그래야 하나?

─왜냐하면 나니가 여기 사니까.

─걘 떠났어.

─궁전의 의복 담당으로 일하게 되는 행운을 얻은 여자가 왜 도 망쳤을까?

─나는 걔가 도망갔다고 안 했어. 떠났다구 그랬지.

─어디로 갔소?

─난 몰라.

─다시 말하지만 난 거짓말을 싫어하오.

─노인을 때릴 참인가, 지금?

─파라오를 구하기 위해서라면 그렇소.

그녀는 불안한 눈으로 세라마나를 쳐다보았다.

─이게 뭔 소리야…… 파라오가 위험에 빠졌다는 말이야?

─할멈 손녀는 도둑년이고, 어쩌면 큰 범죄를 저질렀는지도 모르 오. 만일 말을 안 하면 할멈도 공범이 되는 거야.

─나니가 어떻게 파라오에 대한 음모에 가담했단 말이야?

─가담했소. 나한테 증거가 있어.

파리가 다시 노파를 귀찮게 하러 왔다. 세라마나는 파리를 짓눌러버렸다.

　─죽음이란 기쁜 거야, 해적양반. 특히나 견디기 힘든 고통을 덜어줄 때는 말야. 나한테도 좋은 남편 좋은 아들놈이 있었지. 근데 아들녀석은 어느 끔찍한 년과 결혼하는 실수를 저질렀고, 그년은 아들에게 끔찍한 딸년을 낳아주었지. 남편은 죽고, 아들놈은 이혼해버리고, 결국 내가 그 저주받은 새끼를 키우게 되었다우…… 그년을 깨우치고 먹이고 도덕을 가르치는 데 한 세월을 보냈어…… 근데 이제 자네는 그애가 도둑년에다가 큰 범죄까지 저질렀다고 말하는 것인가?

　노파는 다시 숨을 들이마셨다. 세라마나는 그녀의 신세타령이 끝나기를 기다리며 침묵하고 있었다. 만일 그녀가 입을 다물고 만다면, 그는 그냥 떠날 수밖에 없었다.

　─나니는 멤피스로 떠났어. 걔가 나한테 자랑스럽게 말했지. 의과대학 뒤편의 아름다운 별장에서 살게 됐다구 말야. 나는…… 나는 이 조그만 집구석에서 죽을 건데 말일세!

　세라마나는 조사 결과를 아메니에게 알렸다.

　─만일 자네가 그 노파를 난폭하게 다뤘다면, 그녀는 자네를 고발할 걸세.

　─내 부하들이 증인일세. 나는 그 늙은이를 건드리지도 않았네.

　─어떻게 했으면 좋겠나?

　─노파는 나한테 나니의 모습을 자세히 설명해줬네. 왕비의 시녀가 말한 것과 일치해. 그녀를 보면 곧 알아볼 수 있을 거야.

　─그녀를 어떻게 찾을 생각인가?

　─그녀가 살고 있다는 멤피스의 거리에 가서 부근의 별장들을 모조리 수색할 거야.

　─만일 노파가 나니를 보호하기 위해 자네한테 거짓말을 한 것이

라면?

　─그 정도의 위험은 감수해야지.

　─멤피스는 멀지 않네. 하지만 자네는 피-람세스를 떠나선 안 되는데.

　─자네 스스로 인정하잖나, 아메니. 멤피스는 멀지 않다구. 내가 그 나니란 여자를 손에 넣고 그녀가 나를 마법사에게까지 데려가준 다고 생각해보게. 폐하께서 만족해할 것 같지 않나?

　─'만족'이라는 표현만으로는 부족하겠지.

　─그럼 허락해주게나.

43

아샤와 그의 애인은 놀란 눈으로 하투사를 바라보았다.

전쟁과 힘의 숭배에 바쳐진 도시, 히타이트 제국의 수도 하투사.
'높은 도시'의 세 군데 성문, '왕의 문'과 '스핑크스의 문', 그리고
'사자의 문'은 상인들에겐 접근이 금지되어 있었다. 그들은 창으로
무장한 병사들이 지키고 있는 '낮은 도시'의 두 개의 성문들 가운
데 한 곳을 통해 도시 안으로 들어왔다.

아샤는 문지기들에게 자기가 가져온 질그릇을 보이며, 아주 싼
값에 하나 사지 않겠냐고 묻기까지 했다. 보병은 팔꿈치로 그를 밀
치며 꺼지라고 명령했다. 두 사람은 서두르지 않고 장인들과 소상
인들의 거리로 향했다.

바위투성이의 산정, 층층이 늘어선 돌축대들, 뇌우의 신의 신전

에 사용된 거대한 암석들…… 여인은 도시의 모습에 홀린 것 같았다. 아샤는 그 웅장함에 놀라기는 했지만, 아나톨리아의 험준한 산에 둘러싸인 수도의 거친 건축물들에 매력과 우아함이 결여되어 있음을 한탄했다. 돌 하나하나에서 폭력이 솟아나오는 이런 장소에 평화와 삶의 즐거움이 꽃필 수는 없었다.

이집트인은 헛되이 정원과 나무들, 연못을 찾았고 살을 에는 듯한 삭풍에 몸을 떨었다. 그는 이집트가 얼마나 천국인가를 가늠하고 있었다.

몇 번이나 두 사람은 순찰대에 길을 비켜주기 위해 황급히 돌벽에 몸을 붙여야 했다. 제때에 비켜서지 못한 사람들, 여인네들이나 노인들, 아이들은 구보로 이동하는 보병 소대에 밀쳐지거나 넘어졌다.

군대가 없는 곳이 없었다. 거리의 각 모퉁이마다 병사들이 지키고 있었다.

아샤는 살림도구들을 취급하는 도매상인에게 항아리 하나를 내보였다. 히타이트에서는 마땅히 그래야 하듯이, 그의 아내는 뒤에 서서 입을 다물고 있었다.

도매상인이 평가했다.

―깔끔하게 만들었군. 일 주일에 몇 개나 만들 수 있나?

―시골에서 만들어 갖고 온 물건이 좀 있을 뿐이죠. 우리는 여기 정착했으면 싶은데.

―머물 곳은 있나?

―아직.

―나는 '낮은 도시'에 집을 세내고 있지. 자네가 가진 물건과 한 달치 집세를 맞바꾸세. 그러면 공방을 차릴 시간을 벌게 될 거야.

―좋소. 하지만 주석 세 조각을 더 주셔야만 하겠소.

―흥정을 잘하누만!

—우리는 식량을 사야만 하오.

—좋네.

아샤와 아낙은 맨땅에 환기가 시원찮은 눅눅한 작은 집에 터를 잡았다. 아낙이 말했다.

—내 시골집이 더 나아요. 적어도 거긴 따뜻했는데.

—우리는 여기 오래 머물지 않을 거야. 주석 한 개를 가져가서 이불이랑 먹을 것 좀 사와.

—당신은 어디 가게요?

—걱정 마. 저녁에 돌아올 테니까.

히타이트어를 완벽하게 구사하는 아샤는 상인들에게 물어 사람들이 많이 모이는 술집의 위치를 알아냈다. 술집은 감시탑 바로 아래 있었다. 기름 램프의 연기로 가득한 그곳은 상인과 장인들이 즐겨 찾는 장소였다.

아샤는 전차 부품을 파는 수다스런 두 명의 털북숭이 사내들과 자리를 함께했다. 본래 목수인 그들은 의자 만드는 일을 집어치우고, 이윤이 훨씬 많은 지금의 일을 하게 됐다고 했다.

아샤가 흥분한 듯 말했다.

—엄청난 도시요. 난 이렇게 클 줄은 몰랐어.

—자네는 이번이 처음인가, 친구?

—그렇소. 하지만 여기에 공방을 열 생각이오.

—그럼 물건을 군대에 납품하게! 아니면 제대로 먹지도 못해. 물밖엔 못 마실 거야.

—사람들 말이 곧 전쟁이 터질 거라던데…….

목수들은 웃음을 터뜨렸다.

—그걸 새삼스럽게 말하는 사람은 자네뿐이야! 하투사에서 그건 비밀이 아닐세. 대왕의 아들인 우리테슈프가 총사령관이 된 이후로는 훈련이 그칠 날이 없어. 소문에 듣자니, 우리 공격부대는 포로를

살려두지 않을 거라던데…… 이번엔 이집트도 끝장이야.

―잘됐군요!

―상인들 입장에선 꼭 그렇지만은 않지. 대왕의 아우인 하투실은 전쟁을 주장하는 쪽이 아니었어. 하지만 그도 결국엔 설득당해서 우리테슈프를 지원하고 나섰네. 우리한텐 다 이로운 일이야. 벌써 우리는 돈을 벌기 시작했단 말일세! 현재의 생산속도대로라면 히타이트의 전차 수효는 세 곱절로 늘어날 거야. 얼마 안 있으면 전차를 몰 사람이 부족할 정도지!

아샤는 텁텁한 포도주가 든 잔을 비웠다. 그는 취한 척했다.

―전쟁 만세! 이집트는 우리 히타이트한테 한 입거리밖에 안 될 테고, 우리는 잔치를 벌이게 될 거야.

―하지만 아직은 좀 기다려야 할걸, 친구. 대왕이 공격을 서두르는 것 같진 않거든.

―아…… 뭘 기다리는 거죠?

―우리가 여인의 속곳처럼 깊디깊은 왕궁의 비밀을 알 수 있나! 궁금하면 켄조르 대장한테 물어보라구.

목수들은 자기네 농담에 웃어댔다.

―켄조르가 누구요?

―총사령관하고 대왕 사이의 연락장교지…… 굉장한 정력가야. 정말이라구. 그가 하투사에 머물 때면 예쁜 처녀애들이 흥분한다네. 나라 안에서 제일 유명한 장교지.

―전쟁 만세! 여자들도 만세!

그들은 여자들의 매력이나 수도 내의 사창가를 화제로 한동안 떠들어댔다. 아샤의 싹싹한 태도가 마음에 들었는지, 목수들은 아샤의 술값을 대신 내주었다.

아샤는 매일 밤 술집을 바꿨다. 그는 많은 사람들과 만나 쓸데없는 이야기를 나누었고, 이따금 켄조르란 이름을 슬쩍 던져봤다.

마침내 그는 우연한 기회에 귀중한 정보를 듣게 됐다. 연락장교가 얼마 전에 하투사에 들어왔다는 것이다.

그 고급장교에게 접근할 수 있다면, 아샤는 많은 시간을 절약할 수 있을 것이었다. 그가 어디 있는지 알아내야 했고, 그에게 접근할 방법을 찾아야 했으며, 그가 거절할 수 없는 제안을 제시해야 했다. 한 가지 생각이 아샤의 머리에 떠올랐다.

아샤는 옷과 외투, 그리고 샌들을 사 들고 집에 돌아왔다. 여인은 탄성을 내질렀다.

―나한테 주는 거예요?

―내 인생에 다른 여자가 있었던가?

―비쌌을 텐데!

―많이 깎았지.

그녀는 옷을 만지려 했다.

―아냐, 지금은 안 돼.

―그럼…… 언제?

―나는 특별한 연회를 열 작정이야. 그때 당신이 그 옷을 입은 모습을 천천히 감상하고 싶다구. 하지만 연회를 준비하자면 시간이 좀 있어야 돼.

―그러세요.

그녀는 그의 목을 끌어안고 열렬하게 포옹했다.

―알아? 당신은 벗었을 때가 더 예쁘다구…….

왕의 배가 차츰 남쪽으로 나아감에 따라 세타우는 자신이 새롭게 태어나는 것 같았다. 그는 로투스를 껴안고 누비아의 풍경을 다시 발견하며 감탄을 금치 못했다. 그 풍경은 너무나 순수한 빛에 감싸여 있어서, 나일 강은 찬란한 푸른색으로 빛나는 천상의 강과도 같왔다.

세타우는 작은 도끼로 끝이 갈라진 나무 지팡이 하나를 깎아냈다. 그는 코브라를 몇 마리 잡아 그 독을 구리종지 안에 받아넣을 생각이었다. 바람에 흩날리는 짧은 로인클로스만을 허리에 걸치고 젖가슴을 드러낸 매혹적인 로투스는 자기 고향땅의 향기로운 공기를 맘껏 들이마시고 있었다.

람세스가 몸소 항해를 지휘했고, 경험 많은 선원들은 신속하고 정확하게 일했다. 식사시간에는 선장이 왕과 교대했다. 중앙 선실에서 람세스와 세타우, 로투스는 말린 소고기, 향을 넣은 샐러드, 양파와 섞은 파피루스 뿌리 따위를 먹었다.

세타우가 말했다.

—자넨 진짜 친구야. 우리를 데려온 것은 우리한텐 굉장한 선물일세.

—나는 자네와 로투스의 재능이 필요했네.

—우리가 궁전의 실험실에 처박혀 있긴 했지만, 유쾌하지 못한 소문은 우리 귀에까지 들려오더군. 전쟁이 정말 다가왔는가?

—그런 것 같네.

—이런 어수선한 시기에 피-람세스를 떠나 있는 것이 위험하진 않은가?

—네페르타리를 구하는 것이 급선무일세.

세타우가 한탄했다.

—나는 파리아마쿠보다 나을 게 없어.

로투스가 망설이며 물었다.

—누비아에 기적의 치료약이 숨겨져 있죠, 그렇죠?

—생명의 집의 고문헌들에 의하면 그렇소. 잊혀진 땅에 하토르 여신이 만든 돌이 있다고 했소.

—더 자세한 말은 없었나요, 폐하?

평소 말하는 걸 좋아하지 않던 로투스가 눈을 빛내며 얘기하는 모습을, 세타우는 신기하다는 듯이 바라보았다.

─모호한 지시뿐이었소. '누비아의 한가운데, 산이 갈라졌다 다시 뭉치는 황금모래의 만(灣).'

─만이라구요…… 그렇다면 나일 강에서 아주 가깝다는 얘기군요!

람세스가 말했다.

─서둘러야 하오. 세크메트의 힘과 데이르 엘-바하리 신전의 전문가들의 보살핌 덕분에 네페르타리의 몸에서 생명력이 완전히 빠져나가지는 않을 것이오. 하지만 악마의 힘이 사라진 것은 아니오. 우리의 모든 희망은 그 돌에 걸려 있소.

로투스는 먼 곳을 응시했다. 꿈꾸는 듯한 표정으로 그녀가 나른하게 말했다.

─폐하가 이 땅을 사랑하듯 이곳도 폐하를 사랑해요. 이 땅에 물어보세요. 땅이 폐하께 대답할 거예요.

펠리컨 한 마리가 왕의 배 위로 날아갔다. 커다란 날개를 가진 저 새는 죽음을 물리친 오시리스의 화신들 가운데 하나가 아니던가?

44

연락장교 켄조르는 술이 과했다.

사흘 간의 휴가를 수도에서 보낼 수 있다는 것은 엄격한 군대생활을 잊고 여자들과 포도주에 취해 맘껏 즐길 수 있는 좋은 기회였다. 큰 덩치에 콧수염을 기르고 목소리가 쉰 그는 여자들을 경멸했으며, 오로지 쾌락의 대상으로만 쓸모가 있다고 평가했다.

포도주가 머리까지 얼큰하게 오르면, 켄조르는 여자와 뒹굴고 싶은 욕구를 자제할 수 없었다. 그날 밤은 독한 지방술 때문에 유독 강하고 즉각적인 자극이 필요했다. 비틀거리며 술집에서 나온 그는 어느 사창가로 향했다.

대장은 살을 에는 추위조차 느끼지 못했다. 그는 숫처녀가 하나쯤 남아 있기를 기대했다. 잔뜩 겁을 먹고 떨고 있는 계집애를 바랐다. 오늘 밤은 그 편이 농익은 여체보다 더 재미있을 것 같았다.

웬 남자가 정중하게 그에게 다가왔다.

―말씀 좀 나눌 수 있겠습니까, 대장님?

―뭐야? 뭘 원하는 거야?

아샤가 대답했다.

―대장님께 아주 좋은 걸 하나 제안하고 싶은데요.

켄조르는 웃었다.

―뭘 파는데?

―어린 숫처녀입죠.

대장 켄조르의 눈에 불이 일었다.

―얼마야?

―최고급 주석 열 조각입니다.

―비싸군!

―아주 특별한 상품이라서요.

―난 좀 급한데…….

―당장 가능합니다.

―지금 나한텐 주석 다섯 개밖에 없어.

―나머지는 내일 아침에 주셔도 됩니다.

―날 믿나?

―오늘 보시게 될 아이말고도 대장님께 보여드릴 숫처녀들이 많이 있습죠.

―자네 괜찮은 친구로구먼…… 가자구. 난 급해.

흥분해서 벌써부터 숨을 식식대는 켄조르를 데리고 아샤는 급히 걸었다. 모두들 잠든 '낮은 도시'의 뒷골목은 쥐죽은듯 고요했다.

아샤는 누추한 집의 문을 열었다.

아낙은 머리를 정성스레 빗고, 아샤가 사다준 새옷을 입고 있었다. 기분이 고조된 켄조르는 그녀를 자세히 뜯어보았다.

―이봐,…… 숫처녀라기엔 너무 늙었잖아?

느닷없이 아샤는 그를 벽에다 세차게 밀어붙였다. 장교는 거의 의식을 잃었다. 그 틈을 이용해 아샤는 켄조르의 짧은 검을 빼앗아 그의 목덜미에 칼끝을 갖다대었다.

켄조르가 중얼거렸다.

―너…… 넌 누구냐?

―너는 군대와 왕궁 사이의 연락장교지. 내 질문에 대답해. 아니면 내 손에 죽을 거야.

켄조르는 벗어나려고 애썼다. 칼끝이 그의 살에 파고들어 피가 흘렀다. 포도주를 너무 많이 마신 탓에, 그는 힘을 쓸 수 없었다.

공포에 질린 아낙은 방 한구석으로 몸을 피했다.

아샤가 물었다.

―이집트에 대한 공격이 언제 시작되나? 그리고 히타이트인들은 왜 그렇게 많은 전차를 만들고 있지?

켄조르는 얼굴을 찡그렸다. 이놈이 벌써 중요한 정보를 많이도 알고 있구먼.

―공격은…… 군사기밀이다.

―이런, 끝내 말을 안 하겠다면 그 기밀을 무덤 속으로 가져가게 될 텐데.

―감히 그러진 못할걸…….

―틀렸어, 켄조르. 나는 주저없이 너를 제거할 수 있어. 그리고 진실을 알아내기 위해서라면 너 같은 장교는 얼마든지 죽일 거라구.

칼끝이 점점 더 파고들었다, 장교는 고통의 신음을 내질렀다. 아낙은 떨며 시선을 돌렸다.

―공격 날짜는 대왕만 알고 있다…… 나는 모르는 일이야.

―히타이트 군에 왜 그렇게 많은 전차들이 필요한지는 알고 있겠

지?

목덜미가 아픈 데다가 취기가 오른 켄조르는 혼잣말처럼 몇마디 중얼거렸다. 귀가 밝은 아샤는 그에게 그 경악스런 진술을 반복시킬 필요가 없었다.

성난 그가 켄조르에게 물었다.

—말도 안 되는 소리, 무슨 미친 소리야?

—아냐, 사실이야…….

—그럴 리가 없어!

—사실이라니까.

아샤는 잠시 정신이 멍해진 상태였다. 그는 방금 세상의 운명을 바꿔놓을 수도 있는 엄청나게 중요한 정보를 알아냈다. 이집트인은 정확하고 힘차게 켄조르의 목덜미에 칼끝을 찔러넣었다.

아샤는 여인에게 명령했다.

—몸을 돌려.

—안 돼요. 날 내버려둬요. 저리 가요!

칼을 내민 채 그는 여인에게로 다가갔다.

—유감이야. 하지만 당신을 살려둘 수가 없어.

—난 아무것도 못 보고, 못 들었어요!

—확실한가?

—나는 그가 중얼거리는 소리를 하나도 못 알아들었어요. 맹세해요.

그녀는 무릎을 꿇었다.

—제발 나를 죽이지 말아요. 도시에서 나가려면 당신한테는 내가 필요할 거예요.

아샤는 망설였다. 여인한테는 잘못이 없었다. 수도의 성문들은 밤에는 닫혀 있기 때문에 그가 성문을 빠져나가려면 새벽까지 기다려야 했다. 그녀와 함께 간다면 사람들의 시선을 별로 끌지 않을 것이었다. 그리고 나서 어느 골짜기에 들어섰을 때 그녀를 없애버릴 수도 있을 것이다.

아샤는 시체 가까이에 앉았다. 잠을 청할 수가 없었다. 가능한 한 빨리 이집트에 돌아가서 이 엄청난 정보를 알려야겠다는 생각뿐이었다.

새벽녘의 선선함이 가신 누비아의 겨울은 매혹적이었다. 람세스는 언덕 위에 한 마리의 숫사자와 암컷들이 있는 것을 보았다. 종려나무 꼭대기에 기어올라간 원숭이들은 날카로운 소리를 질러 지나가는 왕의 배에 인사를 보냈다.

배가 어느 마을에 기항했을 때, 마을사람들은 왕과 그의 수행원들에게 야생 바나나와 우유를 대접했다. 즉석에서 벌어진 축제에서 람세스는 부족의 촌장을 접견했다. 자기 부족을 돌보며 평화로이 보낸 90여 년의 세월로 머리가 하얗게 센 늙은 마법사였다.

늙은이가 무릎을 꿇으려 하자, 람세스는 그의 팔을 붙잡아 만류했다.

─제 노년이 빛을 발하는군요…… 신들이 제게 파라오를 뵐 기회를 주시다니! 파라오 앞에 몸을 굽히고 그에게 존경을 표시하는 것이 제 의무가 아니겠습니까?

─나야말로 그대의 지혜에 존경을 표하오.

─저는 한낱 마을의 주술사에 불과합니다.

─누구든 자기 생애 동안 마아트의 규범을 지킨 사람은 가짜 현자나 거짓말쟁이들보다 더 존경받을 만하지요.

─폐하는 '두 개의 땅'과 누비아의 주인이 아니십니까? 저는 몇 가족을 다스릴 뿐입니다.

─하지만 나는 그대의 기억에 도움받을 일이 있소.

마법사는 햇볕이 너무 강할 때 주로 머무는 종려나무 아래로 파라오를 안내했다.

—제 기억이라…… 그것은 푸른 하늘과 장난치는 아이들과 미소 짓는 여인들, 뛰어오르는 영양떼, 그리고 고마운 강의 범람 등으로 가득하지요. 이 모든 것은 이제 폐하의 책임입니다. 폐하가 없다면, 제 추억들은 더이상 존재하지 않을 겁니다. 그리고 앞으로의 세대들은 감정이 없는 인간들만을 만들어낼 겁니다.

—사랑의 여신이 기적의 돌을 만들었다는 축복받은 장소를 기억하시오? 누비아 한가운데의 어느 잊혀진 땅이라던데?

마법사는 지팡이를 들어 모래 위에 몇 개의 선과 기호들을 그렸다. 지도였다.

—제 아버지의 아버지가 그와 같은 돌을 우리 마을에 가져온 적이 있었지요. 여인네들은 그 돌을 만지면 병이 낫곤 했습니다. 불행하게도 유목민들이 그 돌을 빼앗아 갔지요.

—그 돌은 어디에서 가져온 것이었소?

지팡이가 지도를 가리켰다. 나일의 강줄기 위의 한 지점이었다.

—바로 이 신비의 장소지요. 쿠슈 지방이 시작되는 곳입니다.

—그대의 마을을 위해서 바라는 게 있소?

—지금 있는 것으로 족합니다. 하지만 그것도 큰 요구가 아니겠습니까? 우리를 보호해주십시오, 폐하. 누비아를 무사히 지켜주시오.

—그대의 입을 빌려 누비아가 말했소. 그리고 나는 그의 말을 들었소.

왕의 배는 우아우아트 지방을 떠나 쿠슈 지방으로 들어섰다. 그곳엔 세티와 람세스의 개입 덕분에 평화가 지배하고 있었다. 여전히 서로 반목하고 있던 부족들도 파라오의 병사들이 두려워 평화를 깨뜨리진 못했다.

그곳에 거대한 야생의 땅이 시작되고 있었다. 오로지 나일 강만이 그 땅의 젖줄이었다. 강의 양편에 있는 경작지대는 협소했다. 하지만 종려나무들이 사막과 싸우는 경작자들에게 그늘을 드리우고 있었다.

갑자기 절벽이 눈앞에 나타났다.

람세스는 나일 강이 사람의 모든 접근을 거부하며, 자연이 그 거대한 공간 내에 닫혀 있다는 느낌을 받았다.

자극적인 미모사 냄새가 세상 끝에 와 있는 듯한 그러한 느낌을 조금은 덜어주었다.

거의 대칭을 이룬 두 개의 산정이 강쪽으로 불쑥 튀어나와 있었다. 그 가운데 골짜기엔 모래가 가득했으며, 사암의 돌출부 아래에 아카시아 꽃이 만발해 있었다.

'산이 갈라졌다 다시 뭉치는 황금모래의 만.'

마치 기나긴 잠에서 깨어난 것처럼, 그의 시선을 오랫동안 흐리게 하던 마법에서 갑자기 벗어난 것처럼, 람세스는 마침내 그곳을 알아보았다. 왜 진작에 이곳을 생각하지 못했던가?

그는 명령했다.

─배를 가까이 대라. 바로 이곳이다.

벌거벗은 로투스가 강물에 뛰어들어 강둑까지 헤엄쳐 갔다. 은빛으로 반짝이는 물방울을 흩뿌리며, 그녀는 영양처럼 유연하게 달려 나무 그늘 아래 잠들어 있던 한 누비아인에게 다가갔다. 그녀는 그를 깨웠다. 벌거벗은 미녀의 몸을 무심히 바라보는 그에게 뭔가를 물어보던 그녀는 산 쪽으로 달려갔다.

얼마 후, 배로 돌아오는 그녀의 손에는 평범해 보이는 바위 한 조각이 들려 있었다.

람세스는 절벽에 시선을 고정시키고 있었다.

아부 심벨…… 그곳은 분명 힘과 마법이 결혼한 땅, 아부 심벨이었다. 그가 신전을 세우려 결심했던 땅, 그 하토르의 성역을 그는 소홀히 했고, 잊고 있었던 것이다.

세타우는 로투스가 배에 오르는 것을 도왔다. 그녀는 오른손에 사암 조각을 쥐고 있었다.

—이것이 분명 여신이 만든 마법의 돌이래요. 하지만 이것이 가진 치유의 힘을 어떻게 사용하는지 아는 사람은 아무도 없대요.

45

춥고 습한 집의 좁은 창문을 통해 가느다란 햇빛이 스며들고 있
었다. 순찰대의 발자국소리에 여인이 잠을 깼다. 그녀는 켄조르의
시체를 보고 깜짝 놀랐다.

－저기 있어…… 아직도 그대로 있어!

아샤가 말했다.

－악몽에서 깨어나. 저 장교는 이제 우리를 해치지 못해.

－나는 아무 짓도 안 했어요!

－당신은 내 아내야. 만일 내가 붙잡히면 당신도 처형당할 거야.

여인은 아샤에게 달려들어 꽉 움켜쥔 주먹으로 그의 가슴을 두들
겨댔다.

그가 말했다.

─어제 밤에 나는 곰곰이 생각해봤어.

놀란 그녀는 멈칫했다. 애인의 차가운 시선에서 그녀는 자신의 죽음을 봤다.

─안 돼. 당신은 그럴 수 없어…….

그가 되풀이 말했다.

─곰곰이 생각했어. 내가 당장 당신을 죽이든가 아니면 당신이 나를 돕든가, 둘 중 하나야.

─당신을 도와요? 하지만 어떻게…….

─나는 이집트 사람이야.

히타이트 여인은 마치 다른 세계의 사람을 보듯이 아샤를 바라보았다.

─나는 이집트 사람이고, 서둘러 내 나라에 돌아가야 해. 만일 나한테 무슨 일이 생기면, 당신이 나 대신 국경을 넘어가서 내 주인에게 알려야 해.

─내가 뭣 때문에 그런 위험한 일을 해야 하지요?

─그 대가로 안락한 생활을 약속하지. 내가 당신한테 건네줄 서판 덕분에 당신은 이집트 도시에 저택을 갖게 될 거고, 하녀를 부리며 평생 연금을 받게 될 거야. 내 주인은 너그러운 사람이지.

아낙은 꿈속에서조차 그런 편안한 삶을 상상해본 적이 없었다.

─좋아요.

아샤가 말했다.

─우리는 따로 행동해야 해. 우리는 각자 다른 문을 통해 도시에서 빠져나갈 것이오.

아낙이 불안해하며 말했다.

─그런데 당신이 나보다 먼저 이집트에 도착하면 어떻게 되는 건가요?

─당신의 임무만 완수해요. 다른 것은 생각할 것 없소.

아샤는 신성문자의 약자인 초서체로 짤막한 글을 적었다. 그는 얄팍한 서판을 애인에게 건네주었다.

그가 그녀를 포옹했다. 그녀는 그를 밀쳐낼 용기가 없었다.

그가 약속했다.

─우리는 피-람세스에서 다시 만나게 될 거야.

'낮은 도시'의 성문 가까이에 이르자, 수도를 떠나려고 혼잡을 이루고 있는 상인들이 보였다. 아샤는 그들과 한데 휩쓸렸다.

사방에 신경이 곤두선 군인들이 있었다.

길을 되돌아갈 수도 없었다. 이미 일개 분대의 궁수들이 사람들을 몇 개의 무리로 나누어 검문을 받도록 강요하고 있었기 때문이다.

사람들은 소리를 지르며 서로 밀쳐대고, 게다가 당나귀와 노새들은 버티고 서서 움직이려들지 않고, 온통 북새통이었지만 문을 지키는 보초들의 엄격함은 전혀 누그러들지 않았다.

아샤가 한 상인에게 물었다.

─무슨 일이오?

─도시로 들어가는 게 금지됐고 나가는 것도 어렵게 됐소⋯⋯ 행방불명된 어느 장교를 찾는다누먼.

─그게 우리와 무슨 상관이랍니까?

─히타이트 장교는 소식 없이 사라지는 법이 없어. 누군가가 그자를 습격했거나 어쩌면 죽였을 테지⋯⋯ 아마도 궁전 내의 암투일 거요. 그래서 범인을 찾고 있는 거지.

─그게 누군데요?

─또다른 군인이겠지⋯⋯. 확실해. 대왕의 아우하고 아들 사이의 싸움질 때문에 생긴 일일 거요. 한쪽이 결국 다른 쪽을 죽이고 말 거야.

—보초들이 모든 사람들을 뒤지는 모양인데…….

—살인자는 무장한 군인이 분명한데, 그자가 장사꾼으로 변장하고 도시를 빠져나가지 않을까 싶어 미리 저러는 거요.

아샤는 긴장을 풀었다.

검사는 느리고 철저하게 진행되었다. 서른 살쯤 되어 보이는 한 사내가 땅에 쓰러졌다. 그의 동료들은 그가 포목을 파는 사람이며 군대에는 한번도 있어본 적이 없다고 항의했다. 상인은 풀려났다.

아샤의 차례가 되었다.

얼굴이 비쩍 마른 병사 하나가 그의 어깨에 손을 얹었다.

—넌 뭐하는 놈이야?

—도공이오.

—왜 도시를 떠나려는 건가?

—시골집에 있는 재고품을 가지러 가는 중이오.

병사는 도공이 무기를 갖고 있지 않다는 것을 확인했다.

—가도 됩니까?

병사는 꺼지라는 몸짓을 취했다.

몇 미터 앞에 히타이트 수도의 성문이 있었다. 자유! 이제 이집트로 돌아갈 수 있다…… 아샤가 걸음을 떼어놓으려 할 때였다.

—잠깐!

아샤의 왼편에서 누군가가 말했다.

키가 중간쯤 되는 사내였다. 두 눈이 번들거렸고, 그 가늘고 뾰족한 얼굴에 턱수염을 기르고 있었다. 그는 검은 줄무늬가 있는 붉은 모직 옷을 입고 있었다.

그가 보초들에게 명령했다.

—저자를 체포하라.

한 장교가 거만한 태도로 나서며 그의 명령을 제지했다.

—여기서 명령을 내리는 건 나야!

짤막한 턱수염을 기른 인물이 말했다.

―나는 라이아라는 사람이오. 궁전의 경찰에서 일하고 있소.

―그런데 저 상인이 무슨 죄를 지었소?

―저자는 히타이트 사람도 아니고, 도공도 아니오. 그는 이집트인으로 아샤라는 자요. 그는 람세스의 조정에서 높은 직위를 맡고 있소.

강한 물살 덕분에 람세스는 아부 심벨과 이집트의 가장 남방에 위치한 도시인 엘레판티네 사이를 가르는 3백 킬로미터의 거리를 이틀 만에 주항했다. 테베에 닿기 위해서는 거기서 다시 이틀이 소요되었다. 선원들 역시 상황의 위중함을 잘 알고 있다는 듯이 비상한 능률을 보여주었다.

여행 내내 세타우와 로투스는 여신석의 표본에 매달렸다. 그것은 아주 독특한 질을 가진 사암이었다. 카르낙의 선창이 가까워오자, 그들은 실망을 감출 수 없었다.

세타우가 고백했다.

―나는 이 돌이 보이는 반응을 이해할 수 없네. 돌의 특성이 정상적이 아니야. 염산에 견뎌내고 괴이한 빛깔을 띠며, 내가 가늠할 수 없는 어떤 힘을 갖고 있는 것 같아. 우리가 이 약을 어떤 것들과 배합해야 하며, 얼마만큼 섞어야 하는지 그 처방을 모른다면, 어떻게 왕비를 치료할 수 있단 말인가?

신전의 종사자들은 예기치 못한 왕의 도착에 깜짝 놀라 어떤 의례를 갖춰야 할지 우왕좌왕이었다. 다급한 람세스는 세타우와 로투스를 데리고 카르낙의 실험실로 직행했다. 그들은 화학자들과 약제사들에게 그들 자신의 실험 결과를 알려주었다.

왕이 지켜보는 가운데 연구작업이 시작되었다. 누비아의 산물에 관한 과학적인 고문헌 덕분에, 전문가들은 사람의 피를 말리고 피

로로 죽음에 이르게 하는 악마들을 쫓기 위해서, 아부 심벨의 여신
석을 어떤 물질들과 배합해야 하는지 그 목록을 작성할 수 있었다.

남은 일은 그것들 중에서 올바른 요소를 찾는 일과 그것들의 정
량을 정하는 일이었다. 결과를 알기에는 몇 개월이 필요한 일이었
다. 상심한 실험실의 책임자는 당황스러움을 감출 수 없었다.

람세스가 요구했다.

─그것들을 돌탁자 위에 놓고 나를 혼자 있게 해주시오.

왕은 정신을 집중하고 자신과 아버지가 사막에서 물을 찾았을 때
사용했던 아카시아 나뭇가지를 손에 들었다.

람세스는 각각의 물질 위로 나뭇가지를 가져갔다. 그것이 갑자기
감응을 보이면 그 물질을 따로 떼어놓았다. 다시 한번 나뭇가지를
가져가서 확인한 왕은 같은 방법으로 물질의 정량을 정했다.

아카시아 진, 아니스, 무화과의 즙, 콜로신트, 구리, 그리고 여신
석 조각 등이 처방의 주요 성분이었다.

우아하게 화장한 네페르타리는 미소짓고 있었다. 즐거워 보였다.
왕비는 손놀림이 뛰어난 어느 서기관이 쓴 필사본으로 시누헤의 유
명한 소설을 읽고 있었다. 그녀는 파피루스를 말고 자리에서 일어
나 왕의 품안에 안겼다. 그들의 포옹은 오디새와 나이팅게일의 노
랫소리를 타고 향기 나는 나무의 향에 취해 풀릴 줄을 몰랐다.

람세스가 말했다.

─여신의 돌을 찾아냈소. 카르낙의 실험실에서 약을 준비하는 중
이오.

─효과가 있을까요?

─나는 아버님의 아카시아 나뭇가지를 이용해서 잊혀진 처방을
찾아냈소.

─누비아 여신의 성역을 설명해주세요.

-황금모래의 만, 두 낭떠러지가 하나로 합쳐지는……. 그건 아부 심벨이었소. 나는 까맣게 잊고 있었지. 그곳에서 우리의 사랑을 영원히 기리고자 작정했소…….

람세스의 단단한 몸의 열기가 그녀에게서 도망가던 생명을 차츰 되찾아주고 있었다.

왕이 말을 이었다.

-오늘 십장 한 명이 석공들을 데리고 아부 심벨로 떠났소. 그 두 낭떠러지는 두 개의 신전으로 바뀔 것이오. 당신과 나처럼 영원히 헤어지지 않는…….

-제가 그 기적을 보게 될까요?

-그럼, 당신은 꼭 보게 될 거요!

-파라오의 뜻이 이루어지기를.

-그렇지 않다면 어떻게 내게 아직도 나라를 다스릴 자격이 있다 하겠소?

람세스와 네페르타리는 카르낙을 향해 나일 강을 가로질렀다. 그들은 함께 아몬 신의 성소에서 제의를 치르고, 이어서 왕비는 세크메트 여신의 신전에서 명상에 잠겼다.

파라오는 마법의 병을 물리칠 유일한 약이 들어 있는 잔을, 왕비에게 손수 건네주었다.

약은 달고 미지근했다.

현기증을 느낀 네페르타리는 그 자리에 누워 눈을 감았다. 여신의 돌이 왕비의 피를 들이마시는 악마를 내쫓기 위해 싸우는 기나긴 밤 동안, 람세스는 그녀의 머리맡을 떠나지 않고 함께 싸울 것이다.

46

머리카락이 헝클어지고 얼굴이 하얗게 질린 아메니는 말을 더듬
거리고 있었다.

투야가 말했다.

—침착하게.

—전쟁이에요, 폐하. 전쟁입니다!

—우리는 어떠한 공식적인 문서도 접수하지 않았네.

—장군들이 제정신이 아닙니다. 병영은 난장판이구요. 서로 어긋
나는 명령들이 사방에 퍼지고 있어요.

—이런 혼란의 원인이 무엇인가?

—저는 모릅니다, 폐하. 하지만 저는 상황을 통제할 수가 없습니
다…… 군인들은 더이상 제 말을 듣지 않습니다.

투야는 수석 제관들과 두 명의 궁전 미용사들을 불렀다. 미용사들은 투야의 머리에 가발을 씌웠다. 대비라는 지위의 성스런 특성을 강조하기 위해서, 이마 한가운데에서 비스듬히 양쪽 어깨로 갈라져 내려온, 마치 독수리 날개처럼 생긴 가발이었다. 독수리 암컷은 주의 깊은 어머니의 상징이었다. 그렇게 투야는 '두 개의 땅'의 보호자의 형상을 갖추었다.

그녀는 팔목과 발목에 각각 금팔찌와 발찌를 하고, 목에는 일곱 줄로 된 보석 목걸이를 걸었다. 주름 잡힌 긴 옷을 입고, 허리에 넓은 띠를 맨 그녀는 지고의 권위를 구현하고 있었다.

그녀는 아메니에게 명령했다.

―나와 같이 북쪽 병영으로 가세.

―가시면 안 됩니다, 폐하! 이 동요가 가라앉기를 기다리세요.

―악과 혼돈은 결코 저절로 없어지지 않는다네. 서두르세.

피-람세스는 온통 소란스러웠다. 어떤 자들은 히타이트 군이 델타 가까이 접근했다고 장담했고, 어떤 자들은 벌써 전투가 벌어졌다고 했으며, 또다른 자들은 남쪽으로 도망갈 채비를 하고 있었다.

북쪽 병영의 입구에는 더이상 보초가 지키고 있지 않았다. 아메니와 투야를 태운 마차는 모든 규범이 사라져버린 큰 연병장으로 들어섰다.

말들은 거대한 공간의 중심에 멈춰 섰다.

전차부대의 장교 한 사람이 대비를 알아보고 다른 동료들에게 알렸다. 그들은 다시 병사들에게 알렸다. 십 분도 안 돼서 수백 명의 병사들이 투야의 말을 듣기 위해 모여들었다.

작고 연약한 투야는 한순간에 그녀를 짓밟아 죽일 수 있는 무장한 거인들 한가운데 버티고 있었다. 아메니는 이것이 자살행위라고 생각하며 몸을 떨었다. 그녀는 정예 친위대의 보호 아래 궁전에 남아 있어야 했다. 하지만 투야가 잘만 다독인다면, 어쩌면 그녀의 말이 병사들을 안심시키고 동요를 가라앉힐지도 몰랐다.

사방이 고요했다.

투야는 멸시하는 듯한 표정으로 주위를 둘러보았다.

그녀는 메마른 목소리로 선언했다. 그것은 아메니의 귀에 마치 천둥소리처럼 울려왔다.

―무능한 겁쟁이들! 아무 소문에나 흔들리는 그대들이 전사들인 가?! 여기가 이집트의 병영이 맞는가? 그런데 왜 내 눈에는 겁 많은 자들과 무능한 자들만 보이는가! 그대들은 나라를 지킬 수 없는 자 들이다.

아메니는 눈을 감았다. 투야도 자신도 병사들의 분노에서 벗어나 지 못할 것이다.

전차부대의 한 중대장이 물었다.

―왜 우리를 모욕하십니까, 폐하?

―사실을 말하는 것이 모욕인가? 그대들의 행동은 우스꽝스럽고 비열하다. 장교들은 병사들보다 더 비난받아 마땅하다. 우리가 히 타이트인들과 전쟁에 들어간다는 결정을 내리는 것은 도대체 누구 인가? 파라오가 아니던가? 그리고 파라오가 부재시엔 바로 나 자신 이 아니던가?

깊은 침묵이 흘렀다. 투야가 말하는 내용은 소문이 아닐 것이었 다. 그녀의 한마디에 나라 전체의 운명이 밝혀질 것이었다.

그녀는 확인했다.

―나는 히타이트의 왕으로부터 어떤 선전포고도 받은 적이 없다.

그 말이 끝나자마자 만세소리가 울려퍼졌다. 투야는 결코 거짓말 한 적이 없었다. 병사들은 서로 축하했다.

투야는 자신의 마차 위에서 움직이지 않았다. 사람들은 그녀의 연설이 아직 끝나지 않았다는 것을 알았다. 다시 침묵이 찾아왔다.

―평화가 지속될 것이라고 나는 주장할 수가 없다. 그리고 나는

히타이트인들에게는 무자비한 전쟁 이외에 다른 목적이 없다는 사실을 확신하고 있기까지 하다. 전쟁의 승패는 그대들의 노력 여하에 달려 있다. 람세스가 머지않아 수도로 돌아오면, 나는 그가 자신의 군대를 자랑스럽게 여기고 이집트의 전사들인 그대들이 적과 충분히 맞서 싸울 수 있다고 확신하기를 바란다.

투야는 갈채를 받았다.

아메니는 감았던 눈을 다시 떴다. 그 역시 세티의 미망인이 보여준 설득력에 사로잡혀버렸다. 마차가 움직였다. 병사들은 투야의 이름을 연호하며 길을 내주었다.

─궁전으로 돌아가십니까, 폐하?

─아닐세. 내 생각엔 무기공장의 일꾼들이 작업을 중단했을 것 같은데, 그렇지 않나?

왕의 개인비서는 고개를 들 수 없었다.

투야의 격려 아래 피-람세스의 무기공장은 다시 작업에 들어갔다. 공장은 곧 최대의 능률을 보이며 창, 활, 활촉, 검, 갑옷, 마구, 전차 부품들을 생산해내기 시작했다. 전쟁이 이제 코앞에 다가왔다는 사실을 의심하는 사람은 아무도 없었으며, 히타이트인들보다 더 좋은 장비를 갖춰야 한다는 요구가 새롭게 생겨났다.

투야는 병영을 방문하고 장교들은 물론 일반 사병들과도 대화를 나누었다. 그녀는 공장에서 나오는 부품들을 조립해 전차를 만들어내는 공장에 들러 직공들을 격려하는 것도 잊지 않았다.

피-람세스는 두려움을 잊고, 전쟁의 의욕을 되찾아갔다.

섬세하고 긴 손가락을 가진 네페르타리의 우아한 손은 참으로 부드러웠다. 람세스는 그 손가락 하나하나에 입 맞추고, 영원히 잃지 않으려는 듯 그것들을 꼭 쥐었다. 네페르타리의 몸 가운데 사랑을 불러일으키지 않는 부분은 하나도 없었다. 람세스의 어깨에 가장 무거운 짐을 지운 신들은 또한 가장 숭고한 여인을 그에게 선사했던 것이다.

─오늘 아침은 좀 어떻소?

─좋아요. 훨씬 나아졌어요…… 피가 다시 내 혈관에 돌기 시작했어요.

─들로 산책 나가고 싶지 않소?

─너무 그러고 싶어요.

람세스는 아주 온순한 두 마리의 늙은 말을 골랐다. 그는 직접 말들을 마차에 묶었다. 그들은 관개수로를 따라 서쪽 강둑의 길을 천천히 나아갔다.

네페르타리는 생기 넘치는 종려나무들과 새롭게 태어나는 전원의 푸르름을 자신의 두 눈에 가득 담았다. 그녀는 땅의 기운과 교감함으로써 자신을 약화시켰던 악을 쫓아내는 일을 자신의 의지로 마무리짓고 있었다. 전차에서 내린 그녀는 머리칼을 바람에 흩날리며 나일 강가를 거닐었다. 람세스는 여신의 돌이 왕비를 구했으며, 그들의 영원한 사랑을 기리기 위해 세워질 아부 심벨의 두 신전을 그녀가 보게 되리라는 것을 알았다.

금발의 리타는 꿀과 말린 아카시아 진, 으깬 콜로신트 등을 바른 습포를 떼어주는 돌렌테에게 처연한 미소를 지어 보였다. 불에 덴 자국은 거의 사라지고 없었다.

아케나톤의 후예가 불평했다.

─아파.

─상처가 나아가고 있어.

─거짓말 마, 돌렌테…… 상처는 없어지지 않을 거야.

─리타가 틀렸어. 이 약은 효과가 있어.

─오피르에게 이 실험을 그만두자고 말해줘…… 난 더이상 할

수가 없어!

—리타의 희생 덕분에 우리는 네페르타리와 람세스를 쳐부수게 될거야. 조금만 더 용기를 내. 그러면 시련도 끝날 거야.

리타는 마법사만큼이나 광신적인 돌렌테를 설득하기를 단념했다. 겉으로 보기엔 상냥하기만 한 돌렌테였지만, 그녀는 복수만을 위해 살고 있었다. 그녀에게는 증오심이 다른 모든 감정들보다 위에 있었다.

리타가 약속했다.

—그래, 끝까지 해보겠어.

—그럴 줄 알았어! 오피르가 실험실로 데려가기 전에 좀 쉬어. 나니가 먹을 걸 갖다줄 거야.

리타의 침실에 들어가는 것이 허락되어 있는 유일한 하녀인 나니가 그녀의 마지막 희망이었다. 하녀가 무화과 퓌레와 익힌 소고기 조각이 든 대접을 들고 왔다. 리타는 그녀의 허리띠를 움켜잡았다.

—날 도와줘, 나니!

—뭘 원해요?

—여기서 나가고 싶어. 도망칠 거야!

하녀는 뾰로통한 표정을 지었다.

—위험해요.

—거리로 나 있는 문을 열어줘.

—난 쫓겨날지도 몰라요.

—도와줘. 제발.

—돈을 얼마나 줄 건데요?

리타는 거짓말을 했다.

—우리 부모는 황금이 많아…… 후하게 보답할게.

—오피르가 날 가만두지 않을 거예요.

—아톤의 신자들이 우리를 보호할 거야.

―나는 별장 한 채하고 젖소들을 원해요.

―갖게 될 거야.

탐욕스런 나니는 네페르타리의 숄을 마법사에게 갖다주고 이미 상당한 보상을 받아낸 바 있었다. 그런데 리타가 약속하는 것은 그녀의 기대를 뛰어넘는 것이었다.

―언제 떠나고 싶어요?

―어두워지면.

―애써보죠.

―성공해야 해! 그래야만 네가 원하는 걸 받게 될 거야.

―정말 굉장히 위험한 일이라서…… 최고급 포목도 스무 장 있어야겠어요.

―약속할게.

아침부터 리타의 눈앞에서 하나의 환영이 떠나지 않았다. 무척 아름다운 어떤 여인이 행복에 겨운 미소를 지으며 나일 강을 따라 걷고 있었다. 여인은 크고 건장한 남자에게 손을 내밀고 있었다.

영매는 오피르의 방자가 실패했다는 것을 깨달았다. 오피르는 헛되이 그녀를 고문하고 있는 것이다.

세라마나와 그의 부하들은 의과대학 뒤편의 거리를 수색했다. 그들은 쉬지 않고 주민들에게 탐문했다. 세라마나는 사람들에게 나니의 얼굴을 그린 그림을 보여주고, 거짓말을 하면 끔찍한 처벌을 받게 될 거라고 위협했다. 하지만 굳이 그렇게까지 할 것도 없었다. 거인의 모습을 보는 것만으로도 사람들은 줄줄이 말을 늘어놓았던 것이다. 불행하게도 모두가 관계없는 말들뿐이었지만.

왕년의 해적은 끈질겼다. 그는 직감으로 자신의 먹이가 멀리 있지 않다는 것을 감지하고 있었다. 부하들이 둥근 빵을 파는 행상인을 데려오는 걸 보면서, 세라마나는 속이 뒤틀리는 것을 느꼈다. 결정적인 순간이 다가왔다는 것을 알리는 조짐이었다.

세라마나는 그림을 흔들어댔다.

—이 여자애를 아나?

—거리에서 본 적이 있어요…… 하녀예요. 얼마 전부터 이 동네에서 살고 있지요.

—그녀가 어떤 집에서 일하나?

—낡은 우물 근처의 커다란 별장들 가운데 하나입죠.

백 명의 경찰들이 즉시 수상쩍어 보이는 집들을 포위했다. 아무도 그물을 벗어날 수 없었다.

왕비를 죽이려 했던 마법사는 세라마나에게서 도망치지 못할 것이다.

47

태양이 지평선 위로 기울고 있었다.

리타에겐 시간이 얼마 없었다. 오피르가 그녀를 실험실에 가두기 전에 도망쳐야만 했다. 나니는 왜 이리 늦어지는 걸까?

행복에 겨운 아름다운 여인의 얼굴이 리타의 머리에서 떠나지 않았다. 그것은 이집트 왕비의 얼굴이었다. 리타는 자신이 그녀에게 진 빚이 있다는 것을 느꼈다. 자유를 되찾기 전에 갚아야만 할 빚이었다.

젊은 금발의 리타는 고요한 집안을 소리내지 않고 움직였다. 오피르는 평소처럼 마법의 주문을 살펴보고 있을 것이다. 돌렌테는 피로에 지쳐 잠들었다.

리타는 네페르타리의 숄의 마지막 조각이 들어 있는 나무함의 뚜껑을 열었다. 두어 번의 흑마술이면 완전히 타서 없어질 것이다. 리타는 그것을 찢으려 했다. 하지만 섬유의 올이 너무 촘촘했고 그녀에겐 힘이 없었다.

주방에서 소리가 들렸다.

리타는 옷소매 속에 천조각을 숨겼다. 그러자 그 즉시 천조각은 그녀의 피부를 태웠다.

—나니?

—준비됐어요?

—곧 갈게…… 잠시만.

—서둘러요.

리타는 숄의 나머지를 기름 램프의 불꽃 위에 올려놓았다.

천이 지글거리며 타는 소리에 이어 검은 연기가 피어올랐다. 그것으로 국왕 부처의 주술적인 보호를 파괴하려던 마법은 더이상 이루어질 수 없을 것이었다.

—참 아름답구나!

리타는 자신에게 새로운 삶을 베풀어줄 아톤 신에게 애원하며 하늘을 향해 두 팔을 들어올렸다. 집안에서 구리판을 눈에 띄는 대로 모조리 훔쳐낸 나니가 재촉했다.

—가요.

두 여인은 골목길로 나 있는 뒷문을 향해 뛰어갔다.

나니는 팔짱을 낀 채 우뚝 서 있는 오피르와 부딪쳤다.

—어디 가는 거냐?

나니는 뒷걸음질쳤다. 그녀 뒤에는 공포에 질린 리타가 있었다.

—리타…… 저애가 너하고 뭘 하는 거야?

나니가 대답했다.

—그녀는…… 그녀는 아파요.

—너희 둘이 도망갈 생각이었나?

─리타가…… 리타가 강요했어요…….

─그녀가 너한테 무슨 소리를 했지, 나니?

─아무것도, 아무 말도 안 했어요!

─거짓말하지 마, 요년!

오피르의 펼쳐진 손가락이 뱀처럼 다가와 하녀의 목을 움켜쥐었다. 그녀의 비명소리는 목구멍 깊숙이에 걸려버렸다. 헛되이 벗어나려 애쓰던 나니는 이내 숨이 막혀 눈을 뒤집은 채 죽었다. 마법사는 옷자락 아래에 쓰러진 하녀의 시체를 발길로 밀어버렸다.

─리타…… 도대체 무슨 일이냐, 애야?

기름 램프 가까이에서 오피르는 불에 탄 천조각의 나머지를 발견했다.

─리타! 이게 무슨 미친 짓이야?

마법사는 고기 써는 칼을 쥐어들었다.

─네가 감히, 네페르타리의 솔을 파괴했구나. 네가 감히! 우리의 작업을 망쳐놓았구나!

리타는 도망치려 했다. 그녀는 기름 램프에 부딪쳐 중심을 잃었다. 마법사는 맹금처럼 날쌔게 그녀에게 달려들어 머리카락을 움켜쥐었다.

─나를 배반했어, 리타. 더이상 너를 믿을 수 없다. 내일 너는 또다시 나를 배반할 거야.

─당신은 괴물이야!

─유감이다…… 너는 훌륭한 영매였는데.

리타는 무릎을 꿇고 빌었다.

─아톤은 삶을 창조했고 죽음을 물리쳐요. 그는…….

─나는 아톤 따위는 관심 없어. 바보 같은 년. 너 때문에 내 계획이 글러버렸어.

오피르는 아무런 망설임 없이 리타의 목을 베어버렸다.

머리가 엉망으로 헝클어진 돌렌테가 갑자기 방안에 나타났다.

ㅡ골목에 경찰들이 있어요…… 오, 리타! 리타…….

오피르가 설명했다.

ㅡ그녀는 정신이 나갔소. 칼을 가지고 내게 덤벼들었소. 나는 방어할 수밖에 없었고, 어쩔 수 없이 저애를 죽이고 말았어. 방금 경찰이라고 그랬소?

ㅡ침실 창문으로 그들의 소리를 들었어요.

ㅡ이 집을 떠납시다.

오피르는 돗자리 아래 숨겨져 있는 비밀문으로 돌렌테를 데려갔다. 문 아래에는 창고로 통하는 통로가 나 있었다.

한 경찰관이 세라마나에게 말했다.

ㅡ이젠 한 채밖에 남지 않았습니다. 문을 두드렸는데도 대답이 없는데요.

ㅡ문을 부숴버려!

ㅡ그건 불법입니다!

ㅡ긴급 상황이다.

ㅡ집주인에게 미리 알리고, 그의 허가를 받아야 할 텐데요.

ㅡ허가? 내가 허가하지.

ㅡ서면 확인이 필요합니다. 문제가 생기는 건 원치 않아요.

세라마나는 멤피스 경찰의 요구에 따라 상황을 조정하느라 한 시간은 족히 잃었다. 마침내 건장한 네 명의 사내가 빗장을 부수고, 별장 입구를 억지로 열었다.

세라마나가 안으로 들어갔다. 그는 생명이 끊어진 한 젊은 금발 여인과, 하녀 나니의 시체를 발견했다.

충격을 받은 경관이 중얼거렸다.

ㅡ끔찍하군요…….

세라마나가 말했다.

―태연하게 두 여인을 살해했군. 집안을 샅샅이 수색하시오.

실험실은 그곳이 마법사의 소굴이 분명하다는 것을 입증해주었다. 비록 너무 늦게 도착하긴 했지만, 작은 소득이 세라마나에게 위안을 주었다. 그것은 불에 타고 남은 천조각이었다. 분명 왕비의 숄이었다.

람세스와 네페르타리는 분주히 움직이고 있는 수도에 돌아왔다. 도시의 분위기에는 일종의 군기가 배어 있었다. 주민들 대부분이 무기와 전차의 생산에 매달려 있었다. 삶의 즐거움에 바쳐진 도시가 소란하고 불안한 전쟁기계로 변화한 것이다.

왕과 왕비는 즉시 투야를 찾아갔다. 투야는 무기공장의 보고서를 살펴보고 있다가 환한 표정으로 일어섰다.

―히타이트인들이 공식적으로 전쟁을 선포했나요?

―아니라오, 람세스. 하지만 나는 이 침묵 뒤에 좋은 것이 있다고는 생각되지가 않아요. 네페르타리…… 몸은 다 나았느냐?

―그 병은 이젠 나쁜 기억에 불과해요, 어머님.

―이번 직무 대리가 나를 완전히 기진하게 했구나. 나는 더이상 이 큰 나라를 다스릴 힘이 없다. 조신들과 군인들에게 그대들이 말하거라. 그대들의 입김이 절대로 필요하다.

람세스는 아메니와 오랫동안 얘기를 나눴다. 그리고 멤피스에서 돌아온 세라마나를 만났다. 그는 국왕 부처를 위협했던 마법은 이제 제거되었다고 보고했다. 하지만 왕은 세라마나에게 조사를 계속 진행시키라고 명령했다. 그 불길한 별장의 진짜 소유주가 누구이며 잔인하게 목이 잘린 금발 여인의 정체는 무엇인가 밝혀내야 했다.

파라오에겐 다른 걱정거리가 있었다. 그의 책상 위엔 가나안과 아무르에서 보내온, 경계를 요하는 급보들이 쌓여 있었다. 이집트 요새들의 지휘관들이 심각한 사고를 알리고 있는 것은 아니었다. 하지만 그들은 히타이트 군의 대규모 기동훈련에 관한 끊이지 않는 소문을 중시하고 있었다.

안타깝게도 아샤는 소식이 없었다. 상황을 정확히 판단하기 위해서는 그의 보고가 꼭 필요했다. 히타이트인들과 정면대결을 벌이게 될 장소가 어디냐에 전쟁의 승패가 달려 있었다. 정확한 정보가 없는 왕은, 방어선을 강화하는 쪽과 더 북쪽에서 전투를 벌이는 공격적인 태도 사이에서 망설이고 있었다. 두번째 경우라면 상황을 주도하는 것은 그였다. 하지만 자신의 직관만을 믿고 그렇게 위험한 결정을 내릴 수 있을 것인가?

국왕 부처의 존재는 장군에서 일반 사병에 이르기까지 군대에 믿음과 힘을 주었다. 람세스는 눈에 보이지 않는 적을 쳐부수었으니, 히타이트의 야만인들 또한 무찌를 것이 아닌가? 새로운 무기들이 쌓여가는 것을 보고 병사들은 그들의 잠재력에 믿음을 갖게 되었고, 적과의 정면충돌을 조금은 덜 두려워하게 되었다. 정예의 전차 부대가 지켜보는 가운데 람세스는 직접 가볍고 다루기 쉬우며 빠른 몇 대의 전차를 시험해보았다. 목공들의 재주 덕분에 많은 기술적인 부분들이 개선되었다. 방패나 갑옷과 같은 방어무기들도 왕의 주의를 끌었다. 그것들은 많은 생명을 구할 것이기 때문이었다.

왕비는 활동을 재개하면서 궁정을 안심시켰다. 네페르타리가 이미 죽은 것이나 다름없다고 여겼던 사람들은 그녀의 용기에 찬사를 보냈고, 그렇게 힘든 시련을 견뎌냈으니 장수할 게 틀림없다고 아첨하는 것을 잊지 않았다. 네페르타리는 군복을 생산하는 데 전념했고, 아메니의 면밀한 보고서에 기초해서 나라의 경제적 안녕에 관련된 많은 세부사항들을 조정했다.

세나르가 왕에게 인사했다. 람세스가 눈여겨보며 말했다.

―살이 쪘군요.

외무대신은 반박했다.

―활동을 안 해서 그런 게 아닙니다. 다 불안하기 때문이지요. 저 전쟁의 소리들, 저 사방에 널린 오합지졸들…… 이것이 정녕 이집트였소?

―히타이트인들이 곧 공격해올 거예요, 셰나르.

―아마도 그 말씀이 맞겠지요. 하지만 우리 외무성은 그런 걱정을 뒷받침할 어떤 정확한 사실도 갖고 있지 않다오. 폐하께서는 무와탈리스의 친절한 편지를 계속 받고 있지 않습니까?

―속임수예요.

―만일 우리가 평화를 유지한다면 수천 명의 생명을 구할 텐데.

―형님은 그것이 내 가장 절실한 소망이라는 걸 믿지 못합니까?

―절제와 신중이 가장 훌륭한 조언자가 아니던가요?

―가만히 앉아 있자는 말인가요, 셰나르?

―물론 아니지요. 하지만 명예를 탐하는 어느 장군이 위험한 결단을 제멋대로 내리지 않을까, 걱정하는 겁니다.

―안심하세요, 형님. 군대는 내가 장악하고 있어요. 그런 종류의 사고는 일어나지 않을 겁니다.

―그 말씀을 들으니 기쁘군요.

―형님의 새로운 보좌관인 메바는 만족스러우신가요?

―그는 외무성에 자리를 되찾게 된 것이 너무 기쁜지 순하고 열성적인 신참내기처럼 행동하고 있지요. 나는 그를 무위도식하는 처지에서 끄집어낸 것을 후회하지 않는다오. 이따금 사람들한테 기회를 줄 필요가 있지요. 관대함이야말로 모든 미덕 가운데 가장 아름다운 것이 아니겠소?

48

셰나르는 메바와 함께 자신의 사무실에 틀어박혔다. 그의 뛰어난 보좌관은 일상적인 업무회의처럼 보이기 위해 파피루스를 들고 오는 것을 잊지 않았다.

셰나르가 말했다.

―나는 왕을 만났소. 믿을 만한 정보가 워낙 부족해서 그는 아직도 어떤 행동을 취해야 할지 망설이고 있소.

메바가 말했다.

―아주 좋습니다.

셰나르는 아샤의 침묵이 무척 당황스럽노라는 사실을 공범에게 고백할 수가 없었다. 아샤는 람세스의 패배를 앞당기는 데 필수적인 그의 활동에 대해 왜 셰나르한테 보고해오지 않는 것일까? 필경 어떤 불행한 일이 그에게 생긴 것이 분명했다. 그 불안스런 침묵 때문에 셰나르 역시 지표를 잃고 있었다.

―우리는 어떻게 되어가고 있소, 메바?

―우리 첩보망은 더이상 어떠한 일도 시도하지 말고 잠복해 있으라는 명령을 받았습니다. 달리 말하면, 때가 가까워진 겁니다. 파라오가 무슨 짓을 하든 그는 이길 가능성이 전혀 없습니다.

―그런 확신의 근거는?

―히타이트의 군사력이 곧 최고조에 이를 겁니다. 확실해요. 시간이 갈수록 공은 최고 권력에 다가가고 있습니다. 이 시기를 이용해서 여러 행정부서에 동지들을 늘려놓는 것이 좋지 않을까요?

―저 빌어먹을 아메니가 모든 것을 감시하고 있어서…… 조심해야 하오.

―어떤…… 근본적인 해결을 생각하고 계십니까?

―아직 일러, 메바. 람세스의 분노가 엄청날 거요.

―제 충고를 잊지 마십시오. 앞으로 몇 주일은 금방 지나갈 겁니다. 그러면 곧 권력을 잡아야 할 때가 올 겁니다. 물론 우리 히타이트 친구들의 동의가 있어야겠지만…….

―나는 오래 전부터 그때만을 기다렸소. 염려 마오. 나는 준비하고 있겠소.

어찌할 바를 모르는 돌렌테는 마법사 오피르를 따라갔다. 리타의 끔찍한 죽음, 경찰, 갑작스런 도주…… 그녀는 더이상 생각할 능력이 없었고, 어디로 가야 할지 몰랐다. 그러나 그녀는 자기에게 아내처럼 행세하며 아톤의 종교를 복원하기 위해 계속 투쟁하자는 오피르의 말을 열광적으로 받아들였다.

그들 위장부부는 경찰이 물 샐 틈 없이 지키고 있는 멤피스 항구를 피했다. 그들은 당나귀를 한 마리 샀다. 수염을 깎아버린 오피르와 화장을 지우고 농부처럼 차려 입은 람세스의 누이는 남쪽으로 향했다. 오피르는 경찰이 자기들을 멤피스 북쪽과 국경 쪽에서 찾으리라는 것을 알고 있었다. 그들이 예상을 초월하는 탁월한 작전을 쓰지 않는 이상, 길 위에 세워진 바리케이드와 수상 경찰을 피할 가능성은 거의 없었다.

이단의 왕 아케나톤의 열렬한 신봉자들에게 도움을 요청하는 것이 낫지 않을까? 그들은 대부분 중부 이집트의 버려진 수도인 태양의 도시 아케타톤 근처에 모여 있었다. 오피르는 자신이 연극한 것을 후회하지 않았다. 그것이 지금에 와서는 아주 유용해지지 않았는가. 돌렌테로 하여금 자신의 삶의 목적은 유일신에 대한 사랑이라고 믿게 함으로써 무조건적인 동지 하나를 옆에 두게 되었으며, 히타이트인들이 이집트를 침공할 때까지 신에 홀린 무리의 한가운데에 확실한 피난처를 얻을 수 있을 것이었다.

다행히도 오피르는 도망치기 직전에 중요한 메시지를 하나 받아서 그 내용을 메바에게 전했었다. 무와탈리스의 계획은 진행중이었다. 이제는 결정적인 일전을 기다리는 일만 남아 있었다.

람세스의 죽음이 알려지는 대로, 셰나르는 네페르타리와 투야를 제거하고 권좌에 올라 당당하게 히타이트인들을 맞아들일 것이다. 셰나르는 무와탈리스가 권력을 나눠 갖는 법이 없다는 사실을 모르고 있었다. 람세스의 형은 일시적인 파라오에 지나지 않을 것이다. 두 개의 땅은 히타이트인들의 황금 곡창이 될 것이다.

긴장이 풀린 오피르는 이집트 전원의 고요한 아름다움을 음미했다.

아샤가 갇힌 곳은 그나마 일 년도 버티지 못한다는 악명 높은 '낮은 도시'의 어둡고 습한 지하감방은 아니었다. 그의 지위와 자질 때문이었다. 그는 특별한 죄수들만을 위한 '높은 도시'의 돌 감옥에 갇혔다.

음식은 거칠고 침구는 형편없었다. 하지만 젊은 외교관은 상황에 적응하며 매일같이 운동으로 건강을 유지했다.

체포된 이후 어떤 심문도 없었다. 그의 감금은 갑작스런 처형으로 끝날 수도 있었다.

마침내 그의 감방문이 열렸다. 라이아가 물었다.

―어떻게 지내시나?

―잘 지내오.

―신들은 당신을 돕지 않았군, 아샤. 나만 없었다면 당신은 도망칠 수 있었을 텐데 말야.

―나는 도망중이 아니었소.

―사실을 부정하기는 힘들지.

―때로는 겉만 보고는 알 수 없는 것이오.

―당신은 분명 람세스의 어릴 적 친구인 아샤야. 나는 멤피스와 피-람세스에서 당신을 본 적이 있어. 당신 가족에게 귀한 화병을 팔기도 했지. 왕은 당신에게 아주 대담한 첩보임무를 맡긴 것이고, 당신한테는 그것을 수행할 용기도 능력도 부족하지 않았던 거야.

―중요한 점에서, 당신은 틀렸소. 람세스는 실제로 그런 임무를 내게 맡겼소. 하지만 내가 섬기는 주인은 따로 있소. 나는 파라오가 아닌 바로 그 주인에게 진짜 조사 결과를 전할 생각이었소.

―누구를 말하는 거요?

―람세스의 형인 셰나르요. 바로 이집트의 파라오가 되실 분이지.

라이아는 이발사가 멋있게 다듬어놓은 완벽한 모양새를 망치고 있다는 것도 깨닫지 못한 채 턱수염을 비틀었다. 그렇다면 아샤는 히타이트인들의 동지란 말인데…… 아니다. 결정적인 사실 하나가 그의 주장이 거짓이라는 것을 밝히고 있다.

―그렇다면 왜 도공으로 변장하고 있었소?

젊은 외교관은 미소지었다.

―설마 그 이유를 모르신단 말씀은 아니겠지!

―어쨌거나 설명해보시오.

―히타이트를 지배하는 것은 물론 무와탈리스요. 하지만 그가 어떤 파벌에 의지하고 있으며, 그가 가진 권력의 실제 폭은 어떠한가? 그의 아들과 아우는 아직도 서로 싸우고 있는가? 혹은 그들의 갈등은 이미 정리가 되었는가?

―닥치시오!

―이것들이 내가 답을 찾아야 하는 본질적인 질문들이오. 당신은 내가 왜 변장을 하고 밀행해야 했는지, 이제 그 이유를 알았을 거요. 그건 그렇고…… 나한테 그 답을 가르쳐주지 않겠소?

당황한 라이아는 감방의 문을 꽝 닫아버렸다.

아샤가 시리아인을 자극한 것은 어쩌면 잘못일 수도 있었다. 하지만 그는 앉아서 죽음을 기다리기보다는, 그들을 자극하고 혼란케 함으로써 협상할 기회를 갖게 되기를 바랐다.

화려한 옷을 입은 무와탈리스는 친위대의 호위를 받으며 궁전에서 나왔다. 친위대는 사람들이 대왕을 볼 수 없게 둘러싸 건물의 지붕에 매복해 있을지도 모르는 궁수로부터 대왕을 보호했다. 군사(軍使)들의 포고 덕분에, 사람들은 히타이트의 주인이 뇌우의 신의 은총을 빌기 위해 '낮은 도시'의 거대한 신전으로 향하는 중이라는 것을 알고 있었다.

히타이트를 전쟁상태에 돌입시키고 모든 힘을 궁극적인 승리를 위해 동원하는 데 그보다 더 장엄한 방법은 없었다.

아샤는 감방에 갇혀 대왕의 행차에 환호하는 소리를 들었다. 그역시 중대한 결정이 내려졌다는 것을 알 수 있었다.

히타이트의 모든 신들은 뇌우의 신의 지배 아래 놓였다. 사제들은 하늘의 분노를 피하기 위해 신상들을 닦았다. 이제는 어떤 히타이트인도 의심이나 비판을 말할 수 없었다. 결전의 시간이 온 것이다.

여사제 푸투헤파는 풍요의 여신들을 무서운 여전사들로 변화시키는 주문을 외웠다. 이어서 그녀는 미래가 대왕의 뜻대로 이루어지기를 기원하며, 돼지 한 마리에 일곱 개의 쇠못과 일곱 개의 청동못, 일곱 개의 구리못을 박았다.

긴 주문이 외어지는 동안, 무와탈리스는 투구를 쓰고 갑옷을 두른 채 적을 몰살시킬 생각에 미친 듯이 들떠 있는 아들, 우리테슈프를 지켜보았다. 하투실은 조용히 있었다. 그의 속은 전혀 알 수 없었다.

그 둘은 서서히 경쟁자들을 제거하면서 푸투헤파와 함께 대왕의 측근을 이루고 있었다. 서로 상대를 경멸하고 증오하면서.

이집트와의 전쟁은, 무와탈리스로 하여금 그러한 내부의 갈등을 일소하고 자신의 영토를 넓히며, 서아시아에 대한 자신의 통치권을 굳힐 수 있게 해줄 것이었다. 이 정도면 그는 하늘의 은총을 입고 있다고 말할 수 있지 않겠는가?

식이 끝나자, 대왕은 장군과 고급장교들을 연회에 초대했다. 연회는 네 몫의 제사 음식을 바치는 것으로 시작되었다. 궁전의 시종은 첫번째 것을 옥좌 위에, 두번째 것을 화로 가까이에, 세번째 것을 탁자 위에, 네번째 것을 연회장의 문지방 위에 각각 놓았다. 이어서 귀빈들은 마치 그것이 그들 최후의 만찬인 양 실컷 먹고 마셨다.

무와탈리스가 자리에서 일어나자, 말소리들이 그쳤다. 가장 취한 자들도 짐짓 위엄을 되찾았다.

가장 중요한 의식이 남아 있었다. 그 결과에 따라 전쟁이 늦춰질 수도 있었다.

대왕과 그의 수행원들은 '높은 도시'의 성문들 가운데 하나인 '스핑크스의 문'을 통해 수도 밖으로 나왔다. 그들은 어떤 바위투성이 언덕으로 향했다. 그 꼭대기에 무와탈리스와 우리테슈프, 그리고 푸투헤파가 기어올랐다.

그들은 구름이 있는 쪽에 시선을 고정시킨 채 움직이지 않았다.

우리테슈프가 소리쳤다.

—저기 있다!

총사령관 우리테슈프는 수도 위를 날고 있는 독수리들 가운데 한 마리를 겨냥해 활을 당겼다. 화살은 정확하게 날아가 독수리의 목을 관통했다.

장교 하나가 달려가 총사령관에게 독수리의 시체를 가져왔다. 그는 칼로 독수리의 배를 갈랐다. 우리테슈프는 두 손 가득 아직 온기가 남아 있는 내장을 끄집어냈다.

무와탈리스가 여사제 푸투헤파에게 명령했다.

—풀이해보시오. 운명이 우리에게 길한지 흉한지 얘기해보시오.

여사제는 그 역한 냄새도 아랑곳하지 않고, 독수리 내장을 뚫어져라 살펴보았다. 우리테슈프가 긴장한 표정으로 여사제를 응시했다. 마침내 여사제가 선언했다.

—길조입니다.

전쟁을 알리는 우리테슈프의 고함소리가 아나톨리아 산들을 진동시켰다.

49

   궁정의 많은 인사들이 한자리에 모였다. 파라오의 대회의는 소란이 예상되었다. 대신들은 못마땅한 표정들이었고, 고급관리들은 분명한 방침의 부재를 한탄했고, 점술가들은 군사적인 재난을 예언하고 있었다. 아메니와 그의 부서가 형성하는 성벽은 이제 람세스를 보호하는 데 역부족이었다. 사람들은 왕의 설명을 기다렸다.

   파라오가 옥좌에 자리잡았을 때 접견실은 이미 입추의 여지가 없었다. 고관들 가운데 최고 연장자는 사람들의 질문들을 수집하여 대표로 질문하는 역할을 맡고 있었다. 난장판이 벌어지지 않게 하기 위해서, 그리고 수천 년을 이어온 파라오 제도의 위엄이 보전되도록 하기 위해서였다. 말다툼하고 소리치고 서로 말을 끊는 야만적인 행위는 용납되지 않았다. 발언은 차례대로 해야 했으며, 다른 이의 말을 경청해야 했다.

나이든 고관이 떨리는 음성으로 말했다.

―폐하, 나라는 불안에 떨며, 히타이트인들과의 전쟁이 임박했는지 알고 싶어합니다.

람세스가 대답했다.

―그렇소.

긴 침묵이 이 짧고 끔찍한 대답의 뒤를 이었다.

―전쟁은 불가피합니까?

―불가피하오.

―우리 군대는 전투준비가 되어 있습니까?

―직공들은 열성껏 일을 했으며, 그 노력을 계속하고 있소. 몇 달의 시간이 더 있었다면 좋았을 것이오. 하지만 사정이 그렇지 못하오.

―무슨 이유에서입니까, 폐하?

―우리 군대가 최단 시일 내에 북쪽으로 출발해야 하기 때문이오. 전투는 이집트로부터 멀리 떨어진 곳에서 벌어질 것이오. 가나안과 아무르의 보호령들이 평정되었기에 그곳을 지나는 데에는 아무런 위험이 없을 것이오.

―총사령관에는 어느 장군을 임명하십니까?

―나 자신이 지휘를 맡을 것이오. 내가 부재하는 동안 왕비 네페르타리가 대비 투야의 도움 아래 두 개의 땅을 다스릴 것이오.

고관은 다른 질문들을 잊고 말았다. 그것들은 이제 더이상 중요할 게 없었던 것이다.

호메로스는 두꺼운 달팽이 껍질 속에 다져넣은 샐비어 잎을 피우며, 레몬나무 아래 앉아 신경통을 달래주는 봄날 같은 햇빛을 즐기고 있었다. 이발사가 향을 뿌린 그의 긴 흰 턱수염 덕분에, 고생으로 찌든 그의 얼굴이 조금은 고상해 보였다.

　―폐하가 떠나시기 전에 만나뵙고 싶었지요. 큰 전쟁이 되지 않겠습니까?

　―이집트의 사활이 걸려 있지요.

　―저는 이렇게 썼습니다. "사람의 보살핌으로 외진 곳에서조차 싱싱한 올리브 나무가 자라는 것을 볼 수 있네. 풍부한 물의 혜택을 받고 바람에 흔들리는 하얀 꽃이 만발한 나무. 하지만 갑자기 불어온 회오리바람이 나무를 뿌리째 뽑아 땅바닥에 쓰러뜨리네."

　―그 나무가 폭풍에도 잘 버틴다면요?

　호메로스는 아니스와 고수를 넣은 붉은 과실주 한 잔을 왕에게 건넸다. 그리고 자신도 길게 한 잔 들이켰다.

　―나는 폐하의 서사시를 쓸 겁니다, 람세스.

　―선생의 작품 때문에 여가가 있겠습니까?

　―저는 전쟁과 여행을 노래하는 데 자질이 있지요. 그리고 저는 영웅들을 좋아합니다. 폐하가 승리를 거둔다면, 폐하의 이름은 영원히 남을 겁니다.

　―만일 패배한다면요?

　―히타이트인들이 제 정원에 몰아닥쳐 레몬나무를 자르고, 제 책상을 부수고 헥토르를 겁에 질리게 하는 걸 상상하십니까? 신들은 그러한 재난을 용납하지 않을 것입니다. 어디에서 결전을 벌이실 생각이십니까?

　―그건 군사기밀이지요. 하지만 선생에겐 말씀드리리다. 카데슈가 될 겁니다.

　―카데슈 전투라…… 좋은 제목이군요. 제 졸작들은 대부분 사라져버릴 것이지만, 그 작품만은 인류의 기억 속에 살아남을 겁니다. 저는 거기에 제 모든 재능을 쏟아부을 겁니다. 한 가지, 행복한 결말이었으면 좋겠군요, 폐하.

-선생을 실망시키지 않도록 노력하지요.

아메니는 어찌할 바를 몰랐다. 람세스에게 물어볼 천여 개의 질문이 있었고, 그에게 보여줄 백여 개의 서류가 있었으며, 마음에 걸리는 십여 개의 문제들이 있었다. 오로지 파라오만이 딱 부러지는 결정을 내릴 수 있었다. 창백한 얼굴에 숨을 헐떡이고 손까지 떨리는 개인비서는 힘이 다한 것 같았다.

왕이 권고했다.

　-자네 좀 쉬어야겠네.

　-하지만…… 폐하께서 떠나시지 않습니까! 게다가 얼마나 오랫동안일지도 모르고. 그 사이에 나는 실수를 범하고 왕국을 약화시킬지도 모릅니다.

　-나는 자네를 믿네, 아메니. 그리고 자네가 옳은 결정을 내리도록 왕비가 도울 걸세.

　-진실을 말해주시게. 히타이트인들을 무찌를 승산이 우리에게 조금이라도 있는 겁니까?

　-이미 진 싸움이라면, 내가 병사들을 전투에 내몰 것 같나?

　-사람들 말이 야만인들은 무적이라던데…….

　-적을 알면 이길 가능성도 있는 것이네. 나라를 잘 돌보게, 아메니.

셰나르는 파슬리와 샐러리를 곁들인　양갈비구이를 먹고 있었다. 맛이 좀 싱겁다고 느낀 그는 고기 위에 향료를 뿌렸다. 적포도주는 최상급품이었는데도　맛이 형편없게　느껴졌다. 셰나르는 주방장을 불렀다. 그런데 방에 들어온 사람은 뜻밖의 손님이었다.

　-람세스! 나와 같이 식사하시겠나?

　-솔직히 말해 싫소.

그의 퉁명스런 말투가 셰나르의 식욕을 가시게 했다. 그는 식탁을 떠나는 게 낫겠다고 판단했다.

—포도나무 아래로 가실까요?

—그럽시다.

속이 좀 얹힌 것 같은 셰나르는 정원 의자에 앉았다. 람세스는 선 채로 나일 강을 바라보았다.

—폐하께서 날카로워지신 것 같은데…… 전쟁이 임박했기 때문인가요?

—또다른 이유가 있소.

—나와 관련된 것입니까?

—맞소, 셰나르.

—외무성에서 내가 하는 일에 불만이 있는 겁니까?

—형님은 항상 나를 증오했지. 사실이 아닌가?

—람세스! 우리 사이에 불화의 원인들은 있었지요. 하지만 그런 시기는 이미 끝나지 않았소.

—그렇게 생각해?

—믿으시오!

—형님의 유일한 목적은 권력을 차지하는 거요, 셰나르. 그것을 위해 가장 비열한 배신을 하는 일이 있더라도 말이지.

셰나르는 뒤통수를 한 대 얻어맞은 기분이었다.

—누가 나를 중상모략했소?

—나는 험구는 듣지 않소. 내 의견은 사실에 근거하고 있어.

—말도 안 되는 소리!

—세라마나가 멤피스의 어느 집에서 두 여인의 시체와 왕비에게 흑마술을 걸었던 마법사의 실험실을 발견했소.

—그런 흉악한 일에 내가 왜 연루되었단 말이오?

—그 집은 형님 것이니까. 비록 형님이 그 집의 명의를 누이의

이름으로 올려놓았다 하더라도 말이오. 등기소의 기록은 형식에 불과한 것이었어.

—나는 많은 집을 소유하고 있어요. 특히 멤피스엔 말이오. 그래서 나 자신도 정확한 숫자를 모르오. 거기서 일어난 일을 내가 어떻게 다 알 수 있단 말입니까?

—형님의 친구들 중 라이아란 이름의 시리아 상인이 있지 않소?

—친구가 아니오. 외국산 화병을 파는 자에 불과하지요.

—실제로는 히타이트를 위해 일하는 첩자지.

—그…… 그건 놀랍군! 내가 그런 사실을 어떻게 알 수 있었겠나? 그는 수백 명의 사람들을 만나고 다녔는데!

—형님의 방어술은 교묘해. 하지만 나는 형님이 그 지나친 야망 때문에 나라를 배반하고 적에게 협력하게 됐다는 것을 알고 있소. 히타이트인들은 우리 영토 내에 동조자들을 필요로 했고, 그들의 주요 동맹자는 다른 사람 아닌 바로 내 친형이었던 거지.

—도대체 머리가 어떻게 된 거 아니오, 람세스? 비열한 자만이 그런 말을 할 수 있을 거요!

—형님이야말로 비열한 자요, 셰나르.

—아무 근거 없이 나를 모욕하는 것이 즐거우신가?

—형님은 치명적인 실수를 하나 저질렀지. 어떤 사람이라도 매수할 수 있다고 생각한 것이 바로 실수였소. 형님은 내 주위의 사람들, 내 어릴 적 친구들한테까지 손을 뻗치는 데 주저하지 않았어. 하지만 형님은 우정이 화강암만큼이나 단단할 수 있다는 사실은 모르고 있었지. 바로 그 때문에 형님은 내가 파놓은 함정에 빠지고 말았던 것이오.

셰나르의 눈이 뒤집혔다.

—아샤는 나를 배신하지 않았소, 셰나르. 그는 결코 형님을 위해 일한 적이 없어.

왕의 형은 의자의 팔걸이를 붙들었다. 람세스가 말을 이었다.

―내 친구 아샤는 내게 형님의 계획과 음모에 대해 알려주었소. 형은 근본적으로 나쁜 사람이야, 셰나르. 그리고 형님은 변하지 않을 거야.

―나…… 나는 재판받을 권리가 있어!

―재판받게 될 거요. 그리고 국가 반역죄로 사형을 언도받게 될 거야. 지금 전시상태이기 때문에 재판이 있기 전까지 일단 멤피스의 대감옥에 갇힐 것이고, 이후에는 카르게흐 도형장에 있게 될 거요. 법에 따라서 파라오는 전선으로 출발하기 전에 내부의 적들을 먼저 처리해야 하오.

셰나르의 입이 비웃듯 일그러졌다.

―너는 감히 나를 죽이지 못할 거다. 나는 네 형이니까…… 히타이트인들은 너를 무찌를 것이다! 네가 죽으면 그들은 나한테 권력을 줄 거야!

―왕에게 있어 악을 만나고 악의 얼굴을 알게 됐다는 것은 유익한 일이오. 그대 덕분에 나는 더 훌륭한 전사가 될 것이오, 셰나르.

50

히타이트 여인은 아샤와 함께 겪은 우여곡절과 그녀가 이집트까지 오게 된 사연을 람세스에게 이야기했다. 그녀는 외교관의 메시지 덕분에 환대받았으며 지체 없이 파라오에게 안내되었다.

아샤의 약속대로, 람세스는 여인에게 피-람세스의 집 한 채와 그녀가 먹고 입고 하녀 하나를 부릴 수 있는 평생 연금을 제공했다. 고마움에 어쩔 줄 모르는 아낙은 왕에게 아샤의 운명에 대해 알려주고 싶었지만, 그녀도 그에게 어떤 일이 생겼는지 알지 못했다.

람세스는 명백한 사실을 사실 그대로 받아들였다. 그의 친구는 체포되었다. 어쩌면 처형되었는지도 모른다. 물론 아샤는 그의 마지막 꾀를 쓸 수도 있었다. 그가 셰나르를 위해서, 히타이트인들을 위해서 일한다고 믿게 하는 것이다. 하지만 그에게 자기 생각을 표현하고 설득할 만한 여유가 주어졌을 것인가?

그의 운명이 어떻게 되었건 간에 아샤는 자신의 임무를 최선을 다해 완수했다. 그의 간략한 메시지는 세 마디의 말밖에 담고 있지 않았다. 하지만 그것은 람세스로 하여금 전쟁을 선포하게 하는 데 충분했다.

카데슈. 서둘 것. 위험.

아샤는 그의 메시지가 중간에 가로채일 것을 염려해 더이상은 쓰지 않았다. 또한 그는 배반당할 것이 두려워 아낙에게 자세한 얘기를 털어놓지도 않았다. 하지만 그 세 마디의 말은 충분히 말하고 있었다.

대회의에 소환된 메바는 화장실로 급히 뛰어들어 먹은 것을 다 토했다. 그는 고약한 입냄새를 없애기 위해 아시아의 장미로 만든 가장 지독한 향수의 도움을 받았다. 온 궁정을 어리둥절하게 만든 셰나르의 체포 이후, 메바는 감옥에 갇히기만을 기다리고 있었다. 도망치는 것은 자신이 셰나르와 공범임을 시인하는 것이리라. 메바는 도망중인 오피르에게 알릴 수조차 없었다.

궁전으로 가는 길에 메바는 생각해보려 애썼다. 람세스가 그를 의심하지 않을 수도 있지 않을까? 그는 사람들의 눈에 셰나르의 친구로 비치진 않았다. 셰나르는 그의 자리를 빼앗고 오랫동안 그를 멀리했으며, 오로지 그를 모욕하려는 명백한 의도로 그를 자기 곁에 부른 상황이었다. 그것이 조신들의 견해였다. 왕의 견해 역시 마찬가지가 아닐까? 메바는 한 사람의 피해자가 아니던가? 운명은 그의 박해자인 셰나르를 벌줌으로써 그에게 정의를 되돌려주었던 것이다.

메바는 조심스럽게 행동하기로 했다. 공석이 된 외무대신 자리를 요구해서도 안 되었다. 고급관리로서의 위엄을 지키며, 사람들이 자신을 잊도록 하는 것이 바람직했다. 그리고 운명이 람세스나 히타이트인들 가운데 어느 한 쪽을 선택할 때까지 엎드려 기다리는 것이었다. 후자의 경우라면, 그는 자신의 상황을 이용할 수 있을 것이었다.

장군과 고급장교들 전원이 대회의에 참석했다. 파라오와 왕비는 그들의 옥좌에 나란히 자리를 잡았다.

람세스가 선언했다.

─우리에게 도착한 정보들에 근거하여 이집트는 히타이트에 전쟁을 선포하오. 내 지휘 하에 군대는 내일 아침 북쪽으로 떠날 것이오. 지금 이제 막 무와탈리스에게 전쟁을 공식 선포하는 급보를 보냈소.

말을 마친 람세스가 옥좌에서 일어나 팔을 높이 들고 외쳤다.

─우리가 암흑을 물리치고, 온 땅에 마아트의 규범을 구현할 수 있도록 도와주소서!

람세스의 치세가 시작된 이래 가장 짧은 대회의였다. 어떤 논쟁도 뒤따르지 않았다. 조신들과 무장들은 침묵 속에 해산했다.

세라마나는 메바를 보지 못한 채 그를 지나쳤다.

사무실로 돌아온 메바는 오아시스 산 백포도주 한 통을 다 비워 버렸다.

람세스는 노란 개와 함께 자신의 품속으로 달려드는 카와 메리타몬을 끌어안았다. 농무대신 네드젬의 지도 아래 그들은 신성문자를 익혔고, 빛의 땅에 닿기 위해서 어둠의 칸막이를 넘어야 하는 뱀놀이도 했다. 사내아이와 계집아이에겐, 그날은 다른 날과 다름없는 평범한 하루였다. 마냥 즐겁기만 한 아이들은 유순한 네드젬을 졸 졸 따라다니며 옛날이야기를 해달라고 졸라댔다.

람세스와 네페르타리는 풀밭에 앉아 다정한 한때를 즐겼다. 그들은 수레국화, 붓꽃, 참제비고깔 등의 꽃밭을 굽어보고 있는 아카시아, 석류나무, 타마리스, 버드나무, 대추나무들을 바라보았다. 봄의 태양이 땅속에 숨은 기운을 되살리고 있었다. 왕은 로인클로스만 걸치고 있었고, 왕비는 가슴을 다 드러낸, 어깨끈이 달린 짧은 옷을 입고 있었다.

―형의 배반을 어떻게 견디세요?

―그가 나한테 충성했다면 오히려 놀랐을 거요. 나는 아샤의 용기와 능력 덕분에 괴물의 목을 잘랐기를 기대하오. 하지만 그 꼬리는 아직도 어둠 속에서 꿈틀대고 있소. 우리는 마법사를 찾아내지 못했소. 그리고 셰나르에게는 필경 이집트인이건 외국인이건 다른 동지들이 있을 거요. 조심해야 하오, 네페르타리.

―당신이 왕국을 지키기 위해 당신의 생명을 내놓는 동안, 나는 나 자신이 아닌 왕국을 생각할 거예요.

―나는 세라마나에게 피-람세스에 남아 당신의 경호를 책임지라고 명령했소. 그는 히타이트인들과 싸우고 싶어 노여움을 풀지 않더군.

네페르타리는 람세스의 어깨에 머리를 기댔다. 그녀의 풀어헤친 머리가 왕의 팔을 간질였다.

―제가 심연에서 벗어나자마자, 이제는 당신이 위험에 빠지는군요…… 우리도 아버님과 어머님처럼 단 몇 년 동안이라도 평화와 행복을 누릴 수 있을까요?

―아마도, 히타이트를 무찌르기만 한다면 그럴 수 있을 거요. 이 전투에서 승리하지 못한다면 이집트는 사라질 수밖에 없을 거요. 만일 내가 돌아오지 못하게 되면 네페르타리 당신이 파라오가 되어

나라를 다스리고 끝까지 적에 저항하시오. 무와탈리스는 자신이 무찌른 백성들을 노예로 삼았소. '두 개의 땅'의 백성들은 결코 그러한 처지가 되어서는 안 되오.

　─운명이 어찌 되든 간에 우리는 행복했어요. 저는 당신에게 속했지요. 바다의 파도처럼, 햇살 가득한 전원에 핀 한 송이 꽃처럼 말예요.

　네페르타리의 왼쪽 어깨끈이 어깨에서 저절로 미끄러졌다. 그녀의 옷을 벗기는 동안, 그의 입술은 뜨겁고 향기로운 살에 입 맞추었다.

　그들이 욕망의 불 속에 하나로 결합하는 동안, 기러기들이 피-람세스 궁전 위를 날고 있었다.

　동이 트기 전, 람세스는 아몬 신전의 성소에서 제의를 올릴 때 사용할 봉헌물을 성스럽게 하는 의식을 치렀다. 성소에서 나온 그는 그의 수호자인 태양이 태어나는 것을 바라보았다. 어둠이 태양을 삼켜버리자 하늘의 여신은 암흑의 힘과의 거센 싸움 끝에 다시금 태양을 태어나게 했다. 그것은 바로 빛의 아들이 히타이트 무리와 벌이려는 싸움과 같은 것이 아닌가? 부활한 태양은 지평선의 두 언덕 사이에 그 모습을 드러냈다. 옛 전설에 따르면, 그 언덕 위에는 두 그루의 거대한 터키석 나무가 자라고 있으며, 태양이 떠오를 때 그 나무들은 그 빛이 통과할 수 있도록 양옆으로 벌어진다고 했다.

　람세스는 그의 선왕들이 그랬던 것처럼 기도를 올렸다.

　─그대 빛이여! 시원의 물에서 태어나고, 땅의 등 위로 나타나며, 두 개의 땅을 그 아름다움으로 비추는 빛이여. 그대는 아무도 그 기원을 알 수 없는, 삶 자체에 오신 살아 있는 영혼이다. 그대는 얼룩 깃털을 가진 매처럼 하늘을 가로지르며 악을 물리친다. 밤의 배

가 그대 오른편에 있고, 낮의 배가 그대 왼편에 있으니, 빛의 배의 선원들은 마냥 기쁘도다.

죽음이 카데슈에서 그를 기다리고 있다면, 람세스는 이제 다시는 이러한 기도를 올릴 수 없을 것이다. 하지만 또다른 목소리가 그의 뒤를 이을 것이고, 빛의 말씀은 결코 사라지지 않을 것이다.

수도의 네 군데 병영들은 출발에 앞서 마지막 점검에 들어갔다. 격렬한 전투가 예상되었지만, 지난 수주일 동안 왕이 그들과 함께 한 덕분에 병사들의 사기는 높은 편이었다. 이집트 군이 갖춘 장비의 질과 양도, 그들의 불안을 누그러뜨리는 데 한몫했다.

병사들이 병영을 나서서 수도의 주요 성문으로 향하고 있을 때, 람세스는 아몬 신전을 떠났다. 그는 전차를 타고 오랜 세월 전에 힉소스 침략자들이 자리잡았던 도시의 가장 오래 된 지역에 세워진 세트 신전으로 향했다. 파라오들은 불행을 쫓기 위해서 우주에서 가장 강력한 힘에 바쳐진 신전을 그곳에 보존하고 있었다. 세트 신의 사람 세티는 그 힘을 다스리는 데 성공했고, 그 비밀을 아들에게 전해주었다.

오늘 람세스는 세트 신과 대결하기 위해 가는 것이 아니었다. 그는 하나의 주술적인 의식을 치르기 위해 세트와 만나려는 것이었다. 시리아와 히타이트의 뇌우의 신에 대항하여, 그는 세트 신이 지닌 번개의 힘을 자신의 것으로 취할 것이었다.

의식은 빠르고 격렬했다.

람세스의 시선은, 주둥이가 길고 귀가 큰 개의 머리를 한 남신상의 붉은 눈에 고정되었다. 신상의 대좌가 흔들렸고, 신의 다리가 앞으로 나서는 듯했다.

—세트여, 나를 그대의 카에 연결해주시고 내게 그대의 힘을 나누어주소서.

붉은 눈에 번뜩이던 빛이 사그라들었다. 세트는 파라오의 청을 받아들였다.

마디안의 사제와 그의 딸은 불안했다. 풀을 먹이러 부족의 양떼를 몰고 간 모세는 벌써 이틀 전에 돌아왔어야 했다. 혼자 있기를 좋아하고 붙임성이 없는 모세는 산에서 명상에 빠지곤 했고, 이따금 기이한 환상에 대해 말하기도 했다. 하지만 그의 아내가 묻는 질문에는 대답하지 않았다. '망명아'라는 이름을 붙여준 자기 아들하고 같이 놀아줄 생각도 하지 않았다.

사제는, 모세가 그가 태어나고 중요한 직무를 수행했던 거대한 이집트 땅을 끊임없이 생각하고 있다고 믿었다.

그의 딸이 물었다.

―그가 다시 그리로 떠날까요?

―그렇게 생각지 않는다.

―그는 왜 마디안으로 피해 온 걸까요?

―모른다. 그리고 앞으로도 알고 싶지 않다. 모세는 정직하고 부지런한 사람이다. 더이상 무엇을 바라느냐?

―내 남편은 너무 멀리 있고, 너무 비밀이 많아요.

―그를 그 모습 그대로 받아들여라. 그러면 너는 행복할 것이다.

―그가 돌아간다면요, 아버지.

―믿음을 가져라. 그리고 아이나 잘 돌보거라.

모세는 돌아왔다. 하지만 그의 얼굴이 변했다. 주름이 많이 졌고 머리가 하얗게 세었다.

아내는 그의 목을 껴안았다.

―무슨 일이 있었어요, 모세?

―나는 수풀에서 불꽃이 일어나는 것을 보았소. 수풀엔 분명히 불이 붙었는데, 타지는 않았소. 수풀 한가운데서 하느님이 나를 불

렸소. 그분은 자신의 이름을 내게 알려주셨고, 나에게 임무를 맡기셨소. 나는 그분께 복종해야 하오.

―그분께 복종한다고요…… 그렇다면 우리를, 나와 우리 아이를 떠나겠단 말인가요?

―나는 내 임무를 완수할 것이오. 아무도 신에게 불복할 수 없기 때문이오. 그분의 명령은 우리를 넘어서는 것이오. 우리는 그저 신의 의지에 봉사하는 도구일 따름이오.

―그 임무가 뭔가요, 모세?

―때가 되면 알게 될 거요.

히브리인은 자신의 천막 안에 들어가 오래 혼자 지냈다. 그는 스스로를 고립시키고 아브라함과 이삭과 야곱의 신인 야훼의 천사와 만났던 일을 회상했다.

밖에서 들려오는 소리가 그의 명상을 흩뜨렸다. 말을 탄 사람이 이제 막 숙영지에 들이닥쳐 다급한 어조로 떠들어댔다. 파라오가 몸소 지휘하는 대군이 히타이트와 대결하기 위해 북쪽으로 떠났다는 것이었다.

모세는 그의 어릴 적 친구인 람세스를 생각했다. 그는 람세스가 가지고 있는 엄청난 힘을 생각했다. 적어도 그 순간엔, 그는 람세스가 승리하기를 기원했다.

51

히타이트 군은 수도의 성벽 앞에 도열하였다. 감시탑 위에서 여사제 푸투헤파는 전차들과 궁수들과 보병들이 정렬하는 것을 지켜보았다. 완벽하게 절도 있는 행동을 보여주는 그들은 곧 제국의 무적의 힘을 구현하고 있었다. 람세스의 이집트는 곧 히타이트에 복속된 하나의 지방이 될 것이었다.

무와탈리스는 마땅히 그래야만 하는 것처럼, 람세스의 선전포고에 동일한 형식의 의례적인 서신으로 답해주었다. 푸투헤파는 남편을 자기 곁에 붙잡아두고 싶었다. 하지만 대왕은 중요한 고문인 하투실이 전장에 함께 있기를 요구했다.

총사령관 우리테슈프는 손에 횃불을 들고 병사들 쪽으로 걸어갔다. 그는 커다란 장작더미에 불을 붙이고 한번도 사용한 적이 없는 전차 한 대를 불 가까이 끌어오게 했다. 그는 망치로 전차를 부수고 그 조각들을 불태웠다.

─적 앞에서 물러서는 병사는 모두 이와 같은 꼴이 될 것이다. 뇌우의 신은 그를 이와 같이 불로써 없애리라!

이러한 주술적인 의식을 통해서 우리테슈프는 아무리 격렬한 대결에서도 무너지지 않을 단결력을 그의 병사들에게 심어주고 있었다.

우리테슈프는 복종의 표시로 무와탈리스를 향해 검을 내뻗었다.

대왕의 전차는 이집트 군의 무덤이 될 카데슈로 방향을 잡았다.

람세스의 훌륭한 말들인 '테베의 승리'와 '무트 여신은 만족하네'는 이집트 군의 선두에서 왕의 전차를 끌었다. 아몬·라·프타·세트 신의 보호를 기원하며 그 신들의 이름을 딴 네 개의 사단으로 이루어진 이집트 군의 보병은 전투병만도 2만이 넘었다. 사단장들은 그들 휘하에 부대장들과 국왕 대리관들, 그리고 사단 기수들을 거느렸다.

5백 대의 전차로 구성된 전차부대는 다섯 개의 연대로 나뉘었다. 병사들은 튜닉, 속옷, 갑옷, 가죽각반, 투구, 양날 도끼 등의 장비를 갖추었고, 거기에 때가 되면 군 사무국의 서기관들이 분배를 책임지게 될 여러 가지 무기들이 준비되었다.

람세스의 종복인 메나는 시리아를 잘 알고 있는 경험이 풍부한 병사였다. 그는 갈기를 휘날리며 전차 곁에서 걸어가고 있는 누비아의 거대한 사자가 좀체로 마음에 들지 않았다.

람세스의 만류에도 불구하고, 세타우와 로투스는 치열한 전투 속에서도 군 의료반을 이끌겠다고 고집했다. 그들은 아직 카데슈 지역을 몰랐기 때문에 그곳에서 색다른 뱀 몇 마리를 발견하게 되기를 기대했다.

람세스 재위 5년 4월이 끝나갈 무렵, 이집트 군은 수도를 떠났다. 날씨는 좋은 편이었고 군대의 전진을 늦추게 하는 어떤 사고도 발생하지 않았다. 실레에서 국경을 지난 람세스는 우물들과 그것을 지키는 작은 보루들이 띄엄띄엄 눈에 들어오는 해안로를 따라 가나안과 아무르를 가로질렀다.

그들은 비블로스 부근의 '사이프러스 계곡'이라 불리는 곳에 이르렀다.

그곳에는 지난 원정 때 람세스가 주둔시킨 3천 명의 이집트 병력이 있었다. 그들 주둔군은 히타이트 군의 접근을 차단하고 아무르 지방을 지키는 임무를 맡고 있었다. 왕은 그들에게 카데슈가 있는 곳까지 북진하여 그 북동편에 진지를 구축하라고 명령했다. 장군들은 병사들이 강력한 저항에 부딪쳐 해안에 갇히게 될 것이라는 이유를 내세워 그러한 전략에 반대했다. 하지만 람세스는 그들의 반론을 무시해버렸다.

왕은 카데슈에 닿기 위해 레바논 산맥과 안티-레바논 산맥 사이의 베카 평원을 지나는 길을 선택했다. 그곳의 황량한 풍경은 이집트 병사들을 불안하게 했다. 그 시커먼 강물 속에 악어가 득시글거리며 빽빽한 숲으로 뒤덮인 산에는 곰과 하이에나, 살쾡이와 늑대들이 설치고 있다는 것을 이미 아는 이들도 있었다.

사이프러스 나무, 전나무, 삼목 등의 잎들이 울창하게 우거진 숲을 지나게 되었을 때, 태양을 보지 못하게 된 병사들은 몹시 당황해했다. 장군 하나가 숨막혀 죽을 걱정은 없다는 것을 보병들에게 확신시킴으로써, 그들 사이에 싹트기 시작한 공포심을 잠재워야만 했다.

아몬 사단이 선두에서 행군하였다. 그 뒤를 라 사단과 프타 사단이 뒤따랐으며, 세트 사단이 후미를 지키고 있었다. 출발한 지 한 달이 되자 이집트 군은 베카 평원이 끝나는 곳에 이르렀다. 그들은 그곳에서부터 오론테스 강의 좌안에 세워진 거대한 카데슈 성에 접근해 들어갔다.

카데슈 성은 히타이트 제국의 국경에 위치한 요새로서 아무르 지방과 가나안 지방에 불안을 조성하는 임무를 맡은 특공대들의 기지로 사용되었다.

오월말은 비가 많았다. 병사들은 습기를 불평했다. 하지만 음식은 풍부했고 질도 좋았다. 배를 가득 채울 수 있었던 병사들은 곧 그러한 불쾌감을 잊었다.

카데슈에서 수 킬로미터 떨어진 지점, 어둡고 울창한 라브위 숲 바로 직전에서 람세스는 군대를 정지시켰다. 그곳은 매복하기에 적합한 곳으로 보였다. 전차들은 제대로 기동할 수 없을 것이고, 보병부대도 발이 묶일 것이었다.

'카데슈. 서둘 것. 위험'이라는 아샤의 메시지를 항상 머리에 간직하고 있던 왕은 조급한 행동을 피했다.

제일선의 전차들과 궁수들의 보호 아래 간단한 야영만을 허락한 왕은 작전회의를 열었다. 세타우도 참석했다. 그는 로투스와 함께 병사들의 갖가지 질환을 고쳐주어 인기가 아주 높았다.

람세스는 종복 메나를 불렀다.

—지도를 펼쳐라.

지도를 가리키며 람세스가 말했다.

—우리의 현재 위치는 여기, 오론테스 강의 동안, 라브위 숲의 가장자리요. 숲을 빠져나가면 첫번째 여울목이 있소. 그것을 이용하면, 우리는 카데슈의 성탑에 위치한 히타이트 궁수들의 사정거리 밖에서 강을 건널 수 있을 거요. 좀더 북쪽에 있는 두번째 여울목은 그들과 훨씬 더 가깝소. 우리는 카데슈 성과 거리를 두고 지나게 될 것이고, 우리 진지를 북서쪽에 설치하여 성의 측면을 공격할 것이오. 장군들, 이 계획을 어떻게 생각하시오?

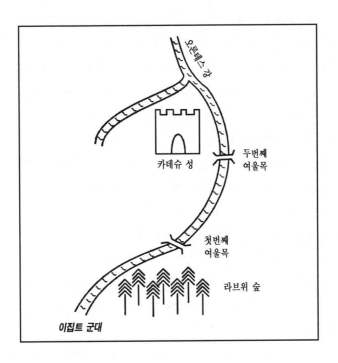

오론테스 강

카데슈 성

두번째
여울목

첫번째
여울목

라브위 숲

이집트 군대

장군들은 말없이 고개를 끄덕였다. 왕의 눈이 불타올랐다.

－모두 멍청이가 된 것이오?

아몬 사단장이 말했다.

－물론 그 숲이 좀 곤란하긴 합니다만…….

－굉장한 통찰력이오! 히타이트인들이 우리가 강을 건너고 성 앞에 진출해서 진지를 설치하는 것을 가만히 내버려둘 것 같소? 이 계획은 바로 당신들, 장군들이 내게 제출한 것이오. 그리고 이 훌륭한 계획엔 단 한 가지가 빠져 있소. 바로 히타이트 군의 존재요.

프타 사단장이 반박했다.

－그들은 성벽의 보호를 받으며 성안에 틀어박혀 있을 겁니다.

－만일 무와탈리스가 범용한 전사라면, 그렇게 행동할 것이오.

하지만 그는 무적이라 불리는 히타이트의 대왕이오! 그는 우리를 숲속에서, 여울목에서, 그리고 성 앞에서 동시에 공격할 것이오. 그는 우리 사단을 격리시킬 것이고, 우리의 반격을 사전에 차단시킬 것이오. 히타이트인들은 성안에 머물며 수비하는 그런 오류를 저지르지 않을 것이오. 그들이 자기들의 공격력을 성안에 처박아놓는다고? 그런 생각은 당치도 않다는 것을 인정하시오!

세트 사단장이 말했다.

─장소의 선택이 결정적입니다. 숲속의 전투는 전혀 우리의 특기가 아닙니다. 넓은 평지가 우리에겐 더 유리합니다. 따라서 라브위 숲 이전에 오론테스를 건너는 게 어떻습니까?

─불가능하오. 강을 건널 만한 곳이 없소.

─그럼, 저 빌어먹을 숲을 태워버리시죠.

─바람의 방향이 우리 쪽으로 바뀔 수 있고, 그렇지 않더라도 불에 타 쓰러진 나무둥치들이 우리의 전진을 방해할 것이오.

라 사단장이 주장했다.

─해안로를 따라 카데슈를 북쪽에서 공격하는 편이 더 나았을 겁니다.

프타 사단의 장군이 말했다.

─어리석은 일이오. 감히 폐하께 말씀드린다면, 폐하께서 해안로로 진군케 한 3천의 아무르 지방 주둔군은 우리와 합류할 가능성이 전혀 없습니다. 히타이트 군은 조심성이 많습니다. 그들은 우리 병력의 주요 예상 진군로인 해안로를 방치했을 리 없습니다. 수많은 군사를 해안로가 끝나는 곳에 배치시켰을 겁니다. 최선의 전략은 지금 우리가 제출한 그것입니다.

세트 사단장이 말했다.

─물론이오. 하지만 우리는 더이상 전진할 수가 없잖소! 저는 천명의 보병들을 라브위 숲으로 보내서 히타이트 군의 반응을 살필

것을 제안합니다.

람세스가 물었다.

─천 명의 전사자들에게 무엇을 알아낼 수 있단 말이오?

라 사단장은 털썩 주저앉았다.

─싸우기도 전에 후퇴해야 합니까? 히타이트 군은 우리를 비웃을 겁니다. 그리고 폐하의 존엄은 심하게 손상될 겁니다.

─내가 군대를 전멸시킨다면 내 명성은 또 어찌 되겠소? 우리가 구해야 할 것은 나의 명예가 아니라 이집트요.

장군들은 이제 람세스의 입만 바라보고 있었다. 최초의 난관에 부딪친 이집트 군 작전회의는 침묵에 휩싸였다.

세타우가 침묵을 깨고 말했다.

─땅꾼으로서 나는, 혼자서 혹은 내 여자와 단둘이서 일하는 것을 좋아하지요. 만일 내가 백여 명의 병사들과 함께 돌아다닌다면 한 마리의 코브라도 볼 수 없을 겁니다.

세트 사단장이 요구했다.

─본론을 말하시오.

세타우가 제안했다.

─몇 사람의 병사들을 저 숲으로 보냅시다. 만일 그들이 숲을 통과하는 데 성공한다면 적군의 위치를 알아낼 수 있을 것이오. 그러면 우리는 어떻게 적군을 공격해야 할지도 알게 될 거요.

세타우는 투석기, 활, 단도로 무장한 젊고 잘 훈련된 십여 명의 병사들로 구성된 특공대의 지휘를 맡았다. 그들은 모두 소리내지 않고 이동할 줄 알았다.

대낮인데도 어두컴컴한 라브위 숲속에 들어서자마자 그들은 서로 흩어졌다. 높은 나뭇가지에 배를 깔고 누워 있을지도 모르는 궁수들을 찾기 위해 그들은 이따금 눈을 들어 나무 꼭대기를 살폈다.

몸의 오감을 다 동원했지만, 세타우는 어떤 적의 존재도 느끼지 못했다. 그는 맨 먼저 숲에서 나와 수풀 속에 쭈그리고 앉았다. 한가한 산책을 하게 된 것에 놀란 동료들이 이내 그와 합류했다.

첫번째 여울목이 눈에 들어왔다.

주위엔 한 사람의 히타이트 병사도 없었다.

멀리 언덕 위에 세워진 카데슈 성채가 눈에 들어왔다. 성 앞의 평원엔 아무도 없었다. 이집트인들은 놀라 서로 쳐다보았다.

자신들의 눈을 믿을 수 없었던 그들은 한 시간 넘게 그 자리에 머물러 지켜보았다. 마침내 명백한 사실을 인정하지 않을 수 없었다. 히타이트 군은 카데슈에 있지 않았다.

세타우가 여울목 근처에 있는 세 그루의 떡갈나무를 가리키며 말했다.

─저기, 뭔가가 움직였다.

특공대원들은 신속한 포위에 들어갔다. 그들 중 하나는 뒤로 물러나 있었다. 만일 동료들이 어떤 함정에 빠진다면, 그는 람세스에게 알리기 위해 후퇴할 것이었다.

작전은 아무런 문제없이 진행되었다. 이집트 병사들은 두 명의 남자를 포로로 붙잡았다. 그들의 차림새로 보건대, 베두인 족의 족장들이었다.

52

두 포로는 겁에 질려 있었다.

한 사람은 큰 키에 수척했고, 또 한 사람은 보통 키의 대머리로 턱수염을 기르고 있었다. 그들은 감히 눈을 들어 이집트의 파라오를 쳐다보지 못했다.

―이름은 무엇인가?

대머리가 대답했다.

―나는 아모스고, 내 친구는 바두흐라 불립니다.

―너희들은 누구냐?

―베두인 부족의 족장들입니다.

―너희들이 왜 이곳에 있는지, 그 이유를 설명할 수 있겠나?

―우리는 카데슈에서 히타이트의 고관 하나를 만나게 되어 있었

습니다.

─무슨 이유로?

아모스는 입술을 깨물었다. 바두흐는 더욱더 고개를 숙였다.

람세스가 명령했다.

─대답하라!

─히타이트인들은 우리에게 이집트에 반대하는 동맹을 제의했습니다. 시나이에서 대상들을 공격하자는 것이었죠.

─그래, 너희들은 그 제안을 받아들였군.

─아니오! 우리는 의논하고 싶었습니다.

─그 협상 결과는 무엇이었나?

─협상은 없었습니다, 폐하. 카데슈에는 어떤 히타이트 고관도 없었기 때문입니다. 요새 안에는 이제 시리아인들뿐입니다.

─히타이트 군은 어디에 있는가?

─그들은 보름 전에 카데슈를 떠났습니다. 요새의 지휘관에 의하면 그들은 수백 대의 새로운 전차를 훈련시키기 위해 여기서 150킬로미터 넘게 떨어진 알레포에 포진해 있다고 합니다. 우리는 그곳까지 여행할까 망설이던 중이었습니다.

─히타이트인들은 이곳 카데슈에서 우리를 기다리지 않았단 말인가?

─맞습니다, 폐하…… 우리 같은 유목민들이 그들에게 폐하의 군대가 엄청난 규모라는 것을 알려주었습니다. 그들은 폐하가 그렇게 막대한 군사력을 거느리고 있으리라고는 예견하지 못하고 자신들에게 좀더 유리한 장소에서 폐하와 맞서는 쪽을 택한 것입니다.

─그렇다면 너와 다른 베두인 족들이 우리의 도착을 알렸단 말인가?

─폐하의 용서를 빕니다! 다른 많은 사람들과 마찬가지로 우리는 히타이트 군의 우위를 믿었습니다…… 그런 데다 폐하께서도 아시

다시피 그 야만인들은 우리에게 선택의 여지를 주지 않았습니다. 우리는 그들에게 복종해야 합니다. 아니면 그들이 우리를 몰살시킬 겁니다.

─요새엔 사람들이 얼마나 있는가?

─시리아인들이 적어도 천여 명은 될 겁니다. 모두들 카데슈가 철옹성이라 믿고 있지요.

작전회의가 다시 열렸다. 장군들이 보기에 세타우는 훈장을 받아 마땅한 존경스런 인물이 되었다.

라 사단장이 자랑스럽게 선언했다.

─히타이트 군은 퇴각했습니다. 이것은 하나의 승리가 아니겠습니까, 폐하?

─다소 유리한 입장에 섰을 뿐이오. 한 가지 질문이 제기되오. 우리가 카데슈를 공격해야 하겠소?

의견은 양분되었다. 하지만 대다수는 알레포로의 신속한 진군을 주장했다.

세타우가 말했다.

─만일 히타이트인들이 이곳에서 우리와 대결하는 것을 피했다면 그것은 그들에게 더욱 유리한 장소로 우리를 끌어들이기 위해섭니다. 우리의 모든 사단을 전투에 내보내 적이 원하는 바대로 움직이는 것보다는 저 성을 점령하고, 그것을 우리의 후방기지로 삼는 것이 옳지 않겠습니까?

아몬 사단장이 반박했다.

─우리는 귀중한 시간을 잃을 위험이 있습니다.

─내 견해는 그렇지 않습니다. 히타이트 군이 더이상 카데슈를 방어하고 있지 않기 때문에 우리는 단숨에 저 성을 점령할 수 있을 겁니다. 어쩌면 시리아인들에게 항복하여 목숨을 구하라고 설득할

수 있을지도 모릅니다.

람세스가 결정을 내렸다.

─우리는 카데슈를 공격하여 성을 차지할 것이오. 이제 이 지방은 파라오의 통치 아래 놓일 것이오.

왕이 이끄는 아몬 사단은 라브위 숲을 통과해서 첫번째 여울목을 지나 평원에 들어섰다. 그들은 그 성벽 위의 감시구들과 다섯 개의 탑이 늘어서 있는 위압적인 카데슈 성의 북서쪽에 멈춰섰다. 탑을 지키던 시리아인들은 라 사단이 성의 정면에 자리잡는 것을 바라보았다. 프타 사단은 여울목 근처에 진을 쳤고, 세트 사단은 숲의 가장자리에 남아 있었다. 하룻밤과 하루 아침을 휴식을 취한 이후에 이집트 군은 합류하여 카데슈를 포위하고 첫번째 공세를 취할 것이었다.

공병부대의 병사들이 신속하게 파라오의 야영지를 설치했다. 높은 방패들로 사면을 막은 다음, 그들은 침실 하나와 집무실 하나 그리고 접견실 하나를 갖춘 왕의 막사를 세웠다. 그보다는 좀더 수수한 많은 막사들이 장교들에게 돌아갔다. 병사들은 노숙하거나 비가 올 경우엔 포대라도 뒤집어쓰면 될 것이었다. 야영지의 입구에는 두 마리의 사자상이 양옆에 지키고 서 있는 나무문이 만들어졌다. 그 문은 중앙로로 통했으며, 그 길의 다른 쪽 끝에는 왕이 아몬 신에게 제의를 올리게 될 하나의 성소가 마련되었다.

사단장이 무기를 놓아도 좋다는 허락을 내리자마자, 병사들은 그들이 속한 분과에 따라 미리 정해져 있던 여러 가지 일들에 착수했다. 어떤 자는 말, 당나귀, 소 따위를 보살폈고, 어떤 자는 옷을 빨았으며, 어떤 자는 행군 도중에 손상된 전차의 바퀴들을 수리했고, 어떤 자는 단도와 창의 날을 갈았으며, 어떤 자들은 배급 식량을 나눠주었고, 어떤 자는 식사를 준비했다. 음식 냄새가 풍기자 병사들은 카데슈나 히타이트인들과의 전쟁을 잊었다. 그들은 농담을 하기 시작했고, 봉급을 걸고 도박하기도 했다. 가장 흥분한 자들은 격투대회를 벌이기도 했다.

람세스는 직접 자기의 말들과 사자에게 먹을 것을 주었다. 사자의 식욕은 여전했다. 이윽고 별들이 하늘을 가득히 뒤덮고, 야영지는 잠이 들었다. 왕은 괴물처럼 버티고 서 있는 거대한 성채에서 시선을 떼지 못했다. 그의 아버지 세티는 저것을 병합하지 않는 게 낫다고 판단했었다. 저 성을 빼앗는다는 것은 히타이트 제국에 심각한 타격을 입히는 것일 거다. 그곳에 정예 수비대를 주둔시킴으로써 람세스는 이집트를 침략으로부터 보호할 것이었다.

람세스는 다리가 사자 다리의 형상으로 만들어진 침대 위에 몸을 눕히고, 파피루스와 연꽃무늬가 그려진 베개 위에 머리를 얹었다. 그 섬세한 장식이 그를 미소짓게 했다. 평온한 '두 개의 땅'은 참으로 먼 곳에 있었다.

왕이 눈을 감자, 네페르타리의 숭고한 얼굴이 떠올랐다.

―일어나, 셰나르.

―이봐 간수, 지금 자네가 누구한테 말하는 건지 아나?

―물론 마땅히 뒈져야 할 배신자한테지.

―나는 왕의 형이야!

―너는 이제 아무것도 아냐. 네 이름은 영원히 사라질 거다. 일어나. 아니면 내 채찍 맛을 보게 될 테니.

―자네는 죄수를 때릴 권리가 없어.

―물론 죄수를 때릴 수는 없지. 하지만 너는 문제가 달라!

위협을 심각하게 받아들인 셰나르는 순순히 일어났다.

멤피스의 대감옥에서 그는 어떤 학대도 받지 않았다. 밭에서 강제노역을 하거나 제방을 고치는 일을 하는 다른 죄수들과는 달리,

왕의 형은 독방에 감금되었고 하루에 두 끼씩 먹을 수 있었다.

간수는 그를 복도로 밀었다. 셰나르는 오아시스 도형장으로 향하는 마차에 오르리라고 생각했다. 하지만 퉁명스런 보초들은 그를 어느 사무실에 집어넣었다. 거기엔 그가 세상에서 람세스와 아샤 다음으로 증오하는 인간, 충직하고 청렴한 서기관 아메니가 있었다.

—너는 잘못된 길을 골랐어, 아메니. 패자들의 길 말이다. 네가 거둔 승리는 일시적일 뿐이야.

—화를 좀 푸시지.

—네 가슴에 칼을 꽂기 전에는 어림도 없다! 히타이트인들은 람세스를 격파할 것이고, 나를 구해줄 것이다.

—갇혀 있더니 제정신을 잃었구만. 기억력까지 잃진 않았겠지.

셰나르는 얼굴을 찌푸렸다.

—나한테 뭘 원하는 거야?

—당신한텐 분명히 공범들이 있을 텐데.

—공범이라구…… 아무렴, 많이 있지! 조신들 전부가 공범이다. 나라 전체가 공범이야! 내가 권좌에 오르면 모두들 내 발밑에 엎드릴 거고, 나는 내 원수들을 모조리 벌할 것이다.

—공범들의 이름을 나한테 밝히게, 셰나르.

—호기심이 많군, 좁쌀 서기관. 너무 많아…… 내가 홀로 일을 벌일 만큼 강하다는 생각은 안 해봤나?

—당신은 이용당한 거야, 셰나르. 그리고 당신 친구들은 당신을 버렸어.

—틀렸어, 아메니. 람세스의 최후가 다가오고 있다.

—만일 입을 연다면, 당신은 감옥 안에서 좀더 편하게 지낼 수 있을 거야, 셰나르.

—나는 오래 죄수로 있지 않을 거야, 좁쌀 서기관. 만일 내가 너

라면, 늦기 전에 도망칠 거다. 나는 아무도 용서하지 않을 거야. 특히 너는 어림없어.

　—마지막으로 묻겠다, 셰나르. 공범들이 누구냐?

　—지옥의 악마들이여, 저놈의 얼굴과 내장을 갈가리 찢어발기소서!

　—도형장에 가면 결국 말하게 될 거야.

　—너는 내 발밑에서 기게 될 거다, 아메니.

　—이 자를 데려가라.

　보초들이 셰나르를 두 마리의 소가 끄는 수레에 밀어넣었다. 경찰관 하나가 고삐를 쥐고 있었다. 말을 탄 네 명의 경찰관들이 도형장까지 그와 동행할 것이었다.

　아무렇게나 짜맞춘 바닥 위에 앉은 셰나르는 길의 울퉁불퉁한 기복이 그대로 전해져 고통스러웠다. 하지만 그에게 고통이나 불편은 문제가 아니었다. 최고의 권력에 그토록 가까이 다가갔다가 이토록 비참한 꼴로 추락했다는 것이 그에게 한없는 복수심을 품게 하고 있었다.

　여정 중간까지 셰나르는 찬란한 내일을 꿈꾸면서 졸았다.

　모래알이 그의 얼굴을 때렸다. 놀란 그는 엉덩이를 들고 바깥을 내다보았다.

　거대한 황토빛 구름이 하늘을 가리며 사막을 가득 채우고 있었다. 폭풍은 믿기지 않을 만큼 빠른 속도로 퍼져갔다.

　겁에 질린 두 마리의 말이 날뛰며 기수들을 떨어뜨렸다. 동료 경찰관들이 그들을 도우려 우왕좌왕할 때, 셰나르는 수레를 몰던 자의 뒷덜미를 치고 길에 던져버렸다. 그는 마부의 자리를 차지하고 앉아, 회오리바람이 일고 있는 곳을 향해 곧장 달려갔다.

53

안개가 자욱한 아침이었다. 카데슈 성은 아직도 짙은 안개에 파묻혀 있었다. 그 위압적인 덩어리는 여전히 이집트 군을 무시하고 있었다. 오론테스 강과 숲이 우거진 언덕에 의해 이중으로 보호받는 카데슈는 철옹성과도 같았다. 왕은 아몬 사단이 자리잡은 곳에서 성 앞에 펼쳐진 평원에 진을 치고 있는 라 사단과 라브위 숲과 첫번째 여울목 사이에 위치해 있는 프타 사단을 바라보고 있었다. 이제 얼마 안 있으면 프타 사단은 강을 건널 것이고, 그 뒤를 세트 사단이 따를 것이다.

네 개 사단은 동시에 성을 공격해 승리를 거두게 될 것이다.

병사들은 무기를 점검했다. 단검, 창, 검, 반월도, 곤봉, 도끼, 그리고 활 등이 그들의 손을 달구고 있었다. 전투가 가까워지자, 말들의 신경이 예민해졌다. 군 서기관의 명령에 따라 병사들은 야영지를 청소하고 식기를 강물에 씻었다. 장교들을 병사들을 검사하여 면도를 제대로 하지 않은 자들은 이발사에게 보냈다. 그들은 복장 소홀은 더더욱 용납하지 않았고, 잘못을 저지른 자들에겐 며칠 간의 사역을 부가했다.

정오가 되기 직전, 뜨거운 태양이 내리쬐기 시작할 무렵, 람세스는 봉화를 피워 라 사단과 프타 사단에 움직이라는 명령을 내렸다. 이동을 시작한 라 사단이 평원을 행군하고, 프타 사단이 여울목을 건너고 있었다. 전령에 의해 명령을 하달받은 세트 사단이 곧 이어 라브위 숲으로 들어설 것이다.

순간 천둥이 쳤다.

람세스는 하늘을 쳐다보았다. 하지만 하늘엔 구름 한 점 보이지 않았다.

아우성 소리가 평원 가득히 울려퍼졌다. 혹시나 하던 파라오는 마침내 카데슈의 평원을 진동시키는 그 끔찍한 소리의 진원지를 발견하였다.

히타이트 전차들이 거대한 물결을 이루며 성채 가까이에 있는 여울목을 건너고 있었다. 순식간에 적의 전차부대는 평원을 진군중인 라 사단의 측면을 공격하고 있었다. 빠르고 거대한 두번째 파도가 프타 사단을 덮쳤다. 전차들 뒤에는 수만의 보병들이 마치 메뚜기떼와도 같이 산과 계곡을 뒤덮으며 달려오고 있었다.

그 어마어마한 군대는 요새의 동쪽과 서쪽 숲속에 숨어 있었다. 그리고 이집트 군이 가장 취약한 때를 틈타서 밀어닥친 것이다. 엄청난 적의 수효에 람세스는 어리둥절했다. 무와탈리스가 모습을 나타냈을 때, 파라오는 마침내 깨달았다.

전차에 서 있는 히타이트의 대왕 주위에는 시리아, 미타니, 알레포, 우가리, 카르케미슈, 아르자와의 군주들과 몇몇 작은 부족들의 족장들이 함께 있었다. 대왕의 명에 따라, 하투실이 히타이트와 연합하여 이집트 군을 쳐부수자고 그들을 설득한 것이었다.

동맹이다…… 무와탈리스는 그들에게 엄청난 양의 금과 은을 뿌리며 모든 야만족의 나라들을 한데 모아 지금까지 존재해왔던 것 가운데 가장 방대한 동맹을 결성한 것이다.

4만 명의 동맹군 병사들과 3천5백 대의 전차들이 미처 준비가 되어 있지 않은 이집트 군을 향해 물밀듯이 쳐내려왔다.

프타 사단의 보병들 수백 명이 적군의 화살 속에 쓰러졌다. 전차들이 뒤집혀서 여울목을 가로막았다. 살아남은 자들은 라브위 숲으로 달아났다. 그들은 라브위 숲으로 진군하려는 세트 사단의 길을 막아버린 것이다. 세트 사단은 이제 동맹군의 궁수들에게 손쉬운 먹이가 되는 위험을 무릅쓰지 않고는 전투에 참여할 수 없게 되었다.

프타 사단의 전차들 거의 전부가 파괴되었고, 세트 사단의 전차들은 땅에 붙박여 있었다. 평원의 상황은 파국으로 치닫고 있었다. 둘로 갈라진 라 사단은 완전히 무너졌고 병사들은 사방으로 흩어졌다. 동맹군들은 이집트 인들을 무참하게 학살했다. 그들의 무기는 이집트 병사들의 뼈를 부수었고 살을 꿰뚫었으며, 창은 옆구리에 박혔고, 단도는 배를 갈랐다.

동맹군의 군주들은 무와탈리스에게 환호를 보냈다.

대왕의 전략은 완벽하게 들어맞았다. 람세스의 거만한 군대가 저렇듯 싸워보지도 못하고 전멸당할 줄을 누가 생각이나 했겠는가? 생존자들은 놀란 산토끼처럼 도망쳤다. 달음박질이 얼마나 빠르냐에 그들의 목숨이 걸려 있었다.

결정타를 날리는 일만 남아 있었다.

아직은 온전한 아몬 사단과 파라오 직할군도 그들을 향해 달려드는 동맹군의 공격에 오래 저항하지 못할 것이었다. 무와탈리스의 완벽한 승리가 눈앞에 다가왔다. 람세스의 죽음과 함께 파라오의 이집트는 마침내 고개를 숙이고, 히타이트의 노예가 될 것이다.

아버지 세티와는 달리 람세스는 카데슈의 함정에 빠져버렸다. 이제 그 실수의 대가를 자기의 목숨으로 치러야 할 시간이다.

머리가 엉망으로 헝클어진 전사 하나가 두 명의 군주를 밀어젖히고 대왕과 마주했다.

우리테슈프였다.

─아버지, 무슨 일이 벌어지고 있는 겁니까? 왜 우리 군의 총사령관인 저한테는 공격시간을 알려주지 않았습니까?

─나는 너한테 분명한 임무를 맡겼을 텐데. 우리 보충병력과 함께 카데슈를 수비하라고 말하지 않았더냐?

─하지만 성은 위험하지 않아요!

─그게 내 명령이다, 우리테슈프. 그리고 너는 한 가지 중요한 사실을 잊고 있다. 나는 너한테 동맹군의 지휘를 맡긴 적이 없다.

─그럼 도대체 누가…….

─그러한 어려운 임무를 수행할 사람이 하투실말고 또 누가 있더냐? 오랫동안 끈질긴 협상을 거쳐 우리의 동맹국들로 하여금 예외적인 전쟁 노력을 받아들이게 설득한 것은 바로 그다. 따라서 동맹군을 지휘하는 영광은 마땅히 그에게 돌아가야 한다.

우리테슈프는 증오의 시선을 하투실에게 던졌다. 그는 자기 검의 손잡이에 손을 가져갔다.

무와탈리스가 메마르게 명령했다.

─네 자리로 돌아가라, 아들아.

히타이트의 기병들은 파라오의 진영을 보호하고 있던 아몬 사단의 방패의 벽을 무너뜨렸다. 저항하려 시도했던 몇몇 이집트 병사들은 창에 몸을 관통당하고 쓰러졌다. 전차부대의 한 중대장이 도망병들을 향해 저항할 것을 명령하며 울부짖었다. 히타이트 궁수의 화살이 그의 입을 꿰뚫었다. 장교는 그의 생명을 앗아간 화살을 헛되이 물어뜯으며 죽었다.

2천여 대가 넘는 적의 전차들이 왕의 막사로 들이닥칠 찰라였다.

종복 메나가 소리쳤다.

―주인님, 전투의 날에 이집트를 보호하시는 주인님! 저길 보십쇼. 우리는 곧 수천의 적군들 속에 홀로 남게 됩니다. 여기 계시면 안 됩니다…… 도망쳐야 합니다!

람세스는 종복에게 경멸의 시선을 던졌다.

―비겁함이 네 가슴을 점령했구나. 내 눈에서 사라져라.

―폐하, 제발 부탁입니다. 이건 용기가 아니라 미친 짓입니다. 목숨을 구하십쇼. 이집트는 폐하를 필요로 합니다.

―이집트는 패자를 필요로 하지 않는다. 나는 싸울 것이다, 메나.

람세스는 푸른 왕관을 머리에 쓰고 작은 금속판으로 뒤덮인 가슴받이와 로인클로스를 합친 짧은 갑옷을 입었다. 그의 손목엔 황금 꼬리를 가진 청금석 오리로 장식된 금팔찌가 채워져 있었다.

마치 평온한 하루를 시작하는 사람처럼 차분한 태도로 왕은 그의 두 마리의 말에게 붉고 푸른 면 덮개를 씌워주었다. 수컷인 '테베의 승리'와 암컷인 '무트 여신은 만족하네'의 머리에는 끝부분이 푸른 화려한 붉은색 깃 장식이 달려 있었다.

람세스는 금을 입힌 나무로 된 길이 3미터가량의 그의 전차에 올랐다. 전차엔 무기를 놓는 두 개의 통이 설치되어 있었다. 하나는 화살을 위한 것이고, 다른 하나는 활과 검을 위한 것이었다. 이 보잘것없는 무기들을 가지고, 파라오는 군대 전체와 싸우려 하는 것이었다.

람세스는 두 손을 자유롭게 쓰기 위하여 고삐를 몸에 감았다. 두 마리의 말은 영리하고 용감했다. 말들은 곧장 혼전 속으로 뛰어들 것이었다. 낮게 으르렁거리는 소리가 왕의 기운을 북돋워주었다. 그의 커다란 사자는 그에게 여전히 충실했으며, 그와 함께 죽을 때까지 싸울 준비가 되어 있었다.

한 마리의 사자와 한 쌍의 말, 이 세 마리의 짐승이 이집트 왕의 마지막 동지들이었다. 아몬 사단의 전차들과 보병들은 적 앞에서 뿔뿔이 흩어져버렸다.

세티의 음성이 들리는 듯했다.

"만일 네가 어떤 잘못을 범하게 된다면 너 자신이 아닌 다른 사람은 아무도 비난하지마라. 그리고 네 실수를 바로잡아라. 황소처럼, 사자처럼, 매처럼 싸워라. 뇌우처럼 사나워라. 그러지 않으면 너는 패하게 될 것이다."

귀가 멍멍한 소음 속에서 먼지구름을 일으키며 동맹군의 전차들이 이집트의 파라오가 버티고 있는 언덕을 향해 오르고 있었다.

깊은 곳에서 불꽃 같은 격정이 타올라 람세스를 가득 채웠다. 왜 운명은 그에게서 등을 돌렸는가? 왜 이집트는 야만인들의 공격에 멸망해야 하는가?

라 사단은 이미 보이지 않았다. 평원에 남아 있는 이집트 군의 흔적은 쓰러진 시체와 부서진 전차뿐이었다. 생존자들은 남쪽으로 도망쳤다. 프타 사단과 세트 사단의 생존병력은 오론테스 강의 동안에 고립되어 있었다.

정예의 전차부대를 가진 아몬 사단은 구역질날 정도로 비겁한 행동을 보였다. 아몬 사단을 향한 동맹군들의 첫번째 돌격에 이미 사단은 무너져버렸다. 어떤 고급장교도 더이상 남아있지 않았다. 방패를 든 자는 한 사람도 없었으며, 싸우려는 궁수 하나 없었다. 계급 고하를 떠나서, 그들은 이집트를 잊고 그들의 목숨을 구하는 것만 생각했다. 왕의 종복인 메나는 적이 자기를 덮치는 것을 보지 않으려고 무릎을 꿇은 채 두 손으로 머리를 가리고 있었다.

5년간의 통치. 그 5년 동안 람세스는 세티의 정신을 계승하고자 애썼다. 그는 부유하고 행복한 나라의 건설을 위해 모든 힘을 기울였다. 그 5년이 그의 백성의 굴종과 노예화의 서막이 될 하나의 재난으로 끝나가고 있었다.

저들은 델타에 들이닥칠 것이고, 이어서 나일 강 유역을 유린할 것이다. 약탈자들의 무리에 네페르타리와 투야는 얼마 버티지 못할 것이다.

주인의 생각을 알아차렸다는 듯이 말들은 눈물을 흘렸다.

람세스는 분노했다.

하늘을 향해 두 눈을 들고 그는 빛 속에 숨어 있는 신, 아무도 그 진정한 모습을 결코 알지 못할 아몬에게 말했다.

─내 아버지 아몬이여, 내 말을 들으소서! 적들의 무리 가운데 홀로 있는 아들을 어찌 잊으려 하십니까? 도대체 무슨 까닭에 당신은 이리 하시는 겁니까? 내가 당신께 한 번이라도 불복한 적이 있었습니까? 다른 모든 나라들이 나에 대항하여 연합하였습니다. 내 병사들은 도망쳐버렸습니다. 나는 아무 도움 없이 혼자 서 있습니다. 저 야만인들은 도대체 누굽니까? 마아트의 규범을 지키지 않는 잔인한 자들이 아닙니까? 아버지, 당신을 위해서 나는 신전들을 지었습니다. 당신에게 나는 매일 제물을 바쳤습니다. 당신을 위해 가장 섬세한 꽃의 정수를 봉헌했고, 당신을 위해 거대한 탑을 세웠으며, 당신이 성소에 거하심을 알리기 위해 깃발을 올렸습니다. 나는 당신의 영광을 위해 세워진 오벨리스크를 엘레판티네의 채석장에서 캐내게 했습니다. 내 아버지 아몬이시여, 나는 당신을 부릅니다. 왜냐하면 나는 혼자, 완전히 혼자이기 때문입니다. 나는 당신을 위해 기쁜 마음으로 일했습니다. 지금 이 비통의 시기에 당신을 위해 일

한 자를 위해, 당신도 일을 하소서. 내게 당신이 함께 하신다면 그것은 수백만의 병사들보다 수십만의 전차들보다 더 강할 것입니다. 백만대군의 용맹이란 우스운 것입니다. 아몬은 한 군대보다 훨씬 더 강합니다.

파라오 진영 한가운데로의 접근을 막고 있던 방책이 무너졌다. 전차들의 돌격에 길이 열렸다. 일 분도 안 되어 람세스는 수많은 창과 화살을 몸에 맞고, 노도와 같은 적의 전차에 깔릴 것이었다.

파라오는 하늘을 향해 외쳤다.

—아버지, 왜 나를 버리시나이까?

54

무와탈리스와 하투실, 그리고 동맹국의 군주들은 후퇴하지 않고 홀로 우뚝 서 있는 파라오의 태도에 경탄을 금치 못했다.

대왕이 동맹군 군주들을 돌아보며 말했다.

─그는 전사로서 죽을 것이오. 저런 용기를 가진 군주는 히타이트 전사가 될 만한 자격이 있소. 우리의 승리는 자네 것이네, 하투실.

─두 사람의 베두인 족이 그들의 역할을 완벽하게 해냈습니다. 그들의 거짓말 덕분에 람세스는 우리 군대가 카데슈로부터 멀리 떨어져 있다고 믿게 됐습니다.

─우리테슈프가 자네 계획에 반대하고, 성 앞에서의 전투를 주장한 것은 잘못이었어. 나는 그의 실수를 염두에 두겠네.

─중요한 것은 동맹군이 승리를 거두었다는 사실이 아니겠습니까? 이집트의 정복은 우리에게 몇 세기 동안 번영을 가져다줄 겁니다.

─자기 자신의 군대에 배반당한 람세스의 최후를 지켜보세나.

갑자기 태양이 강렬해지며 히타이트인들과 그 동맹군들의 눈을 멀게 했다. 푸른 하늘에 난데없는 천둥소리가 울렸다.

사람들은 환각에 사로잡혔다고 믿었다. 우주만큼 드넓은 목소리가 창공에서 들려왔다. 그것은 람세스만이 그 의미를 알아들을 수 있는 큰 목소리였다.

"나는 네 아버지 아몬이다. 내 손은 네 손 안에 있다. 나는 네 아버지요, 승리를 가져다주는 신이다."

빛이 파라오를 감쌌다. 그의 몸이 햇빛에 빛나는 황금처럼 빛을 뿜었다. 빛의 아들 람세스는 태양의 힘을 얻었다. 그는 어리둥절해하는 적을 향해 돌진했다.

그는 최후의 싸움을 벌이는 고독한 패장이 아니었다. 엄청난 힘과 지치지 않는 팔을 가진 왕이었다. 그는 파괴의 불꽃이었으며 빛나는 별이었고, 격렬한 바람이었으며 날카로운 뿔을 가진 야생 황소였고, 누구든 덤비는 자는 그 발톱으로 갈가리 찢어버리는 매였다. 람세스는 연이어 화살을 날리며 히타이트 전차병들을 죽였다. 주인 잃은 말들은 몸부림을 치다 서로 얽혀 쓰러졌다. 전차들이 뒤집혔고, 온통 난장판이 되었다.

누비아의 사자는 엄청난 전공을 세웠다. 3백 킬로그램의 몸을 적군들에게 내던져 발톱으로 모든 상대방을 찢었고, 목이나 두개골에 길이 10센티미터의 송곳니를 박았다. 화려한 갈기는 불타는 듯했으며, 다리는 가공할 파괴력만큼이나 정확하게 적을 내리쳤다.

람세스와 사자는 적의 돌진을 제지하고 적의 전열을 뚫었다. 히타이트 보병대장이 창을 휘둘렀지만, 미처 동작을 끝내기도 전에 파라오의 화살이 그의 왼쪽 눈을 꿰뚫었다. 같은 순간 사자의 턱이 공포에 질린 히타이트 전차부대 장교의 얼굴 위에서 닫혔다.

엄청난 수효였음에도 불구하고 동맹군은 후퇴했다. 그들은 평원을 향해 언덕을 내려갔다.

무와탈리스는 새파랗게 질렸다. 그가 소리쳤다.

—저건 사람이 아니다. 저건 바로 세트 신이야. 수천의 전사를 무찌를 힘을 가진 존재는 세트 신밖에 없다. 저걸 보아라. 사람들이 그를 공격하려 하면 손에서 힘이 빠지고 몸이 마비되며, 창과 활을 어떻게 쓰는지조차 모르게 된다!

냉정한 하투실도 망연자실했다. 불꽃이 람세스에게서 나와 누구든 그에게 접근하려는 자를 불태우는 것 같았다.

히타이트의 거인 하나가 전차의 차체 가장자리를 움켜쥐고 람세스를 향해 돌진했다. 그는 단검을 휘두를 수 있을 만큼 가까이 가는 데 성공했다. 하지만 이내 그의 쇠사슬 갑옷에 불이 붙었다. 그는 살 타는 냄새 속에서 울부짖으며 죽었다. 람세스도 사자도 그들의 공격을 늦추지 않았다. 파라오는 아몬의 손이 자신을 이끌고 있다는 것을, 승리의 신이 바로 자기 뒤에 버티고 있으며, 그에게 군대 전체보다 더 큰 힘을 주고 있다는 것을 느꼈다. 이집트의 왕은 폭풍같이 내달리며 적들을 지푸라기처럼 쓰러뜨렸다.

하투실이 울부짖었다.

—그의 전진을 막아야 해!

알레포의 군주가 그에게 대답했다.

—우리 병사들은 공포에 질려 있소.

무와탈리스가 명령했다.

—직접 가서 그들을 싸우게 하시오.

—람세스는 신이요…….

—비록 그의 용기가 초인간적으로 보일지라도, 그는 사람에 지나

지 않소. 어서 움직이시오. 우리 병사들에게 다시 신념을 주시오. 그러면 이 싸움은 끝나게 될 것이오.

망설이던 알레포의 군주는 말을 몰아 동맹군의 사령부가 위치한 구릉을 내려갔다. 그는 이를 악물었다. 람세스와 그의 사자의 무모한 공격에 끝을 내주겠다고 결심했다.

하투실은 서쪽 언덕을 뚫어지게 바라보았다. 그는 자신의 눈을 믿을 수 없었다. 그의 몸이 얼어붙었다.

─폐하, 저기 저건…… 이집트의 전차들이 전속력으로 달려오고 있는 것 같습니다!

─저들이 어디서 나타난 건가?

─해안로를 따라왔을 겁니다.

─어떻게 그곳을 통과할 수 있었단 말인가?

─우리테슈프는 어떤 이집트인도 감히 그 길로 오지 않을 것이란 이유로 입구를 차단하는 것을 거부했습니다.

구원군은 확 트인 평원을 순식간에 달려와 어떤 저항도 받지 않은채 람세스가 만들어놓은 돌파구로 들이닥쳤다. 그들은 삽시간에 드넓은 평원에 퍼져나갔다.

알레포의 군주가 부르짖었다.

─도망치지 마라! 람세스를 죽여라!

몇몇의 병사들이 그 말에 따랐다. 그러나 그들이 대항하려는 순간 사자의 발톱이 그들의 얼굴과 가슴을 갈가리 찢어버렸다.

알레포의 군주는 람세스의 황금 전차가 자기에게 달려드는 것을 보고 눈이 뒤집혀 도망쳤다. 그의 말은 파라오로부터 도망치기 위해 히타이트 동맹군들을 마구 짓밟았다. 당황한 군주는 고삐를 놓쳤다. 말은 마구 달려 오론테스 강에 뛰어들었다. 거기엔 이미 수많은 전차들이 서로 뒤섞여 이내 수면 아래로 가라앉거나 물살에 떠내려가고 있었다. 병사들은 진창 속에서 숨이 막혀 익사했다. 살아

남은 자들은 헤엄쳐 도망가려 했지만, 모두들 하늘의 불과도 같은 무서운 신과 맞서기보다는 차라리 강 속에 잠기는 쪽을 택했다.

구원군은 람세스의 장대한 승리를 마무리지었다. 그들은 수많은 동맹군을 죽였고, 도망가는 자들을 오론테스 강에 뛰어들게 내몰았다. 전차부대의 중대장 하나가 알레포 군주의 발을 붙잡아 들어올렸다. 그는 이제껏 들이마신 물을 토해냈다.

람세스의 황금 전차가 적의 사령부가 위치해 있는 구릉을 향해 돌진했다.

하투실이 아직 넋을 놓고 있는 대왕에게 권했다.

—후퇴하시죠.

—우리에겐 아직 강 서안의 병력이 남아 있네.

—그것으론 불충분할 겁니다. 람세스가 여울목을 열어 뒤처져 있는 프타와 세트 사단에 길을 터줄 수 있습니다.

대왕은 손등으로 이마의 땀을 닦았다.

—이게 도대체 어이된 일인가, 하투실…… 단 한 사람이 하나의 군대 전체를 풍비박산으로 만들 수 있단 말인가?

—그것이 하늘의 전사라면…… 람세스라면…….

—하늘의 전사라…… 그건 전설에 불과해. 우리는 지금 전설 속에 있지 않아. 전장에 있단 말이야!

—우리는 졌습니다, 폐하. 퇴각해야 합니다.

—히타이트 전사는 후퇴하지 않네.

—우선 폐하의 생명을 보전해야 합니다. 어떻게 싸울 것인지는 나중에 생각합시다.

—어떻게 하잔 말인가?

—성채 안으로 피합시다.

—거기서 우리는 독안에 든 쥐나 다름없어!

하투실이 말했다.

─우리에겐 선택의 여지가 없습니다. 만일 우리가 북쪽으로 도망간다면 람세스와 그의 군사들이 우리를 쫓아올 겁니다.

─카데슈가 정말로 철옹성이기를 바라세.

─저곳은 다른 성채와는 다릅니다, 폐하. 세티마저도 저 요새는 포기했었지요.

─그의 아들은 경우가 다를 거야!

─서둘러야 합니다, 폐하!

무와탈리스는 마지못해 오른손을 쳐들고 한동안 서 있었다. 퇴각 명령이었다.

아무 힘도 쓸 수 없었던 우리테슈프는 피가 나게 입술을 깨물며 퇴각에 참여했다. 오론테스 강의 동안에서 첫번째 여울목으로의 접근을 차단하고 있던 히타이트 대대는 두번째 여울목까지 후퇴했다. 프타 사단의 생존자들은 또다른 함정에 빠질까 두려워 감히 그들을 뒤쫓지 못했다. 사단장은 후방부대인 세트 사단에 전령을 급파해 길이 열렸으니, 그들이 라브위 숲을 통과할 수 있게 됐다는 것을 알리는 것으로 만족했다.

정신을 차린 알레포의 군주는 그를 구했던 병사에게서 도망쳤다. 그는 강을 헤엄쳐 건너서 카데슈로 행군중인 동맹군에 합류했다. 이집트 구원군의 궁수들은 도망자들을 수백 명씩 쓰러뜨렸다.

이집트인들은 시체들 위를 걸으면서 그들에게서 손 하나씩을 잘라냈다. 적군 전사자의 수효를 셈하는 것으로, 그 결과는 역사기록에 남을 것이었다.

아무도 감히 파라오에게 가까이 다가가지 못했다. 거대한 사자는 말들 앞에서 스핑크스처럼 몸을 엎드렸다. 피로 물든 람세스는 황금빛 전차에서 내려 오랫동안 그의 사자와 두 마리 말을 쓰다듬어 주었다. 그는 눈치를 살피며 몸을 사리고 있던 병사들에겐 눈길 한 번 주지 않았다.

왕에게 다가간 첫번째 사람은 메나였다. 종복은 몸을 떨며 간신히 걸음을 옮겼다.

두번째 여울목 너머에선 히타이트 군과 살아남은 동맹군들이 전속력으로 카데슈 성의 거대한 성문을 향해 나아가고 있었다. 이집트 군이 무와탈리스와 그의 족속이 도망가는 것을 막기에는 이미 늦은 것 같았다.

메나가 기어드는 목소리로 말했다.

—폐하…… 폐하…… 우리가 이겼습니다.

카데슈 성에서 시선을 떼지 않고 우뚝 서 있는 람세스는 마치 거대한 화강암 석상 같았다.

메나가 말을 이었다.

—히타이트의 무적의 왕이 폐하께 무릎을 꿇었습니다. 그는 도망쳐버렸어요. 폐하 혼자서 수천 명의 적군을 죽였어요! 과연 누가 폐하의 영광을 제대로 노래할 수 있겠습니까?

람세스는 그의 종복에게 몸을 돌렸다.

놀란 메나는 몸을 엎드렸다. 곧 천둥 같은 호통이 떨어지리라.

—자네인가, 메나?

—예, 폐하. 바로 접니다. 폐하의 충실한 종입니다! 저를 용서하십쇼. 폐하의 군대를 용서하십쇼. 승리를 거두었으니, 부디 저희 잘못을 잊어주십시오.

—충실한 종이여, 파라오는 용서하지 않는 법이다. 그는 다스리고 행동할 따름이다.

55

아몬 사단과 라 사단은 엄청난 손실을 입었다. 프타 사단도 많이 약화되었다. 진군로가 막혀 전투에 참여하지 못했던 세트 사단만이 멀쩡했다. 수천의 이집트 병사들이 죽었다. 더 많은 히타이트 군대와 동맹군들이 목숨을 잃었다. 하지만 단 하나의 사실만이 중요했다. 람세스는 카데슈 전투를 승리로 이끌었다.

물론 무와탈리스와 하투실, 우리테슈프, 그리고 알레포의 군주와 같은 몇몇 동맹국 군주들이 살아남아 성채에 틀어박혔다. 하지만 히타이트의 무적의 신화는 이제 옛말이 되었다. 히타이트의 왕 편에 섰던 수많은 군주들이 물에 빠지거나 화살에 맞아 죽었다. 이번 전투로 크고 작은 공국들은 무와탈리스의 방패가 람세스의 분노로부터 그들을 보호하기에는 충분치 않다는 것을 깨달았을 것이다.

파라오는 그의 막사에서 살아남은 고급장교 전원을 소집했다. 그 중엔 프타와 세트의 사단장들도 끼어 있었다.

승전의 기쁨에도 불구하고 아무도 웃는 사람이 없었다. 황금빛 나무 옥좌에 앉은 람세스는 성난 매의 얼굴을 하고 있었다. 금방이라도 먹이에 달려들 기세였다.

그가 선언했다.

—여기 있는 사람들은 지휘를 책임지고 있소. 그대들 모두는 그대들의 계급을 이용해먹었소. 그대들 모두는 비열한 자들처럼 행동했소. 잘 먹고 좋은 곳에서 자며 세금을 면제받고 존경과 선망을 받는 그대들, 내 군대의 대장들, 그대들은 누구 할 것 없이 모두들 비겁하게 전투가 벌어진 순간에 도망쳤소.

세트 사단장이 한 발 앞으로 나섰다.

—폐하…….

—내 말이 틀렸다는 건가?

장군은 대열로 되돌아갔다.

—나는 더이상 그대들을 믿을 수 없소. 내일 그대들은 또다시 도망칠 것이고 위험을 감지한 참새들처럼 사방으로 흩어질 것이오. 나는 그대들을 지금 당장 해임하겠소. 병사로 군대에 남아 그대들의 나라에 봉사하고 봉급과 연금의 혜택을 누릴 수 있다는 것에 감사하시오.

아무도 항의하지 않았다. 대부분의 사람들은 더 가혹한 처벌을 염려했었다.

같은 날, 왕은 구원군이 된 아무르 지방 주둔군 장교들 가운데서 새로운 지휘관들을 임명했다.

승전을 거둔 그 이튿날부터 람세스는 카데슈 성에 공세를 가하기 시작했다. 성탑의 꼭대기엔 히타이트의 깃발이 나부끼고 있었다.

이집트 궁수들의 사격은 효과가 없었다. 화살들은 적들이 몸을 숨기고 있는 감시구에 부딪혀 부러질 따름이었다. 시리아의 여느 성들과는 달리 카데슈 성탑의 꼭대기는 사정거리 밖이었다.

자신들의 능력을 입증해 보이려는 보병들이 성채가 세워진 바위투성이 봉우리를 기어올라 성벽에 나무 사닥다리를 갖다붙였다. 하지만 히타이트 궁수들이 그들을 거의 몰살시켰고, 간신히 살아남은 자들은 물러설 수밖에 없었다. 다른 모든 시도들도 실패했다.

다음날과 그 다음날, 용기 있는 병사 몇 명이 성벽을 절반쯤 기어오르는 데 성공했지만, 이내 성벽 위에서 날아온 돌덩이들에 맞아 황천길로 떠나고 말았다.

카데슈는 난공불락이었다.

우울한 람세스는 새로이 작전회의를 소집했다. 참석자들은 왕의 눈에 띄기 위해 경쟁적으로 열의를 보였다. 그들의 수다에 지친 왕은 장교들을 물러가게 하고 세타우만 남게 했다.

세타우가 말했다.

─로투스와 나는 우리 자신이 기진해 죽는 일만 생기지 않는다면 십여 명의 목숨을 구할 수 있을 걸세. 지금 같은 속도로 계속 부상자들이 속출한다면 곧 약이 부족하게 될 거야.

─말을 돌리지 말게나.

─이집트로 돌아가세, 람세스.

─카데슈 성은 어떡하고?

─우리는 승리를 거두었잖나.

─카데슈가 이집트의 것이 되지 않는 한, 히타이트의 위협은 계속될 걸세.

─카데슈를 정복하는 것은 너무나 많은 노력과 인명을 요구할 거야. 이집트로 돌아가서 부상자들을 돌보고 군사력을 재정비하자구.

—다른 모든 성들과 마찬가지로 우리는 저 성을 정복할 수 있어.

—하지만 왕의 고집이 잘못된 것이라면?

—이곳의 자연은 굉장히 광활하네. 자네와 로투스는 여기에서 약을 만드는 데 필요한 재료를 찾을 수 있을 거야.

—만일 아샤가 저 성안에 갇혀 있다면?

—저것을 점령해야만 하는 이유가 하나 더 생기는 것이지. 그를 구출해야 되지 않겠나?

그때 종복인 메나가 달려와 절했다.

—폐하, 폐하! 창 하나가 성벽 꼭대기에서 날아왔습니다…… 창 끝에 쪽지가 하나 묶여 있어요!

—이리 줘보게.

람세스는 서신을 읽었다.

이집트의 파라오 람세스에게, 그의 형제인 히타이트의 대왕 무와탈리스가.

우리가 계속해서 대결을 벌이기 이전에 서로 만나서 대화하는 것이 좋지 않겠소? 평원에 막사를 하나 세우시오. 그대 군대와 우리 성채 사이의 중간쯤 되는 곳에 말이오.

내일 태양이 중천에 있을 때 나는 혼자 그곳에 가겠소. 형제께서도 물론 혼자 와주시겠지?

막사 아래 두 개의 옥좌가 마주하고 있었다. 의자 사이에는 잔 두 개와 신선한 물을 담은 작은 단지 하나가 놓인 탁자가 있었다.

두 왕은 서로에게서 눈을 떼지 않은 채 동시에 자리에 앉았다. 더위에도 불구하고 무와탈리스는 붉은색과 검은색의 긴 양모 옷을 걸치고 있었다.

—나는 그 명성이 커져만 가는 내 형제 이집트의 파라오를 만나

게 되어 기쁘오.

─히타이트 대왕의 명성도 수많은 나라에 공포심을 넓혀가고 있지요.

─그 부분에선 내 형제 람세스는 나를 부러워할 게 전혀 없을 거요. 나는 무적의 동맹을 결성했는데, 그댄 그것을 무찔렀소. 도대체 어떤 신의 보호를 받고 있는 거요?

─내 아버지 아몬이오. 그의 팔이 나의 팔을 보충해주었소.

─나는 그러한 힘이 비록 파라오라 하더라도 사람에게 깃들일 수 있으리라고는 생각할 수 없었소.

─당신은 거짓과 속임수를 쓰는 데 주저하지 않았소.

─그것들 역시 다른 것과 다름없는 전쟁의 무기요! 만일 초자연적인 힘이 그대에게 괴력을 부여하지 않았다면 그것들이 그대를 무찌를 수도 있었소. 그대의 그 무모한 용기를 가능케 한 것은 그대 아버지 세티의 영혼이오. 바로 그가 그대에게 두려움과 패배를 잊게 한 것이오.

─투항할 준비가 됐소, 무와탈리스?

─그렇게 거칠게 나오는 것이 내 형제의 습관이오?

─히타이트의 팽창주의 정책 때문에 수많은 사람이 죽었소. 이제는 헛된 대화를 나눌 때는 지났소. 당신은 투항할 준비가 되었소?

─내 형제는 내가 누군지 아시는 건가?

─카데슈 요새에 꼼짝없이 갇힌 히타이트의 대왕이시지.

─나와 함께 내 아우 하투실과 내 아들 우리테슈프, 내 신하들과 내 동맹국의 군주들이 있소. 우리가 항복한다는 것은 제국의 목을 치는 일이오.

─싸움에 진 자는 패배의 결과를 감당해야 하오.

─그대는 카데슈 전투에서 승리를 거두었소. 하지만 성은 멀쩡하오.

─조만간 함락될 거요.

─그대의 첫 공세는 효력이 없었소. 그렇게 계속하다간 카데슈의 성벽에 손톱자국 하나 내지 못한 채 많은 병사들을 잃게 될 거요.

─바로 그 때문에 나는 다른 전략을 채택하기로 결심했소.

─우리는 형제지간이니, 내게도 가르쳐주시겠소?

─눈치채지 못했소? 그것은 시간에 기대는 것이오. 성안에는 많은 사람들이 있소. 우리는 식량이 떨어질 때까지 기다릴 것이오. 즉각적인 투항이 기나긴 고통보다는 낫지 않겠소?

─내 형제 람세스는 저 성을 잘 모르고 있소. 카데슈의 방대한 창고는 많은 양의 식량을 비축하고 있어서 우리는 몇 달 동안 포위를 감당할 수 있을 것이오. 우리는 들판의 이집트 군보다 더 유리한 상황에 있을 것이오.

─허풍치지 마시오!

─천만에, 형제여. 천만의 말씀! 그대들 이집트인들은 그대들의 나라에서 아주 멀리 떨어져 있소. 시간이 지날수록 점점 더 견디기 힘든 나날이 될 거요. 그대들이 머나먼 타지에서 지내는 것을 싫어한다는 것을, 그리고 이집트는 오랫동안 그의 파라오 없이 지내는 것을 좋아하지 않는다는 것을 누구나 알고 있소. 곧 가을이 될 테고, 겨울이 추위와 질병과 함께 찾아올 거요. 또 환멸과 권태도 있지. 내 말을 믿으시게, 내 형제 람세스. 우리는 그대들에 비해 유리한 입장에 있을 거요. 행여 우리에게 물이 부족하리라고 기대하지 마시오. 카데슈의 저수지는 가득 차 있고 성의 중앙에도 우물을 파 놓았다오.

람세스는 물을 조금 마셨다. 갈증 때문이 아니라 잠시 대화를 끊고 생각할 틈을 얻기 위해서였다. 무와탈리스의 말이 모두 거짓말 같진 않았다.

─형제도 갈증을 풀고 싶으신가?

─아니오. 나는 더위를 잘 견디오.

—독이 들었을까봐 그러시오? 히타이트 궁정에선 자주 그런다던데.

—그런 암투는 사라진 지 오래요. 하지만 나는 내게 올라온 음식을 시종이 먼저 맛보게끔 하지요. 내 형제 람세스는 어릴 적 친구들 가운데 하나인 젊고 탁월한 외교관 아샤가 상인의 옷을 입고 간첩임무를 수행하던 중 체포되었다는 것을 아셔야 할 거요. 만일 내가 우리의 법을 적용시켰다면 그는 이미 죽었을 것이오. 하지만 나는 그대가 소중한 친구를 구하게 되면 기뻐하리라 생각했소.

—틀렸소. 무와탈리스. 내 속에서 왕은 사람을 삼켜버렸소.

—아샤는 단지 그대의 친구일 뿐만 아니라 이집트 외교의 진정한 책임자요, 아시아를 가장 잘 아는 자이지. 현명한 왕이라면, 그가 얼음처럼 냉혹할지라도 그의 장기판에서 아주 중요한 말 하나를 희생시키진 않을 게요.

—무엇을 제안하는 거요?

—강화조약! 일시적인 것일지라도. 그것이 고약한 전투보다는 낫지 않겠소?

—강화라…… 불가능하오!

—잘 생각해보오, 내 형제 람세스. 나는 이 전투에 히타이트 군 전체를 동원한 것이 아니오. 구원군이 오래지 않아 나를 도우러 올 거요. 그러면 그대는 포위를 풀지 않은 채 또다른 전투를 벌여야만 하오. 그것은 병력에 있어서나 장비에 있어 이집트 군의 능력을 벗어나는 일이오. 그대의 승리는 재난으로 뒤바뀔 거요.

—당신은 카데슈 전투에서 패했소, 무와탈리스. 그런 당신이 감히 강화를 요구하다니!

—나는 공식문서를 작성해서 내 패배를 인정할 준비가 되어 있소. 그것이 그대 손에 들어가면 포위를 푸시오. 내 제국의 국경은 영원히 카데슈에 고정될 거요. 내 군대는 결코 이집트를 침략하지 않을 것이오.

56

아샤의 감방문이 열렸다.

냉정한 그였지만, 젊은 외교관은 깜짝 놀랐다. 간수들의 굳은 얼굴은 그리 좋은 징조가 아니었다. 감금된 이후 아샤는 매일같이 처형될 날을 가늠했다. 히타이트인들은 간첩들에 대해서는 어떠한 아량도 보이지 않았다.

도끼? 단도? 아니면 절벽에서 강제로 뛰어내리게 할까? 그는 자신이 구경거리가 되지 않고 갑작스럽고 빠르게 죽을 수 있기를 바랐다.

아샤는 방패와 창으로만 장식된 삭막한 방으로 던져졌다. 히타이트에선 항상 그렇듯, 그 방에서도 역시 전쟁이 자신의 존재를 상기시키고 있었다.

여사제 푸투헤파가 물었다.

—어떻게 지내시오?

—운동이 부족하고 당신네 음식이 마음에 들지 않소. 하지만 나는 아직 살아 있소. 기적이 아니오?

—어떤 점에선 그렇다고 할 수 있죠.

—나는 내 운이 다해간다는 느낌이 드오…… 하지만 당신의 존재는 나를 안심시킵니다. 여자가 그토록 잔인하진 않겠죠?

—히타이트 여인에게 나약함을 기대하진 말아요.

—내가 지닌 매력도 아무 소용이 없단 말씀인가?

여사제의 얼굴에 분노가 서렸다.

—당신은 지금 당신이 처한 상황을 분명히 인식하고 있는 건가요?

—이집트의 외교관이라면 미소를 지으며 죽을 줄 아오. 비록 그의 사지는 온통 떨더라도 말이오.

아샤는 람세스의 분노를 생각했다. 그는 저승까지 쫓아와서라도, 아샤가 히타이트에서 도망나와 무와탈리스가 끌어모은 거대한 동맹군을 그에게 알려주지 못한 사실을 비난할 것이다. 여인은 세 마디로 된 그의 짧은 메시지를 전해주었을까? 그는 거의 믿지 않았다. 하지만 만일 그렇다면 파라오에게는 그것의 의미를 알아차릴 만한 직관이 있었다.

정보가 없었다면 이집트 군은 카데슈에서 패배했을 것이고, 셰나르가 이집트의 왕좌에 올랐을 것이다. 모든 것을 잘 따져보면 그렇게 형편없는 압제자의 폭정을 견디느니, 죽는 게 나은 일인지도 모른다.

푸투헤파가 말했다.

—당신은 람세스를 배신하지 않았어요. 그리고 당신은 결코 셰나르의 명령을 따른 적이 없어요.

-당신 판단에 맡기겠소.

그녀가 이를 악물며 내뱉듯이 말했다.

-카데슈 전투가 있었어요. 람세스는 동맹군을 쳐부쉈지요.

아샤는 정신이 멍해졌다.

-나를 놀리는 거요…….

-불행하게도 아니오. 나는 농담할 기분이 아네요.

어리둥절해진 아샤는 푸투헤파의 말을 되뇌었다.

-동맹군을 쳐부쉈다고…….

푸투헤파가 덧붙였다.

-우리 대왕은 살아 있고 포로로 붙잡히지도 않았어요. 그리고
카데슈 성도 무사해요.

외교관의 기분이 어두워졌다.

-나를 어떻게 할 작정이오?

-간첩인 당신을 기꺼이 불태워 죽이고 싶어요. 하지만 당신은
협상에서 중요한 담보가 됐어요.

이집트 군은 성 앞에 진을 쳤다. 성벽은 유월 초의 뜨거운 태양
에도 불구하고 음울한 느낌을 주었다. 람세스와 무와탈리스 사이의
회담 이후로 파라오의 병사들은 카데슈에 대해 어떤 공격도 가하지
않았다. 성벽의 꼭대기에서 우리테슈프와 히타이트 궁수들은 평화
로운 일거리들에 몰두하고 있는 이집트 군을 지켜보고 있었다. 그
들은 말, 당나귀, 소 등을 돌보거나 도박에 여념이 없었고, 어떤 자
들은 격투대회를 열었으며, 각 연대의 주방병들은 약식으로 다양한
요리를 만들어 병사들을 먹였다.

람세스는 고급장교들에게 단 한 가지 명령만을 내렸다. 군기를
준수할 것! 그들은 무와탈리스와 이루어진 협약에 대해선 아무것도
알아낼 수 없었다.

신임 세트 사단장이 위험을 무릅쓰고 왕에게 물었다.

—폐하, 저희는 어찌할지를 모르겠습니다.

—커다란 승리를 거둔 것으론 성이 차지 않는단 말이오?

—우리는 오로지 폐하만이 카데슈의 승자라는 것을 알고 있습니다. 그런데 왜 저 성을 공격하지 않는 겁니까?

—왜냐하면 우리가 빼앗을 가능성이 없기 때문이오. 성공 가능성이 별로 없는 상태에서 공격을 개시한다면 적어도 우리 군대의 절반을 희생시키게 될 것이오.

—얼마나 더 오랫동안 저 저주받을 성을 바라보며 앉아 있어야 하는 겁니까?

—나는 무와탈리스와 하나의 협정을 맺었소.

—그렇다면…… 평화가?

—조건을 제시하였소. 만일 그 조건들이 충족되지 않는다면 우리는 다시 전투에 들어갈 것이오.

—어느 정도의 유예기간을 예상하십니까, 폐하?

—이번 주말까지. 히타이트 왕의 약속이 가치 있는 것인지 아닌지 곧 알게 될 것이오.

멀리 북쪽으로부터 먼지구름이 일었다. 몇 대의 히타이트 전차들이 카데슈로 접근하고 있었다. 어쩌면 무와탈리스와 그의 동족을 구하기 위해 달려온 구원군의 전위들일지도 모르는 일이었다.

람세스는 이집트 진영을 사로잡는 동요를 가라앉혔다. '테베의 승리'와 '무트 여신은 만족하네'가 끄는 전차에 오른 왕은 사자를 데리고 히타이트 대대를 맞으러 갔다.

히타이트 궁수들은 손에 고삐를 잡은 채로 있었다. 람세스와 사자의 명성은 이미 온 히타이트에 퍼져 있었다.

한 사람이 전차에서 내려 파라오가 있는 쪽으로 다가왔다.

우아하고 기품 있는 얼굴에 잘 다듬은 턱수염을 한 아샤가 예의 범절도 잊고 람세스에게로 달려왔다.

왕과 그의 친구는 포옹했다.

—제 메시지가 소용이 있었습니까, 폐하?

—반반일세. 나는 자네의 경고를 미처 다 깨닫지는 못했네. 하지만 운명의 여신이 이집트에 미소를 보냈네. 그리고 자네 덕분에 늦지 않게 개입할 수 있었어. 우리에게 승리를 가져다준 것은 아몬 신일세.

—다시는 이집트를 못 보는 줄 알았습니다. 히타이트의 감옥은 불결하기 그지없지요. 적에게 제가 셰나르의 동지라고 믿게 하려고 많이 애썼습니다. 그것이 제 목을 붙어 있게 했을 겁니다. 많은 일들이 순식간에 지나갔지요. 그곳에서 죽는 것은 정말 제 취향엔 맞지 않는 일이라서 말이죠.

—우리는 휴전을 해야할지, 아니면 전쟁을 계속해야 할지 결정을 내려야만 하네. 자네 의견이 큰 도움이 될 거야.

왕의 막사에서 람세스는 히타이트 왕이 보내온 서한을 아샤에게 보여주었다.

나 무와탈리스는 그대 람세스의 신하요. 그리고 나는 그대를 빛에서 태어난, 진정으로 빛에서 태어난 빛의 아들이라 인정하오. 내 나라는 그대의 신하국이오. 내 나라는 그대의 발치에 있소. 하지만 그렇다고 그대의 힘을 남용하진 마시오!

그대의 권위는 완전무결하오. 그대는 위대한 승리를 거둠으로써 그러한 사실을 입증했소. 그런데 왜 그대는 아직도 그대 신하의 백성을 몰살시키려 하시오? 그대는 왜 역정을 풀지 않는 거요?

그대는 승자이니, 평화가 전쟁보다는 낫다는 것을 가르쳐주시오. 그리고 히타이트인들의 숨통을 열어주시오.

아샤가 말했다.

—썩 나쁘진 않은 외교적인 필법이군요.

—자네에게는 이 메시지가 이 지역의 모든 나라들에 통할 만큼 충분히 명시적이라고 여겨지는가?

—이건 굉장한 것입니다! 히타이트의 대왕이 전투에서 패했다는 것만으로도 세상이 뒤집혀질 일입니다. 게다가 그가 자신의 패배를 인정했다는 건 폐하의 명성을 드높이게 될 또 하나의 기적입니다.

—나는 카데슈를 정복하는 데 실패했네.

—저 성채가 뭐란 말입니까! 폐하는 결정적인 전투를 승리로 이끌었어요. 무적의 무와탈리스는 이제 자신을 폐하의 봉신이라 밝히고 있습니다. 적어도 말로는…… 그러한 갑작스런 굴종의 태도는 폐하의 위세를 드높이는 데 엄청난 효력을 발휘할 것입니다.

무와탈리스는 람세스가 받아들일 만한 서한을 보내고 아샤를 풀어줌으로써 자신의 약속을 지켰다. 람세스는 포위를 풀고 이집트로 회군할 것을 명령했다.

무수한 병사들이 목숨을 잃은 그곳을 떠나기 전에 람세스는 성채를 되돌아보았다. 그곳에서 무와탈리스와 그의 아우, 그의 아들은 무사히 빠져나갈 것이다. 파라오는 그 히타이트의 힘의 상징을 파괴하는 데까지 이르지는 못했다. 하지만 동맹군의 참혹한 패배 이후에 그들에게 무엇이 남겠는가? 무와탈리스는 자신이 람세스의 신하라 공언하지 않았는가…… 그 누가 이러한 성공을 감히 상상이나 했겠는가? 왕은 잊지 않을 것이다. 하늘의 아버지의 도움이 없었다면, 자신이 재난을 승리로 뒤바꾸지 못했으리란 사실을.

감시병들의 대장이 말했다.

―카데슈 평원엔 이제 이집트 군이 남아 있지 않습니다.

무와탈리스가 자기 아들 우리테슈프에게 명령했다.

―남쪽과 동쪽, 서쪽에 척후병들을 보내라. 람세스는 아마도 내가 준 교훈을 간직했을 거다. 그는 숲속에 군대를 숨겨놓고 우리가 성에서 나가자마자 공격할지도 모른다.

―언제까지 계속 피해야만 하는 겁니까?

하투실이 말했다.

―우리는 하투사에 돌아가야 하네. 우리의 힘을 재정비하고 우리의 전략을 재고해야 해.

우리테슈프가 열을 냈다.

―나는 패배한 장군한테 묻는 게 아니라 히타이트의 대왕한테 묻는 거요.

무와탈리스가 끼어들었다.

―그만둬라, 아들아. 동맹군의 총사령관에겐 잘못이 없다. 우리는 모두 람세스의 힘을 과소평가했어.

―제게 맡겨주셨다면 우리가 이겼을 겁니다!

―틀렸어. 이집트 군의 장비는 아주 우수했고 파라오의 전차들은 우리 것에 버금가는 것이었다. 네가 주장하던 평원에서의 정면충돌은 우리에게 불리하게 돌아갔을 거다. 우리 군대는 아주 심각한 손실을 입었을 거야.

―그럼 아버지는 이런 치욕스런 패배가 만족스럽단 말입니까?

―우리는 이 성을 지켰다. 히타이트는 침략당하지 않았어. 이집트와의 전쟁은 계속될 것이다.

―아버지가 서명한 수치스런 문서가 있는데, 어떻게 전쟁을 계속한단 말입니까?

하투실이 대답했다.

―그것은 어떤 평화조약이 아니라, 한 왕이 다른 왕에게 보내는

단순한 편지에 불과하네. 람세스가 그것에 만족해한다는 것은 그의 미숙함을 증명하는 것이야.

−무와탈리스는 자신을 파라오의 봉신이라 생각한다고 분명히 선언하지 않았소!

하투실이 미소지었다.

−봉신이 자신의 군대를 거느리고 있을 때는 그 무엇도 그가 반란을 일으키는 것을 막을 수 없지.

우리테슈프는 무와탈리스를 정면으로 마주 보았다.

−저 무능력자의 말을 더이상 듣지 마세요, 아버지. 그리고 저한테 군사적인 전권을 주십쇼. 외교적인 술책이나 속임수로는 아무것도 얻을 수 없어요. 나, 오로지 나만이 람세스를 박살낼 수 있어요!

대왕이 잘라 말했다.

−하투사로 돌아가자. 우리 산들의 공기가 앞일을 생각하는 데 도움을 줄 거다.

57

람세스는 힘차게 도약하여 네페르타리가 헤엄치고 있는 연못 속으로 뛰어들었다. 왕은 물 속에서 아내의 몸을 껴안았다. 놀란 척하며 그녀는 물 속으로 함께 가라앉았다. 이윽고 그들은 몸이 엉킨채 수면 위로 떠올랐다. 노란 개는 짖어대며 연못 주위를 뛰어다녔고, 사자는 용맹에 대한 보상으로 받은 목걸이를 목에 건 채 무화과나무 그늘 아래에서 졸고 있었다.

람세스는 네페르타리를 쳐다볼 때마다 그녀의 아름다움에 매료되지 않을 수 없었다. 단순한 육체의 결합을 넘어서서 그들 사이에는 시간보다도 강하고 죽음보다도 강한 어떤 신비한 관계가 존재하고 있었다. 그들이 연못의 녹푸른 물결 속에 몸을 맡기고 있는 동안 부드러운 가을 햇살이 그들의 얼굴을 따사로운 빛으로 물들였다. 왕과 왕비가 물에서 나오자 노란 개는 짖기를 그치고 그들의 다리를 핥았다.

네페르타리는 너무나 탐스러웠다. 람세스의 손은 곧 뜨거워졌다. 손은 미지의 땅에 들어선 탐험가처럼 맹렬하게 젊은 여인의 활짝 피어오른 몸을 샅샅이 답사했다. 처음엔 수동적이던 그녀는 이내 연인의 초대에 응했다.

온 나라에서 람세스는 대왕으로 불리게 되었다. 그가 피-람세스에 귀환했을 때 수많은 군중은 히타이트인들을 패주시키는 데 성공하고, 적들을 그들의 영토로 쫓아버리는 데 성공한 카데슈 전투의 승리자인 파라오를 환호했다. 모든 도시와 마을에서 몇 주일 동안 축제가 벌어져 이집트가 거둔 엄청난 승리를 축하했다. 침략의 망령이 사라졌다. 이집트는 그 본능적인 삶의 환희에 빠져들었다. 풍성한 수확을 약속하는 풍성한 범람이 이집트인들의 기쁨을 더해주었다.

세티의 아들이 왕위에 오른 지 5년째가 되는 그 해는 위대한 승리로 막을 내리고 있었다. 군의 새로운 지휘관들은 그에게 충성을 바쳤고, 조신들도 왕 앞에 허리를 굽혔다.

람세스의 젊은 시절이 끝나가고 있었다. '두 개의 땅'을 다스리는 스물여덟 살의 사내는 위대한 군주의 역량을 갖추고 있었으며, 벌써 자신의 시대에 영원히 지워지지 않을 각인을 남겼다.

지팡이에 의지한 채 호메로스는 람세스에게 다가왔다.

―끝냈습니다, 폐하.

―제 팔에 기대어 좀 걸으시겠습니까? 아니면 선생의 레몬나무 아래 앉으시겠습니까?

―좀 걷지요. 제 머리와 손이 요즘 일을 많이 했지요. 이젠 다리가 일을 할 차례입니다.

―그 새로운 일 때문에 『일리아드』의 저술이 중단됐던 것은 아닙니까?

―물론입니다. 하지만 폐하는 저에게 굉장한 소재를 제공하셨습니다.

―그걸 어떻게 다루셨습니까?

―진실을 존중했지요, 폐하. 저는 폐하의 군대가 보인 비겁함도, 폐하의 절망적이고 외로운 싸움도, 폐하가 신에 호소한 것도 숨기지 않았지요. 이번 전투의 범상치 않은 정황이 저를 흥분시켰습니다. 마치 제가 첫 작품을 쓰는 젊은 시인이 된 것 같았지요. 시구들이 내 입술 위에서 노래하고 장면들이 저절로 머리에 떠올랐습니다. 폐하의 친구 아메니가 저를 많이 도왔습니다. 제가 범한 문법적인 실수 몇 가지를 고쳐주었지요. 이집트어는 쉬운 언어가 아닙니다. 하지만 그 유연함과 정확성은 시인에게는 하나의 행복이지요.

람세스가 말했다.

―카데슈 전투의 이야기는 카르낙 신전의 대열주의 홀 남쪽 외벽과, 룩소르 신전의 안마당 외벽과 탑, 그리고 아비도스 신전의 외벽과, 미래의 내 영원의 신전 앞뜰에 새겨질 겁니다.

―그리하여 영원한 돌이 카데슈 전투의 기억을 영원히 간직하게 되겠군요.

―그렇게 함으로써 숨어 있는 신 아몬을 기리고, 무질서와 혼돈에 대한 질서의 승리와, 혼돈을 쫓아내는 규범의 힘을 찬양하고자 하는 겁니다, 선생.

―폐하는 저를 놀라게 합니다. 그리고 이집트는 매일 조금씩 더 저를 놀라게 합니다. 저는 폐하의 그 유명한 규범이 이집트를 파괴하기로 결심한 적을 물리치는 데 실제로 도움을 주리라고는 믿지 않았습니다.

―만일 마아트의 사랑이 나의 생각과 의지에 더이상 생명을 주지

않는다면 내 지배는 곧 끝나게 될 겁니다. 이집트는 또다른 지아비를 찾아야 하겠지요.

그가 먹어대는 엄청난 양의 음식에도 불구하고 아메니는 살이 찌지 않았다. 여전히 마르고 창백하고 허약한 왕의 개인비서는 사무실에서 몇몇 부하들과 함께 어마어마한 분량의 서류들을 처리하고 있었다. 그에게 건전한 행정이란 한마디의 원칙으로 요약되었다. 자리가 높을수록 그 책임도 커지며, 잘못이나 무능의 경우에 그 처벌도 엄해야만 했다. 대신에서 각 부서장에 이르기까지 모든 책임자는 부하들의 잘못을 책임졌고 그 대가를 치렀다. 해임된 대신들이나 강등된 관리들은 자신들의 희생을 대가로 아메니의 엄격함을 직접 체험할 수 있었다.

다음해에 제방을 강화하려는 자신의 계획에 대해 아메니가 거의 설명을 끝냈을 무렵, 세라마나가 왕의 집무실로 들어왔다. 세라마나는 왕 앞에 몸을 굽혔다.

람세스가 물었다.

─내게 아직도 화를 내고 있는 건가?

─저라면 폐하를 그 혼전 속에 버려두지 않았을 겁니다.

─내 아내와 어머니를 돌보는 일은 가장 중요한 임무였네.

─그것을 부정하는 건 아닙니다. 하지만 저는 폐하 곁에서 히타이트놈들을 모조리 때려잡고 싶었습니다. 그놈들의 오만함에 분통이 터집니다. 최고의 전사들이라 자처하는 자들이라면 성안에 몸을 숨기지는 않습니다!

아메니가 끼어들었다.

─우리 시간이 귀중하네. 자네 조사는 어떤 결과를 얻었나?

세라마나가 대답했다.

─전혀.

―아무런 단서도 없나?

―나는 마차와 이집트 경찰관들의 시체를 발견했네. 하지만 셰나르의 것은 없었어. 돌오두막에 대피해 있던 상인들의 증언에 따르면 모래폭풍은 엄청나게 세찼고 또 이례적으로 오래 계속되었다는군. 나는 카르게흐 오아시스까지 갔었어. 나와 내 부하들은 사막을 샅샅이 뒤졌다고 단언할 수 있네.

아메니가 말했다.

―아무것도 보이지 않는 모래폭풍 속으로 들어갔다면 셰나르는 필경 메마른 강바닥에 떨어졌을 것이고, 그의 몸은 최소한 1톤의 모래 아래 파묻혔겠군.

세라마나가 말했다.

―다들 그렇게 생각하지.

람세스가 말했다.

―나는 그렇지 않네.

―그 지옥에서 빠져나올 수 있는 기회는 전혀 없습니다, 폐하. 그는 큰길을 벗어난 이후 방향을 잃었을 테고, 폭풍과 모래와 갈증에 오래 버티지 못했을 겁니다.

―그의 증오는 너무 강렬해서 그것이 그에게 물과 음식으로 사용됐을 것이네. 셰나르는 죽지 않았어.

왕은 제물을 바치는 제단에 한 묶음의 백합과 파피루스를 놓고 외무성의 입구에 있는 토트의 신상 앞에서 명상에 잠겼다. 머리에 초승달을 인 비비원숭이의 좌상에 구현되어 있는 깨달음의 신은 인간들의 속세 저 너머의 하늘을 향해 시선을 들고 있었다.

람세스가 지나가자, 외무성 관리들은 자리에서 일어나 절했다. 새로운 외무대신 아샤가 직접 자기 사무실의 문을 열어주었다. 왕은 조신들에게 하나의 영웅이 된 그의 친구와 포옹했다. 왕이 직접 방문했다는 것은 굉장한 일이었다. 그것은 아샤가 이집트 외교의 수장 역할을 해나가는 데 큰 힘을 실어줄 것이다.

그의 사무실은 아메니의 그것과는 아주 달랐다. 시리아에서 수입된 장미꽃 다발, 수선화와 금잔화를 한데 엮은 꽃장식들, 원탁 위에 올려놓은 날씬한 백대리석 화병들, 아카시아로 만들어진 함들, 현란한 색의 벽지 등 화려하고 우아한 장식들로 가득 차 있어, 일하는 곳이라기보다는 어느 사치스런 별장을 생각나게 했다.

총명함으로 번뜩이는 눈에 향을 낸 가발을 쓴 아샤는 어느 연회에 초대받은 손님처럼 보였다. 이 상류사회의 유명인사가 장사꾼의 헌 옷으로 갈아입고 히타이트 땅을 내달리며 간첩 역할을 수행했다고, 누가 짐작이나 하겠는가? 신임 대신의 사무실에는 그 호사스런 분위기를 흩뜨리는 서류 한 장 쌓여 있지 않았다. 그는 중요한 정보들을 자신의 엄청난 기억력 속에 간직하는 것을 더 좋아했다.

─꼼짝없이 사직해야 할 판입니다, 폐하.

─어떤 중대한 실수를 저질렀단 말인가?

─비능률이지요. 우리 부서는 모든 노력을 다했습니다. 하지만 모세를 찾아낼 수가 없더군요. 이상한 일입니다…… 보통은 사람들 말문이 열리기 마련인데. 제가 내린 한 가지 결론은 그가 어떤 외딴 곳에 숨어 있고, 거기서 움직이지 않는단 것입니다. 만일 그가 이름을 바꾸고 어느 베두인 족의 천막 속에 숨어 있다면 그를 찾아내는 일은 아주 어려울 겁니다. 거의 불가능하지요.

─수색을 계속하게. 그리고 우리 영토 내에 뿌리박은 히타이트 간첩조직은 어찌 되었나?

─젊은 금발 여인의 시신은 신원이 확인되지 않은 채 매장되었습니다. 마법사는 사라져버렸고…… 필경 그는 이집트를 빠져나가는 데 성공했을 겁니다. 거기서도 역시 떠도는 말들이 전혀 없습니다. 마치 며칠 사이에 조직의 구성원들이 모두 증발해버린 것 같아요.

우리는 끔찍한 위험을 모면한 것입니다.

─그것이 정말 사라졌다고 말할 수 있는가?

아샤가 말했다.

─그렇게 생각하는 것은 오만이겠지요.

─감시를 소홀히 하지 말게나.

아샤가 말했다.

─저는 히타이트인들의 반격 능력에 대해 자문해봤지요. 그들은 자신들의 패배로 큰 모욕을 당했습니다. 그들의 내부 불화는 심각합니다. 그들은 평화 속에 틀어박혀 있지 않을 겁니다. 하지만 그들이 다시 숨을 쉬기 위해서는 몇 달, 아니 몇 년이 필요할 겁니다.

─메바는 어떤가?

─위풍당당한 제 선임자께선 열성적으로 저를 보좌하고 있지요. 그는 자기 자리에 머물 줄 알아요.

─그를 조심하게. 전임 대신으로서 그는 자네를 시기할 수밖에 없을 걸세. 시리아 남부의 우리 수비대 책임자들이 보고를 해오고 있나?

─바람 한 점 없이 잔잔하답니다. 하지만 저는 그들의 명철함을 전적으로 믿지는 않아요. 바로 그 때문에 내일 아무르 지방으로 떠나려고 합니다. 우리는 그곳에 어떤 침공이라도 저지할 수 있는 군사력을 조직해놓아야만 합니다.

58

푸투헤파는 분노를 가라앉히기 위해서 히타이트의 수도에서 가장 신성한 장소에 틀어박혔다. 그것은 '높은 도시'의 지하에 암벽을 뚫어 만든 방이었으며, 대왕의 처소가 있는 성채와도 가까웠다. 무와탈리스는 카데슈의 패배 이후 아우와 아들에게 똑같이 거리를 두기로 작정했다. 두 경쟁적인 도당 사이의 균형을 유지할 수 있는 사람은 오로지 자신뿐임을 자처하면서, 그 개인적 권력을 강화하였다.

지하 방의 천장은 궁륭형으로 되어 있었고, 벽에는 날개를 단 태양을 머리 위에 얹은 전사요 동시에 사제인 대왕이 그려져 있는 부조가 있었다. 푸투헤파는 피로 얼룩진 검 하나가 놓여 있는 지옥의 제단으로 향했다.

바로 그곳에 그녀는 무와탈리스의 벼락 같은 분노로부터 자신의 남편을 구하고, 그가 대왕의 신임을 다시 받을 수 있게 하고자 계시를 얻으러 온 것이었다. 아직도 가장 호전적인 군사계급의 지지를 얻고 있는 우리테슈프는 가만히 앉아만 있진 않을 것이었다. 하투실을 죽이고 심지어 무와탈리스까지 제거하려 할 것이었다.

푸투헤파는 남편만을 생각하며 한밤중까지 명상에 잠겼다.

지옥의 신이 그녀에게 대답을 내렸다.

대왕 무와탈리스와 그의 아들 우리테슈프, 그의 아우 하투실이 모인 작전회의는 격렬한 대결의 장이 되었다.

우리테슈프가 말했다.

─하투실이 우리의 패배를 책임져야 합니다. 만일 내가 동맹군을 지휘했었다면 우리는 이집트 군을 박살냈을 겁니다.

하투실이 상기시켰다.

─우리는 이집트 군을 박살냈었네. 하지만 람세스가 그런 상상조차 할 수 없는 힘을 발휘하리라고 누가 예상할 수 있었겠나?

─나라면 그를 무찔렀을 거요!

왕이 끼어들었다.

─자만하지 마라. 그 누구도 그날 전투에서 람세스가 보였던 힘을 이겨내진 못했을 것이다. 신들이 말을 할 때는 그들의 목소리를 들을 줄 알아야 하느니라.

무와탈리스의 선언은 아들로 하여금 자신이 선택한 길을 계속 가지 못하게 막았다. 그는 다른 방향에서 공격을 던졌다.

─앞으로 어떻게 하면 좋겠습니까, 아버지?

─생각중이다.

─생각만 할 때가 아닙니다! 우리는 카데슈에서 웃음거리가 됐어요. 가능한 한 빨리 반격하는 것이 중요합니다. 저한테 아직 살아남

은 동맹군의 지휘를 맡겨주십쇼. 저는 이집트를 침공하겠습니다.

하투실이 말했다.

ㅡ말도 안 돼. 우리가 가장 먼저 신경써야 할 것은 우리의 동맹을 유지하는 일이네. 동맹국들은 많은 인원을 잃었고, 우리가 그들을 지원하지 않는다면 몇몇 군주들의 권좌가 흔들릴 위험이 있어.

우리테슈프가 되받았다.

ㅡ패배자가 웬 말이 그리 많아! 아버지, 하투실은 자신의 비겁함과 무능력을 숨기기 위해 시간을 벌려는 겁니다.

무와탈리스가 말했다.

ㅡ말 좀 곱게 써라. 독설은 불필요하다.

ㅡ망설임은 이제 충분합니다, 아버지. 나한테 전권을 주세요.

ㅡ왕은 나다, 우리테슈프. 너는 나한테 이래라저래라 할 수 없어.

ㅡ정 그러시다면 아버지는 저 간신 같은 자와 함께 계십쇼. 저는 아버지가 우리 군대를 승리로 이끌라고 제게 명령할 때까지 제 방에 물러가 있겠습니다.

신경질적인 발걸음으로 우리테슈프는 접견실을 나갔다.

하투실이 인정했다.

ㅡ그가 완전히 틀린 것만은 아닙니다.

ㅡ무슨 소린가?

ㅡ푸투헤파가 지옥의 신들에게 물어보았죠.

ㅡ그들이 뭐라 대답했나?

ㅡ우리가 카데슈의 실패를 씻어야만 한답니다.

ㅡ무슨 계획이 있나?

ㅡ위험한 일이지만, 제가 감당할 만합니다.

ㅡ너는 내 아우다, 하투실. 네 목숨은 내게도 소중한 것이다.

ㅡ저는 카데슈에서 실수를 범했다고 믿지 않습니다. 그리고 제국이 강성해지는 것만이 제 가장 열렬한 소원이올시다. 지옥의 신들

이 요구하는 것을 저는 성취하겠습니다.

네드젬은 읽기와 쓰기에서 카가 보이는 재능에 매료되어 맘껏 공부와 연구의 취미를 충족시킬 수 있게 허락하고 있었다.

농무대신과 왕자는 더할 나위 없이 사이가 좋았다. 람세스도 그러한 교육방식에 기뻐했다. 그런데 네드젬이 처음으로 람세스의 명령에 반대해야 할 필요를 느꼈다. 그러한 불손이 자신의 해임을 가져올지도 모른다는 사실도 알고 있었다.

—폐하…….

—듣고 있네, 네드젬.

—아드님 말씀인데요…….

—준비가 됐나?

—예, 그런데…….

—아이가 어디 아픈가?

—아닙니다, 폐하. 그런데…….

—그럼 당장 이리로 보내게.

—황송한 말씀이옵니다만, 폐하. 저는 저토록 어린 아이가 폐하께서 시키시려는 그런 위험한 일을 해낼 수 있으리라고는 생각되지 않습니다.

—내가 판단하도록 해주게, 네드젬.

—위험합니다…… 너무 위험해요!

—카는 그것이 무엇이 됐건 자신의 운명과 맞서야만 하네. 그는 다른 아이들과는 달라.

대신은 자신의 주장이 헛되리라는 것을 깨달았다.

—이따금 저는 그것이 유감입니다, 폐하.

북풍이 델타에 불고 있었다. 하지만 바람은 비를 실은 거대한 검은 구름을 쫓아버리지는 못했다. 훌륭한 회색 말을 탄 아버지의 뒤에 앉아 어린 카는 몸을 떨었다.

　—추워요, 아버지. 좀 천천히 가면 안 돼요?

　—우리는 서둘러야 한다.

　—어디로 가는 거예요?

　—죽음이 있는 곳이지.

　—부드러운 미소를 지닌 서녘의 아름다운 여신 말이지요?

　—아니. 그 죽음은 올바른 사람들의 죽음이란다. 그런데 넌 아직 올바른 사람이 아냐.

　—나도 올바른 사람이 될 거예요!

　—그럼, 첫번째 단계를 건너야지.

　카는 이를 악물었다. 결코 아버지를 실망시키지 않을 것이다.

　람세스는 어느 운하 가까이에 멈춰 섰다. 그것이 나일 강의 지류와 만나는 곳에는 화강암으로 된 작은 신전이 세워져 있었다. 그곳은 고요해 보였다.

　—그 죽음이란 게 여기 있나요?

　—이 건물 안에 있다. 무서우면, 들어가지 마라.

　카는 말에서 뛰어내렸다. 그는 이야기에서 들은 적이 있는 위험을 쫓는 데 사용되는 마법의 주문을 기억해냈다. 그는 아버지를 돌아보았다. 람세스는 움직이지 않았다. 카는 파라오에게 어떤 도움도 바랄 수 없다는 것을 깨달았다. 신전까지 가는 수밖에는 다른 도리가 없었다.

　구름 하나가 태양을 가렸다. 하늘이 어두워졌다. 아이는 주저하며 앞으로 나아갔다. 그리고 목적지의 중간쯤에서 우뚝 멈춰 섰다. 오솔길에 머리가 넓적하고 길이가 1미터도 넘어 보이는 새까만 코브라 한 마리가 공격할 것처럼 도사리고 있었다.

　몸이 굳어버린 아이는 도망칠 엄두도 못 냈다. 대담해진 코브라

는 아이에게로 다가왔다. 곧 뱀이 덤벼들 것이다. 오래 된 주문을
더듬거리던 꼬마는 눈을 감았다. 순간, 코브라의 몸이 축 늘어졌다.

양끝이 갈라진 나무 막대기 하나가 코브라를 땅바닥에 못박아놓
고 있었다.

세타우가 말했다.

─이 죽음은 너를 위한 게 아니었다. 아버지한테 가봐라, 꼬마야.

카는 람세스를 똑바로 쳐다보며 말했다.

─코브라가 날 물지 않은 건 내가 외운 주문이 맞았기 때문이에
요…… 난 올바른 사람이 될 거예요, 그렇죠?

투야가 있다는 정원을 향해 람세스는 발걸음을 옮겼다. 겨울 해
가 정원의 나무들을 금빛으로 물들이고 있었다. 그 따스한 햇살을
만끽하며 투야는 편안한 의자에 앉아 갈색머리 여인과 말을 나누고
있었다.

왕이 누이를 알아보고 소리쳤다.

─돌렌테!

투야가 말했다.

─너무 나무라지 마세요. 폐하께 드릴 말씀이 많다는군요.

피곤하고 창백하고 축 늘어진 얼굴로 돌렌테는 람세스의 발치에
몸을 던졌다.

─절 제발 용서해주세요!

─잘못한 것은 알아, 돌렌테?

─그 저주받을 마법사가 절 홀렸어요…… 전 그가 좋은 사람이
라고 믿었어요.

─그가 누구요?

─리비아인이요, 흑마술을 하는 마법사지요. 그가 절 멤피스의
어떤 집에 가두었어요. 그리고 도망갈 때 강제로 절 데려갔지요. 제

가 복종하지 않았다면 그는 제 목을 잘랐을 거예요.

─왜 그리 끔찍한 소리를 해?

─왜냐하면⋯⋯ 왜냐하면⋯⋯.

돌렌테는 울음을 터뜨렸다. 람세스는 그녀를 일으켜 세워 자리에 앉혔다.

─설명해봐.

─마법사는⋯⋯ 마법사는 하녀 하나하고 영매로 이용하던 젊은 금발 여자 하나를 죽였어요. 자기 말을 안 듣고 협력하지 않았다고 그 여자들을 죽인 거지요.

─범죄를 목격했소?

─아뇨, 전 갇혀 있었어요⋯⋯ 하지만 집을 떠날 때 시체들을 봤어요.

─그 마법사가 왜 누님을 가두고 있었던 거지?

─그는 저한테 영매의 자질이 있다고 믿고, 그것을 동생인 폐하를 해치는 데 사용하려 했어요. 그는 저한테 약을 먹였지요. 폐하의 습관에 대해 질문을 했어요⋯⋯ 하지만 전 대답할 수가 없었지요. 그는 리비아로 떠나면서 절 놓아주었어요. 전 너무 끔찍한 순간들을 겪었어요, 람세스. 전 그가 저를 살려주지 않을 거라고 믿었거든요.

─자신이 너무 경솔했다고 생각지 않아?

─후회하고 있어요. 제가 얼마나 후회하고 있는지 알아주신다면!

─피-람세스의 궁전을 떠나지 말아요.

59

아샤는 아무르 지방의 군주 벤테쉬나를 잘 알고 있었다. 그는 신들의 말에는 전혀 귀 기울이지 않는, 그보다는 여자들이나 포도주를 택하는 자였다. 오로지 자기 자신의 편안함과 쾌락에만 신경쓰는 부패한 자에 지나지 않았다.

어쨌거나 전략적 요충지인 아무르 군주 벤테쉬나의 적극적인 협조를 다짐받기 위해 아샤는 모든 수단을 아끼지 않았다. 아샤는 파라오의 이름으로 직접 방문했다. 그럼으로써 그는 파라오가 아무르 군주에게 보내는 경의를 증명하고자 했다. 게다가 벤테쉬나에게 막대한 양의 보물들, 고급 직물과 질 좋은 포도주 단지들, 백대리석 식기류들과 장식용 무기들, 그리고 궁전에 걸맞는 가구들을 선물로 준비했다.

아무르 지방의 비블로스에 주둔하던 3천의 이집트 병사들은 카데슈 전투에서 결정적인 역할을 해냈다. 파라오의 명을 받고 해안로를 따라 진군한 그들 주둔군은 람세스의 놀라운 힘에 우왕좌왕하던 동맹군에 결정적인 타격을 가했었다. 이집트로 귀환한 그들은 장기간의 포상휴가를 받았다.

아샤는 아무르를 견고한 군사기지로 만들 계획으로 정예군 천여 명과 궁수들을 투입할 생각이었다. 그들이 피 - 람세스로부터 도착할 때까지, 우선 아무르 군주 휘하의 현지군의 교육을 담당하게 될 50명의 고문관들로 이루어진 선발대를 먼저 데리고 갔다.

아샤는 펠루스에서 배에 올라 북쪽으로 방향을 잡았다. 순풍과 잔잔한 바다는 그의 여행을 유쾌하게 했다. 배에 동승시킨 젊은 시리아 처녀도 항해의 매력을 더했다.

이집트 배가 베이루트 항에 들어섰을 때, 벤테쉬나는 그의 신하들을 거느리고 부두에 영접 나와 있었다. 시커멓게 번들거리는 턱수염을 기른 쾌활한 50대의 사내는 아샤와 뺨을 비볐다. 그는 람세스 대왕이 카데슈에서 세계의 균형추를 근본적으로 바꿔놓는 엄청난 승리를 거둔 것에 대해 찬사를 늘어놓았다.

─얼마나 훌륭한 경력이오, 친애하는 아샤! 아직 젊은 나이에 강력한 이집트 제국의 외무대신이라니…… 그대 앞에 몸을 숙이오.

─그럴 필요는 없소이다. 나는 친구로서 온 것이니까.

─내 궁전에 머물도록 하시오. 원하는 게 있으면 무엇이든 말하시오.

벤테쉬나는 눈을 빛냈다.

─어린 숫처녀 하나…… 필요하신가?

─어느 미친 자가 자연의 경이로움을 마다하겠습니까? 약소한 선물을 좀 가져왔으니 보시지요, 벤테쉬나. 마음에 드셨으면 좋겠군요.

선원들은 배에서 화물을 내렸다.

경박한 벤테쉬나는 만족을 감추지 못했다. 우아한 침대 하나가 눈에 띄는 순간 그는 지복에 가까운 탄성을 내질렀다.

―당신들 이집트인들은 사는 게 뭔지를 알고 있단 말씀이야. 나는 어서 저것을 사용해보고 싶소…… 물론 혼자서는 말고!

군주의 기분이 더할 나위 없이 좋아 보였다. 아샤는 그 기회를 이용해서 고문관들을 소개했다.

―당신은 이집트의 충성스런 동맹자로서 우리를 도와야 합니다. 우리는 히타이트인들이 다시는 아무르를 공격할 생각을 못 하게끔 강력한 방어전선을 구축할 계획입니다.

벤테쉬나는 말했다.

―내가 가장 바라는 바요. 나는 교역을 해치는 분쟁이 지긋지긋하오. 내 땅과 백성들은 보호받기를 원하오.

―몇 주일 내에 파라오께서 군대를 보내실 겁니다. 그때까지 저 고문관들이 당신네 병사들을 교육시킬 것입니다.

―훌륭하오. 훌륭해…… 히타이트는 심한 패배를 겪었지. 무와탈리스는 자기 아들 우리테슈프와 아우 하투실 사이의 집안 싸움에 직면하게 되었소.

―군인계급은 어느 쪽으로 쏠린답니까?

―그 자체가 둘로 나뉘어 있소. 두 사람 다 지지자들을 확보하고 있지요. 현재로서는 대왕이 단결을 유지하고 있는 것처럼 보이지만 쿠데타를 배제할 수는 없소. 게다가 카데슈 동맹의 몇몇 공국들은 인적·물적으로 너무 많은 희생을 치른 비참한 모험에 이끌려 들어갔던 것을 후회하고 있소. 그들은 새로운 주인을 찾고 있을 터인데, 그게 파라오가 아니면 누구겠소.

―훌륭한 전망이군요.

―잊지 못할 연회도 약속하지요!

탐스런 가슴과 활짝 피어오른 엉덩이를 가진 젊은 레바논 처녀는 아샤의 몸 위에 엎드려 온몸을 앞뒤로 움직이며 부드럽게 안마했다. 그녀의 매끈한 피부는 향기로웠고, 성기를 뒤덮은 금발의 숲은 매혹적인 풍경이었다.

벌써 몇 차례 일을 치렀지만, 아샤는 점잖게 기다리기 어려웠다. 젊은 레바논 여인의 안마가 기대했던 효과가 발생하기 무섭게 그는 여인을 옆으로 돌려 눕혔다. 이내 그녀의 깊숙한 곳에 이르는 감미로운 길을 발견한 그는 그녀와 함께 새로운 희열의 순간을 나누었다. 그녀는 벌써 오래 전부터 숫처녀가 아니었다. 하지만 그녀의 농익은 애무는 그러한 돌이킬 수 없는 결함을 메우고도 남았다. 그들은 한마디의 말도 나누지 않았다.

그가 말했다.

─가봐. 졸립다.

처녀는 조용히 일어나서 정원으로 나 있는 커다란 방을 나갔다. 아샤는 벌써 그녀를 잊고 있었다. 그는 무와탈리스가 결성했던 동맹에 대해 벤테쉬나가 했던 말을 생각하고 있었다. 언제라도 깨질 수 있는 동맹이었다. 책략이란 사람을 유혹하게 마련이지만, 그것을 잘 쓰는 것은 어려운 일이었다.

히타이트의 왕에 대한 믿음을 잃고 동맹에서 이탈하게 될 나라들은 어떤 다른 강대국 쪽으로 돌아설 것인가? 이집트는 분명 아니었다. 파라오의 나라는 너무 멀리 떨어져 있었고, 호전적이고 불안정한 아시아의 작은 공국들과는 그 심성이 너무 달랐다. 한 가지 생각이 그의 머리에 떠올랐다. 너무 불안한 생각이어서 그는 당장 그 지역의 지도를 살펴보고 싶었다.

그때, 침실문이 열렸다.

작고 허약해 보이는 한 남자가 들어왔다. 가는 띠로 묶은 머리에 수수한 은목걸이, 왼쪽 팔꿈치에 팔찌를 했으며, 어깨가 드러나 보이는 화려한 색의 천으로 된 옷을 걸치고 있었다.

―하투실이라 하오, 히타이트 대왕 무와탈리스의 동생이오.

아샤는 한순간 어찌된 영문인지 깨닫지 못했다. 여행의 피로와 사랑놀이 때문에 환각을 일으킨 것인가?

―꿈을 꾸고 있는 게 아니오, 아샤. 나는 이집트 외교의 책임자이며 람세스 대왕의 아주 가까운 친구분을 만나게 되어 기쁩니다.

―당신이…… 아무르에…….

―당신은 내 포로요, 아샤. 탈출할 생각은 꿈에도 마시오. 내 부하들이 이집트 장교들과 당신의 배, 그리고 선원들을 사로잡았소. 히타이트는 다시금 아무르 지방의 주인이 되었소. 람세스는 우리의 반격 능력을 과소평가하는 잘못을 범한 것이오. 카데슈에서 패배한 동맹군의 총사령관으로서, 나는 견딜 수 없는 모욕을 당했소. 람세스의 엄청난 분노와 그의 무모한 용기만 없었더라면, 나는 이집트 군을 전멸시켰을 것이오. 바로 그 때문에 나는 서둘러 나의 진정한 가치를 입증해야 했소. 당신들이 승리감에 도취되어 있는 동안 효과적으로 손을 써야 했던 것이오.

―아무르 군주가 또다시 우릴 배반했군.

―벤테쉬나는 많이 주는 쪽에 팔리는 자요. 그게 그의 천성이지. 이 지방은 결코 이집트의 품으로 되돌아가지 않을 것이오.

―당신은 람세스의 분노를 잊고 있소!

―천만에. 두려워하고 있소. 그렇기 때문에 나는 그의 분노를 자극하지 않을 생각이오.

―히타이트 군이 아무르를 점령했다는 사실을 아는 즉시 그는 행동에 들어갈 것이오. 그리고 나는 당신에게 그에 저항할 만한 군대를 재조직할 시간이 없다는 것을 확신하오.

하투실은 미소지었다.

─당신의 통찰력은 무섭소이다. 하지만 헛된 것이오. 왜냐하면 람세스가 진실을 알게 될 때는, 이미 돌이킬 수 없을 때이기 때문이오.

　─내 침묵이 모든 것을 말할 거요.

　─당신은 침묵하지 않을 것이오, 아샤. 당신은 당신의 임무가 예상했던 대로 진행되고 있으며 군사 고문관들이 일을 썩 잘해나가고 있다는, 마음 든든한 편지를 람세스에게 쓸 것이기 때문이오.

　─달리 말하면 우리 군대는 아무것도 의심치 않고 아무르로 진군할 것이고, 당신의 함정에 빠질 것이란 말이군.

　─그것이 내 계획의 일부요.

　아샤는 하투실의 생각을 읽어내려 애썼다. 그는 이 지방 사람들의 특성에 대해서, 그들의 소망과 그들의 원한에 대해 하나도 아는 것이 없었다. 이제서야 이집트인은 진실을 알아차리게 되었다.

　─또다시 베두인 족과 비열한 동맹을 맺으려는 것이군!

　하투실이 인정했다.

　─그보다 더 좋은 해결책이 없지.

　─그들은 도적에다 살인자들이오.

　─나도 모르는 바는 아니오. 하지만 그들은 이집트의 동맹국들에 불안을 조성하는 데에는 유용할 것이오.

　─그런 비밀을 내게 흘리는 것은 경솔한 짓인 것 같은데?

　─이제 곧 그것은 비밀이 아니라 현실이 될 것이오. 굳이 숨길 이유가 없소. 옷을 입으시오, 아샤. 나를 따라오시오. 당신이 받아 적어야 할 편지가 있소.

　─내가 편지 쓰기를 거절한다면 어쩌겠소?

　─당신은 죽을 것이오.

　─나는 준비가 됐소.

　─아니오, 당신은 준비가 되어 있지 않소. 당신처럼 여인들을 사

랑하는 사람은 이미 명분 잃은 일을 위해서 삶의 쾌락을 포기할 준비가 되어 있지 않소. 당신은 편지를 쓸 것이오. 살기를 원하니까.

이집트인은 망설였다.

—만일 내가 시키는 대로 한다면?

—당신은 감옥에 갇히게 되겠지만 되도록 편안하게 지낼 것이오. 살아남을 것이오.

—나를 제거하지 않고 살려둘 이유가 있겠소?

—현실적인 협상의 범주에서 보자면, 이집트의 외무대신은 훌륭한 교환가치가 있지 않겠소? 이미 카데슈에서 그런 경우가 있었지.

—교환가치라…… 람세스를 배신할 것을 요구하면서.

—당신은 강압에 못 이겨 하는 것이오…… 그것은 진짜 배신은 아니지.

—목숨을 살려준다…… 듣기 좋은 약속이긴 한데?

—내, 히타이트의 신들 앞에서 대왕의 이름으로 약속하리다.

—편지를 쓰겠소, 하투실.

60

열 명쯤 되어 보이는 베두인 사람들이 말을 타고 오아시스에 들이닥쳤다. 모세의 아내를 비롯한 마디안 사제의 일곱 딸들은 양들에게 먹일 물을 길어 구유에 채워넣고 있었다. 수염이 무성한 얼굴에 활과 단도로 무장한 그들은 좋은 이웃으로 보이지 않았다.

양들은 사방으로 흩어졌고, 일곱 딸들은 천막 아래로 도망쳤다. 늙은이는 지팡이에 몸을 지탱하며 방문객들을 맞았다.

─당신이 이 부락 촌장인가?

─그렇소만.

─여기 사지가 멀쩡한 남자가 몇이나 돼?

─나와 양치기, 그렇게 둘뿐이오.

─가나안은 히타이트인들의 지지 하에 파라오에 봉기하기로 했

다. 우리는 땅을 갖게 될 거야. 모든 부족들은 우리를 도와 파라오를 쳐부숴야 해.

—우리는 부족이 아니올시다. 그저 이곳에서 대를 이어 평화롭게 살고 있는 한 가족에 불과합니다.

—양치기를 이리 데려와라.

—그는 산에 있습니다.

베두인 사람들은 뭔가를 의논했다. 그들 중 하나가 말했다.

—우리는 조만간 다시 오겠다. 그날 양치기를 데려간다. 그는 우리와 함께 싸울 것이다. 만일 그렇지 않으면, 우리는 당신네 우물을 메워버리고 천막을 불태워버릴 것이다.

밤이 이슥했을 때, 모세는 자기의 천막 안으로 들어왔다. 그의 아내와 장인이 몸을 일으켰다. 아내가 물었다.

—어디 있었어요?

—성스런 산에 있었소. 그곳에서 우리 조상의 하느님이 내게 계시하셨소. 그분은 이집트에 있는 히브리인들의 비참함에 대해서 말씀하셨소. 그분은 파라오의 권세 아래 복속된 내 민족과 탄식하고 있는 내 형제들, 압제에서 벗어나길 원하는 내 형제들에 대해서 말씀하셨소.

마디안 사제가 말했다.

—그보다 더 큰일이 있네. 베두인 사람들이 여기 왔었네. 그들은 자네를 데려가려 해. 파라오에 들고 일어선 가나안 사람들의 반란에 자네를 참가시키려는 것이야. 사지가 멀쩡한 이 지역 남자들은 모두 마찬가지일세.

—미친 짓입니다. 람세스는 반란을 궤멸시킬 겁니다.

—히타이트인들이 반도들의 편에 있다는데?

—그들은 카데슈에서 패배하지 않았습니까?

사제가 인정했다.

―대상의 말몰이꾼들이 그렇게 얘기했었지. 하지만 그자들 말을 믿을 수가 있어야지. 자네는 몸을 숨겨야겠어, 모세.

―베두인 사람들이 어르신을 위협했습니까?

―만일 자네가 그들과 함께 싸우지 않으면, 그들은 우리를 모두 죽일 게야.

모세의 아내 시포라가 그의 목에 매달렸다.

―당신 떠나실 거죠, 그렇죠?

―하느님이 내게 이집트로 돌아가라고 말씀하셨소.

늙은 사제가 말했다.

―거기 가면 재판을 받고 처형될 게야!

시포라가 말했다.

―저도 함께 가겠어요. 그리고 우리 아들도 데려가겠어요.

―여행이 위험할 거요.

―상관없어요. 당신은 내 남편이고, 나는 당신 아내예요.

늙은 사제는 낙담하여 다시 주저앉았다.

모세가 말했다.

―걱정 마세요. 하느님께서 어르신의 오아시스를 지켜주실 겁니다. 베두인 사람들은 다시 오지 않을 겁니다.

―뭔 상관인가! 자네와 내 딸, 그리고 내 손자를 다시 못 볼 판국에…….

―말씀이 맞습니다. 우리에게 작별의 키스를 해주십시오. 그리고 우리의 영혼을 주님께 맡기도록 합시다.

피-람세스의 신전들은 한겨울 축제를 준비하고 있었다. 축제 기간 동안 우주의 비밀스런 힘은 신상들이나 혹은 의식에 쓰이는 물건들을 새것으로 만들 것이었다. 왕과 왕비는 그들 존재 내에 들어 있던 힘이 소진되었기에 빛과 교감해야 했고, 우주의 질서인 마아트에 제물을 봉헌해야 했다.

카데슈에서의 승리는 이집트인들을 안심시켰다. 이제는 아무도 히타이트인들을 무적이라고 믿지 않았다. 람세스가 적을 물리칠 수 있으며 일상의 행복을 지킬 수 있다는 것을 알고 있었다.

수도는 더욱더 아름다워지고 있었다. 주요 신전들, 아몬과 프타, 라, 그리고 세트 신전들은 석공들의 망치와 정의 고른 소리를 타고 커져갔으며, 귀족들과 고급관리들의 별장은 테베나 멤피스의 그것들과 아름다움을 겨루었다. 항구는 쉴 틈 없이 생동하고 있었고, 창고들은 귀한 물건들로 넘쳐났으며, 특별 공방은 터키석의 도시란 명성에 걸맞게 피-람세스의 저택들의 벽면을 장식할 푸른 광택의 타일을 만들어내고 있었다.

수도의 주민들이 가장 즐기는 소일거리 가운데 하나는 물고기가 가득한 운하에 배를 띄우고 낚시하는 것이었다. 어느 풍요로운 시골의 과수원에서 생산된 꿀맛 같은 사과를 깨물어 먹으면서, 낚시꾼들은 물 흐르는 대로 배를 맡겼다. 그들은 운하 근처의 꽃이 만발한 정원이나 따오기, 홍학, 펠리컨 등이 날아오르는 것을 감상하느라 이따금 물고기가 미끼를 문 것도 잊고 있었다.

람세스는 손수 노를 저어 메리타몬과 카를 운하에 데려갔다. 카는 누이동생에게 자기가 코브라와 만났던 일을 얘기하는 것을 잊지 않았다. 꼬마녀석은 과장 없이 차분하게 설명하고 있었다. 이러한 몇 시간의 휴식 후, 람세스는 네페르타리를 만날 것이고 왕비가 식사에 초대한 이제트를 만날 예정이었다.

선창에 아메니가 나와 있었다.

그가 사무실에서 나왔다면 뭔가 중대한 이유가 있어서일 것이다.

—아샤의 편지입니다.

—나쁜 소식인가?

―직접 읽어보시지요.

람세스는 네드젬에게 아이들을 맡기고, 아메니가 건네준 파피루스를 펼쳤다.

　　외무대신 아샤가 이집트의 파라오에게.

　　폐하의 명령대로 저는 아무르 군주 벤테쉬나를 만났습니다. 그는 저를 무척 환대해주었습니다. 우리의 군사 고문관들은 폐하와 저처럼 테베의 칸에서 공부한 궁전 서기관의 지휘 아래 레바논 병사들을 교육시키기 시작했습니다. 우리가 예상했던 것처럼, 히타이트 군은 카데슈에서 패배한 이후 더 북쪽으로 후퇴했습니다. 하지만 우리의 경계를 풀어서는 안 될 것입니다. 그들의 침략기도가 있을 경우에 이 지역의 군사력만으로는 충분치 못할 겁니다. 지속적인 평화와 안전을 보장할 방어기지를 설치하기 위해서는 조속한 시일 내에 정예군 사단병력을 이곳에 파견하는 것이 불가피하다고 생각됩니다.

　　파라오의 만수무강을 빕니다.

왕은 파피루스를 말았다. 심각한 표정으로 그가 말했다.

　―아샤의 필체가 분명한데.

　―그렇긴 한데…….

　―분명 아샤가 썼다는 건 맞아. 하지만 강압에 못 이겨 쓴 거야.

아메니가 동의했다.

　―제 생각도 그렇습니다. 아샤라면 폐하와 자기가 테베의 칸에서 공부했다고 쓰지 않았을 겁니다.

람세스는 상황을 추정하며 나직이 읊조렸다.

　―그렇겠지. 테베가 아닌 멤피스의 칸을 혼동했을 리가 없지. 아샤의 기억력은 그렇게 나쁜 편이 아니지.

―그렇다면 그 실수는 뭘 의미하는 걸까요?

―그가 아무르에 포로로 잡혀 있다는 것이지.

―벤테쉬나 군주가 돌았단 말입니까?

―아닐세. 그자 역시 누가 시켜서 하는 일이겠지. 물론 자기 앞길은 보장받았을 테고.

―그렇다면…….

람세스가 말했다.

―히타이트인들이 번개처럼 반격해왔군. 그들은 아무르를 점령하고 우리에게 새로운 함정을 드리우려 하고 있네. 아샤의 지혜가 없었다면 무와탈리스의 복수극이 성공할 뻔했어.

―아샤가 아직 살아 있으리라고 믿으십니까?

―나도 모르네, 아메니. 당장 세라마나에게 정예 특공대의 파견을 준비시키겠네. 만일 우리 친구가 아직 살아 있다면, 우리는 그를 구해낼 걸세.

파라오는 무기공장을 방문하여 공격용과 방어용 무기의 생산을 독려했다. 그 소식은 몇 시간 만에 수도 전체에 퍼졌고, 수일 안에 이집트 전역에 퍼져나갔다.

손바닥으로 하늘을 가려서 무엇 하겠는가? 카데슈에서의 승리는 히타이트 족의 정복의지를 무너뜨리기엔 충분하지 않았다. 피-람세스의 네 군데 병영은 비상사태에 돌입했다. 병사들은 곧 새로운 전투를 위해 북쪽으로 떠나야 한다는 것을 깨닫고 있었다.

온 낮과 온 밤을 람세스는 집무실에 혼자 틀어박혔다. 이른 아침, 그는 암흑의 용과 치열한 전투를 벌이고 다시금 태어나는 그의 수호자 태양을 바라보기 위해 궁전의 테라스로 나갔다.

테라스의 동쪽 모퉁이 낮은 벽 위에 네페르타리가 앉아 있었다. 그녀는 새벽의 장밋빛 광명 속에서 너무도 순수하고 아름다웠다.

람세스는 그녀를 꼭 껴안았다.

　―나는 카데슈의 승리가 평화의 시대를 열었다고 믿었소. 하지만 그건 오만이었소. 우리 주위엔 그림자들이 배회하고 있소. 무와탈리스의 그림자, 아마도 아직 살아 있을 셰나르의 그림자, 잠적한 리비아 마법사의 그림자, 아직도 행방을 알 수 없는 모세의 그림자, 아무르에 갇혀 있거나 죽었을 아샤의 그림자…… 우리가 폭풍에 저항할 만큼 충분히 강할 수 있을까?

　―당신은…… 그래요, 바람이 얼마나 강하든 배의 키를 다루는 사람이에요. 당신은 회의를 느낄 시간도, 그럴 권리도 없어요. 역풍이 불어온다면 당신은 맞서야만 해요. 우리는 역풍과 맞설 거예요.

　지평선에서 태양이 솟구쳐 올랐다. 그 신생의 첫 빛이 왕비와 빛의 아들 람세스를 비추고 있었다.

제4권 『아부 심벨의 여인』으로 이어집니다

옮긴이 **김정란**

시인이자 문학평론가이며 불문학자로서 전방위적 활동을 펼치고 있다. 한국외국어대 불어과를 졸업했으며 프랑스 그르노블 대학에서 이브 본푸아 연구로 문학박사학위를 받았고, 상지대학교 문화콘텐츠학과 교수로 재직했다. 지은 책으로 시집 『다시 시작하는 나비』『매혹, 혹은 겹침』『그 여자, 입구에서 가만히 뒤돌아보네』『스.타.카.토. 내 영혼』『용연향』, 문학평론집 『비어 있는 중심』『영혼의 역사』 등이 있다. 『시간의 지배자』『비교문학개요』『생각의 거울』『미셸 투르니에의 상상력을 자극하는 시간』『아발론 연대기』 등을 우리말로 옮겼다.

문학동네 세계문학

람세스 *제3권 카데슈 전투*

1판 1쇄 1997년 4월 19일 | 1판 57쇄 2023년 10월 30일

지은이 크리스티앙 자크 | 옮긴이 김정란

펴낸곳 (주)문학동네 | 펴낸이 김소영
출판등록 1993년 10월 22일 제2003-000045호
주소 10881 경기도 파주시 회동길 210
전자우편 editor@munhak.com | 대표전화 031) 955-8888 | 팩스 031) 955-8855
문의전화 031) 955-1927(마케팅) 031) 955-1917(편집)
문학동네카페 http://cafe.naver.com/mhdn
인스타그램 @munhakdongne | 트위터 @munhakdongne
북클럽문학동네 http://bookclubmunhak.com

ISBN 89-8281-050-1 03860
        89-8281-030-7 (세트)

잘못된 책은 구입하신 서점에서 교환해드립니다.
기타 교환 문의 031) 955-2661, 3580

www.munhak.com

제4권
『아부 심벨의 여인』

모세가 이집트에 돌아온다.

오래 전 친구 람세스를 떠났던 그가

성스런 산에서 신의 계시를 받고

히브리 민족을 탈출시키기 위해

돌아왔다. 모세와 람세스의 만남.

신이 되고자 하는 람세스와

신을 간구하는 모세,

이 거대한 두 사내의 운명적인 대결은

어떤 결과를 초래할 것인가.

람세스에 대항하는 무리들의 움직임이

더욱 치밀해지는 가운데

카데슈 전투로 엄청난 타격을 입은

이집트와 히타이트는

치열한 암투를 벌이며 상대방을

제압하기 위한 전략을 모색한다.

격전의 와중에서도

네페르타리를 향한 람세스의

사랑은 깊어만 가고, 파라오는

자신의 사랑을 드러낼

놀라운 선물을 기획한다.